Jet

[INTRIGA]

Biblioteca

JOHN
LE CARRÉ

PLAZA JANÉS

JOHN LE CARRÉ

SINGLE
&
SINGLE

Traducción de
Carlos Milla Soler

PLAZA & JANÉS EDITORES, S.A.

Título original: *Single & Single*
Diseño de la portada: Jaime Fernández
Fotografía de la portada: © Photonica/Cover

Primera edición en esta colección: marzo, 2000

© 1999, David Cornwell
© de la traducción: Carlos Milla Soler
© 1999, Plaza & Janés Editores, S. A.
   Travessera de Gràcia, 47-49. 08021 Barcelona

Printed in Spain – Impreso en España

ISBN: 84-01-01350-X
Depósito legal: B. 9.917 - 2000

Fotocomposición: Fort, S. A.

Impreso en Litografia Rosés, S. A.
Progrés, 54-60. Gavà (Barcelona)

L 0 1 3 5 0 X

La sangre humana es una mercancía.

Comisión Federal de Comercio
de Estados Unidos, 1966

AGRADECIMIENTOS

Deseo expresar mi agradecimiento especialmente a Alan Austin, mago y artista del espectáculo, de Torquay, Devon; a Sükrü Yarcan, del Programa de Administración Turística, Universidad de Boğaçi, Estambul; a Temur y Giorgi Barklaia, de Mingrelia; al distinguido Phil Connelly, miembro reciente del Servicio de Investigaciones Aduaneras de Su Majestad; y a un banquero suizo a quien sólo puedo llamar Peter. George Hewitt, profesor de lenguas caucásicas de la Escuela de Estudios Orientales y Africanos desde 1996, me ha ahorrado una vez más algún que otro bochorno.

JOHN LE CARRÉ
Cornualles, julio de 1998

1

Esta pistola no es una pistola.

O tal era la firme convicción del señor Winser cuando el juvenil Alix Hoban, gerente para Europa y director ejecutivo de las delegaciones de Trans-Finanz en Viena, San Petersburgo y Estambul, introdujo una pálida mano bajo la delantera de su chaqueta italiana y extrajo no una pitillera de platino ni una tarjeta de visita grabada, sino una estilizada pistola automática negra con reflejos azules, en impecable estado, y la apuntó al caballete de la nariz aguileña pero estrictamente pacífica del señor Winser desde una distancia de quince centímetros. Esta pistola no existe. Es una prueba inadmisible. No es una prueba en absoluto. Es una no pistola.

El señor Alfred Winser era abogado, y para un abogado los hechos estaban para impugnarlos. Cualquier clase de hechos. Cuanto más evidentes parecían al profano en derecho, tanto más enérgicamente debía refutarlos un abogado escrupuloso. Y en aquel momento Winser era tan escrupuloso como el que más. Aun así, en su estupefacción, se le cayó el maletín. Oyó el golpe contra el suelo; notó su peso todavía por unos instantes en la palma de la mano; vio de refilón su sombra proyectada ante los pies. Mi maletín, mi pluma, mi pasaporte, mis pasajes de avión, mis cheques de viaje. Mis tarjetas de crédito, mi legalidad. Con todo, no se agachó a recogerlo, aunque le había costado una fortuna. Siguió contemplando con mudo asombro la no pistola.

Esta pistola no es una pistola. Esta manzana no es una manzana. Pese a los cuarenta años transcurridos, Winser recordaba aún las sabias palabras de su profesor de derecho cuando el gran hombre hizo aparecer como por arte de magia una manzana verde de las profundidades de su raída chaqueta de sport y la blandió para someterla a la inspección de su auditorio, mayoritariamente femenino: «Puede *parecer* una manzana, señoras, puede *oler* como una manzana, tener el *tacto* de una manzana, pero ¿*suena* como una manzana? —La agita—. ¿Se *corta* como una manzana?» Saca un antiguo cuchillo de pan de un cajón de su escritorio y golpea. La manzana se transforma en una lluvia de yeso. Cantarinas risas mientras el gran hombre aparta los fragmentos con la punta de la sandalia.

Pero no terminó ahí la insensata huida de Winser por el camino de la memoria. En un abrir y cerrar de ojos saltó de la manzana de su profesor a su verdulero de Hampstead, el barrio donde vivía y donde en ese momento habría deseado hallarse con toda su alma: un proveedor de manzanas risueño y desarmado con un alegre delantal y un sombrero de paja que vendía, además de manzanas, unos espárragos frescos de primera calidad que gustaban mucho a Bunny, la esposa de Winser, a pesar de no gustarle casi nada de lo que su marido le llevaba. «Acuérdate, Alfred, verdes y que hayan asomado ya sobre la tierra —insistía ella, endosándole la compra—. Y sólo en temporada, Alfred; los que se crían fuera de tiempo no saben a nada.» ¿Por qué lo hice? ¿Por qué tengo que casarme con una persona para descubrir que no me cae bien? ¿Por qué no consigo ver claras las cosas antes del hecho consumado en lugar de después? ¿Para qué sirve una buena formación jurídica si no es para protegernos de nosotros mismos? Mientras su aterrorizado cerebro buscaba desesperadamente una posible vía de escape, Winser halló consuelo en estas incursiones en su realidad interior. Lo fortalecieron contra la irrealidad de la pistola, aunque fuese sólo por unas décimas de segundo.

Esta pistola *sigue* sin existir.

Sin embargo Winser era incapaz de apartar de ella la mirada. Nunca había contemplado un arma desde tan cerca, nunca se había visto obligado a tomar tan íntima nota del color, la línea, las marcas, el bruñido y el estilo, todo ello claramente expuesto ante sus ojos bajo un sol cegador. ¿*Dispara* como una pistola? ¿*Mata* como una pistola? ¿*Aniquila* como una pistola, haciendo desaparecer la cara y las facciones en una lluvia de yeso? Audazmente, se rebeló contra tan ridícula posibilidad. ¡Esta pistola no existe, *no* existe en absoluto! Es una quimera, una alucinación provocada por el cielo blanco, el calor y la insolación. Es un desvarío debido a la mala comida, los malos matrimonios, y dos agotadores días de reuniones cargadas de humo y enloquecedores traslados en limusina en medio del bochorno, el polvo y los atascos de Estambul, debido al aturdimiento del apresurado vuelo a primera hora de la mañana en el avión privado de Trans-Finanz por encima de los parduscos macizos de la Turquía central, debido al suicida viaje en coche de tres horas por carreteras costeras con pronunciados desniveles y curvas cerradas bajo precipicios de roca roja hasta el fin del mundo, aquel árido y peñascoso promontorio salpicado de matas de cambrón y colmenas rotas a doscientos metros sobre el Mediterráneo oriental, con el sol matutino ya en pleno apogeo, y la imperturbable pistola de Hoban —todavía allí y todavía ilusoria— mirando a su cerebro con igual fijeza que un cirujano.

Cerró los ojos. ¿Ves?, dijo a Bunny. No hay pistola. Pero Bunny, aburrida como de costumbre, lo apremió a saciar sus apetitos y dejarla en paz, así que Winser optó por dirigirse al estrado, cosa que llevaba treinta años sin hacer: Su señoría, me hallo ante el grato deber de anunciar a este tribunal que el litigio entre Winser y Hoban se ha resuelto amistosamente. Winser admite haberse equivocado al insinuar que Hoban blandió un arma durante una reunión in situ celebrada en los montes de la Turquía meridional. Hoban, a su vez, ha ofrecido una completa y satisfactoria explicación de sus actos...

Y después de eso, por hábito o por respeto, se dirigió a su presidente, director ejecutivo y mentor de los últimos veinte años, el epónimo fundador y creador de la Casa de Single, el único e inigualable Tiger Single en persona: Aquí Winser, Tiger. Francamente bien, gracias, ¿y usted qué cuenta? Me alegro. Sí, creo que puede decirse que todo va tal como usted sabiamente pronosticó, y hasta el momento las reacciones han sido plenamente satisfactorias. Salvo por un detalle insignificante... ya agua pasada... ningún cambio sustancial... sólo que tuve la impresión de que Hoban, el representante de nuestro cliente, sacaba una pistola. Una pequeñez, pura fantasía, pero uno agradecería que lo avisasen previamente...

Aun cuando abrió los ojos y vio la pistola justo donde antes estaba, y la mirada de niño de Hoban fija en él al otro extremo del cañón, y su dedo índice de niño, sin vello, doblado en torno al gatillo, se resistió Winser a abandonar el último bastión de su postura legal. Muy bien, esta pistola existe en cuanto objeto, pero no en cuanto pistola. Es una pistola de pega. Una broma pesada, inofensiva y jocosa. Hoban la ha comprado para su hijo. Es una réplica de una pistola, y Hoban, a fin de aligerar un poco lo que para un joven es sin duda una negociación larga y tediosa, la ha blandido en una simple humorada. Con los labios yertos, Winser forzó una especie de desenfadada sonrisa en consonancia con su novísima teoría.

—Bueno, debo admitir, señor Hoban, que ése sí es un razonamiento convincente —declaró con audacia—. ¿Qué quiere que haga? ¿Que renuncie a nuestros honorarios?

Pero en respuesta oyó sólo un martilleo de fabricantes de ataúdes, que se apresuró a convertir en el tableteo de los albañiles que arreglaban contraventanas, tejas y tuberías en una localidad turística al otro lado de la bahía, con las prisas de última hora para dejarlo todo a punto antes del verano después de pasar el invierno entero jugando al backgammon. En su afán de normalidad, Winser saboreó los olores del aguarrás, los sopletes, el pescado a la brasa, las especias de los puestos de comida ambulantes, y el resto de los deliciosos y no tan deliciosos aromas de la Turquía mediterránea. Hoban ordenó algo en ruso a sus colegas. Winser oyó unas acuciosas pisadas a sus espaldas pero no se atrevió a volver la cabeza. Unas manos le arrancaron de un tirón la chaqueta y otras tentaron su cuerpo: axilas, costillas, columna, entrepierna. Recuerdos de manos más gratas sustituyeron a las de sus agresores, sin ofrecerle no obstante el menor solaz al descender hasta las pantorrillas y los tobillos en busca de un arma oculta. Winser no había llevado un arma en la vida, ni oculta ni a la vista, a menos que se considerase como tal el bastón de cerezo con que mantenía a raya a los perros rabiosos y los maníacos sexuales cuando salía a pasear y admirar a las que hacían *footing* por el Hampstead Heath.

A su pesar, Winser recordó el excesivo número de acólitos que acompañaban a Hoban. Hipnotizado por la pistola, había imaginado por un breve instante que él y Hoban estaban solos en lo alto del promontorio, cara a cara y sin nadie que los oyese, una situación de la que cualquier abogado espera sacar partido. Pero ya no podía seguir negando la evidencia de que Hoban contaba con la asesoría de varios elementos de cuidado desde su salida de Estambul. En el aeropuerto se habían unido a ellos un tal signor D'Emilio y un tal monsieur François, ambos con las chaquetas sobre los hombros, sin enseñar los brazos. Winser no había prestado la menor atención a ninguno de ellos. Otros dos indeseables los aguardaban en Dalaman, provistos de su propio Land Rover de color negro mortuorio y chófer. «De Alemania», había explicado Hoban a modo de presentación, omitiendo los nombres del par. Bien podían ser de Alemania, pero en presencia de Winser habían hablado sólo en turco y vestían los trajes de empleado de pompas fúnebres característicos de los turcos provincianos en viaje de negocios.

Otras manos agarraron a Winser por el cabello y los hombros y lo obligaron a arrodillarse en el camino de arena. Oyó los cencerros de un rebaño de cabras y decidió que eran las campanas de la iglesia de Saint John, en Hampstead, tocando a muerto por él. Otras manos se apoderaron de su calderilla, gafas y pañuelo. Otras cogieron su preciado maletín mientras él lo observaba como en una pesadilla: su identidad, su seguridad, pasando de mano en mano, seiscientas libras en piel de incomparable calidad, comprada irreflexivamente en el aeropuerto de Zúrich con metálico retirado de una cuenta de dinero negro que Tiger lo había animado a abrir. «Pues la próxima vez que tengas un arranque de generosidad bien podrías regalarme un bolso presentable», se queja Bunny con un ascendente gemido nasal que anuncia que sus protestas no han hecho más que empezar. Me fugaré, pensó Winser. Bunny se queda con la casa de Hampstead; yo me busco un piso en Zúrich, un apartamento en uno de esos edificios nuevos construidos a modo de gradas en una pendiente. Tiger lo comprenderá.

Un vibrante resplandor amarillo disipó aquellas imágenes, y Winser lanzó un grito de dolor. Unas manos encallecidas le habían agarrado las muñecas y se las habían retorcido en direcciones opuestas detrás de la espalda. Su grito reverberó de monte en monte hasta extinguirse. Otras manos le levantaron la cabeza, en un principio con deferencia, casi como haría un dentista, y al instante, sujetándolo del pelo, se la volvieron bruscamente cara al sol.

—Aguantadlo en esa posición —ordenó una voz en inglés, y Winser, con los ojos entornados, atisbó el semblante preocupado del signor D'Emilio, un hombre canoso de la edad de Winser.

«El signor D'Emilio es nuestro asesor de Nápoles», había dicho Hoban con el abominable acento nasal ruso-norteamericano que había adquirido Dios sabía dónde. «Muchísimo gusto», había contestado Winser con una tibia sonrisa, empleando el mismo sonsonete que Tiger cuando éste no tenía intención de dejarse impresionar. Inmovilizado en la arena, traspasado por el dolor de brazos y hombros, Winser lamentó sinceramente no haber mostrado respeto al signor D'Emilio cuando tuvo ocasión.

D'Emilio se paseaba cuesta arriba. Winser habría deseado pasear con él, del brazo, como buenos amigos, y reparar entretanto cualquier impresión errónea que hubiese podido causar anteriormente. Pero lo obligaron a permanecer arrodillado, la cara vuelta hacia el sol abrasador. Cerró los ojos con fuerza pero los rayos del sol continuaron anegándolos en resplandor amarillo. Aunque arrodillado, tenía el tronco ladeado y erguido, y el dolor que penetraba por sus rodillas era el mismo que taladraba sus hombros en corrientes alternas. Le preocupaba su cabello. Nunca le había atraído la idea de teñírselo y de hecho desdeñaba a quienes lo hacían. Pero cuando su peluquero lo convenció de que probase un tinte provisional para ver cuál era el efecto, Bunny lo conminó a perseverar. «¿Qué crees tú que siento, Alfred, yendo por ahí con un hombre de pelo blanco como la leche por marido?», preguntó Bunny. «¡Pero, cariño, ya tenía el pelo así cuando nos casamos!», adujo Winser. A lo que ella repuso: «Para mi desgracia.»

Debería haber seguido el consejo de Tiger y ponerle un piso a Bunny en algún sitio, Dolphin Square, el Barbican. Debería haberla despedido como secretaria y mantenido como amiguita sin sufrir la humillación de ser su marido. «¡No se case con ella, Winser; cómprela! A la larga sale siempre más a cuenta», le aseguró Tiger, y luego les obsequió una semana de luna de miel en Barbados. Abrió los ojos. Se preguntó adónde había ido a parar su sombrero, un postinero panamá que había comprado en Estambul por sesenta dólares. Vio que lo llevaba puesto su amigo D'Emilio, para entretenimiento de los dos turcos de traje oscuro. Primero rieron los tres a una. Luego se volvieron los tres a una y, desde el lugar elegido a medio camino de lo alto de la cuesta, contemplaron a Winser como si éste representase una escena. Los tres con expresión adusta, interrogativa. Espectadores, no participantes. Bunny observándolo mientras él le hacía el amor. ¿Qué tal ahí abajo? ¿Te lo pasas bien? Venga, tú a lo tuyo, que estoy cansada. Winser echó un vistazo al chófer del jeep en el que había viajado el último trecho desde la falda del promontorio. Ese hombre tiene una cara afable; él me salvará. Y una hija casada en Esmirna.

Con cara afable o sin ella, el chófer se había dormido. En el Land Rover de color negro mortuorio de los turcos, estacionado algo más abajo, un segundo chófer permanecía en su asiento mirando al frente, boquiabierto y ensimismado, sin ver nada.

—Hoban —dijo Winser.

Una sombra le cubrió los ojos, y a juzgar por lo alto que estaba ya el sol, quienquiera que la proyectase debía de hallarse muy cerca de él. Le entró somnolencia. Buena idea. Despierta en otra parte. Bajando la vista, miró a través de las pestañas pegoteadas por el sudor y vio un par de zapatos de piel de cocodrilo que asomaban de las perneras de un elegante pantalón blanco de dril con vueltas. Alzó la vista e identificó el rostro negro e inquisitivo de monsieur François, otro más de los sátrapas de Hoban. «Monsieur François es nuestro agrimensor; se encargará de tomar las medidas de los terrenos propuestos», había anunciado Hoban en el aeropuerto de Estambul, y Winser, neciamente, saludó al agrimensor con la misma sonrisa tibia que había dedicado al signor D'Emilio.

Uno de los zapatos de piel de cocodrilo se movió, y Winser, en su sopor, se preguntó si monsieur François se proponía asestarle un puntapié; pero por lo visto no era ésa su intención. Acercaba algo oblicuamente a la cara de Winser. Un dictáfono, decidió Winser. Los ojos le escocían a causa del sudor. Quiere que dirija unas palabras tranquilizadoras a mis seres queridos para cuando les exijan un rescate por mí: Tiger, le habla Alfred Winser, el «último Winser», como usted me llamaba, y quiero hacerle saber que me encuentro perfectamente, no hay por qué preocuparse, todo va sobre ruedas. Son buena gente y me tratan a cuerpo de rey. He aprendido a respetar su causa, sea cual sea, y cuando me liberen, cosa que, según me han prometido, harán de un momento a otro, la defenderé con denuedo en los foros de opinión internacionales. Ah, y espero que no le importe, pero les he asegurado que también usted hablará en favor de ellos, pues resulta que están muy interesados en beneficiarse de su poder de persuasión...

Lo acerca a mi otra mejilla. Lo mira con la frente arrugada. No es un dictáfono, pues; es un termómetro. No, tampoco. Es un aparato para tomarme el pulso, para cerciorarse de que no estoy a punto de desmayarme. Vuelve a guardárselo en el bolsillo. Sube con paso enérgico por la cuesta para reunirse con los dos empleados de pompas fúnebres turco-alemanes y el signor D'Emilio, cubierto con mi panamá.

Winser advirtió que, con las tensiones de descartar lo inaceptable, se había orinado encima. Una pegajosa mancha de humedad se había formado en la cara interior de la pernera izquierda del pantalón de su traje tropical, y nada podía hacer para ocultarla. Estaba desvalido, aterrorizado. Estaba transportándose a otros lugares. Estaba sentado tras su escritorio de la oficina a altas horas porque no resistía la idea de esperar levantado una noche más a que Bunny regresase malhumorada y sonrojada de casa de su madre. Estaba en Chiswick con una amiga regordeta que amó en otro tiempo, y ella le ataba las manos a la cabecera de la cama con trozos del cinturón de una bata que guardaba en un cajón de la mesilla. Estaba en cualquier parte, donde fuese, menos en lo alto de aquel promontorio del infierno. Estaba dormido pero seguía de rodillas, con el tronco ladeado y erguido, rabiando de dolor. Debía de haber esquirlas de conchas o piedras entre la arena, porque notaba pinchazos en las rótulas. Cerámica antigua, recordó. Abundan los restos de cerámica romana en estos montes y, según se dice, hay también vetas de oro. Precisamente el día anterior en Estambul, en el despacho del doctor Mirsky, había planteado ese tentador argumento de venta a la comitiva de Hoban durante su elocuente exposición del proyecto de inversión de Single. Esas pinceladas de color despertaban interés en los inversores ignorantes, especialmente los rusos patanes. «¡Oro, Hoban! ¡Tesoros, Hoban! ¡Una civilización antigua, tenga en cuenta ese gancho!» Había pronunciado una alocución brillante, provocativa, con una oratoria de gran virtuosismo. Incluso Mirsky, a quien Winser consideraba en secreto un arribista y un estorbo, se había dignado aplaudir. «Vuestro plan es tan legal, Alfred, que debería estar prohibido», bramó, y a continuación, con una estridente carcajada polaca, le dio tal palmada en la espalda que a Winser casi se le doblaron las rodillas.

—Por favor, señor Winser, tengo instrucciones de hacerle un par de preguntas antes de matarlo.

Winser no concedió importancia al comentario. Hizo oídos sordos. No se dio por aludido.

—¿Está en buenas relaciones con el señor Randy Massingham? —preguntó Hoban.

—Lo conozco.

—¿Cómo de buenas son sus relaciones con él?

¿Qué quieren oír?, se decía Winser con desesperación. ¿Muy buenas? ¿Casi inexistentes? ¿Moderadamente buenas? Hoban repetía la pregunta con vociferante insistencia.

—Haga el favor de describir el grado exacto de su relación con el señor Randy Massingham. Con voz alta y clara, por favor.

—Lo conozco. Somos colegas. Trabajo para él como abogado. Tenemos un trato formal muy agradable, pero no somos amigos íntimos —balbució Winser, dejándose abiertas todas las puertas por si acaso.

—Hable más alto, por favor.

Winser repitió parte de lo que acababa de decir, alzando la voz.

—Lleva una elegante corbata de críquet, señor Winser. Haga el favor de describirnos qué representa esa corbata.

—¡Esto no es una corbata de críquet! —De improviso Winser había encontrado redaños—. ¡Es Tiger el jugador de críquet, no yo! ¡Se ha equivocado de hombre, pedazo de idiota!

—Probando —dijo Hoban a alguien del grupo situado unos metros más arriba.

—Probando ¿qué? —preguntó Winser con brío.

Hoban leía de un devocionario encuadernado en piel marrón que mantenía abierto ante el rostro, ladeado para no obstruir el cañón de la automática.

—Pregunta —declamó con el tono festivo de un pregonero—. Dígame, por favor, quién fue el responsable de la captura en alta mar la semana pasada del buque *Free Tallinn*, que había zarpado de Odessa con rumbo a Liverpool.

—¿Qué sé *yo* de cuestiones de transporte? —replicó Winser con hostilidad, su ánimo todavía alto—. Somos asesores financieros, no transportistas. Si alguien tiene dinero y necesita asesoramiento, viene a Single. Cómo ha conseguido el dinero es asunto suyo. Siempre y cuando mantenga una actitud adulta.

«Actitud adulta» para herir el amor propio. «Actitud adulta» porque Hoban era un pipiolo, apenas recién salido del cascarón. «Actitud adulta» porque Mirsky era un polaco engreído y fantoche, por muy «doctor» que se hiciese llamar. Además, doctorado ¿dónde? ¿En qué? Hoban volvió a lanzar una ojeada cuesta arriba, se humedeció un dedo con la lengua y pasó la página del devocionario.

—Pregunta: ¿Quién proporcionó a la policía italiana información referente a un convoy especial de camiones que regresaba a Italia desde Bosnia el 30 de marzo de este año? Conteste, por favor.

—¿Camiones? ¿Qué sé yo de *camiones* especiales? ¡Tanto como usted de críquet, eso sé! Pídame que recite los nombres y fechas de los reyes de Suecia; tendrá más posibilidades.

¿Por qué Suecia?, se preguntó Winser. ¿Qué pintaba allí Suecia? ¿Por qué pensaba en suecas rubias, muslos níveos, panecillos suecos, películas pornográficas? ¿Por qué se obstinaba en vivir en Suecia cuando estaba a punto de morir en Turquía? Daba igual. Los ánimos no lo habían abandonado aún. Manda a la mierda a este payaso, con o sin pistola. Hoban pasó otra página del devocionario, pero Winser se le adelantó. Al igual que Hoban, bramó a pleno pulmón:

—¡No lo sé, imbécil! Déjese ya de preguntas, ¿me oye?

Hasta que lo tumbó una descomunal patada de Hoban en el lado izquierdo del cuello. Winser no tuvo noción del recorrido, sino sólo de la llegada. El sol se apagó; vio la noche y notó la cabeza cómodamente recostada en una oportuna roca y supo que una porción de tiempo había desaparecido de su conciencia, una porción de tiempo que no deseaba recuperar.

Entretanto Hoban había reanudado su lectura.

—¿Quién instrumentó la confiscación simultánea en seis países de todos los barcos y propiedades que pertenecían directa o indirectamente a First Flag Construction Company de Andorra y sus empresas filiales? ¿Quién facilitó información a la policía internacional, por favor?

—¿Qué confiscación? ¿Dónde? ¿Cuándo? No se ha confiscado nada. Nadie ha informado de nada. ¡Está loco, Hoban! Loco de atar. Loco, ¿me oye?

Winser yacía aún en tierra, pero en su frenesí forcejeó para ponerse nuevamente de rodillas, pataleando y retorciéndose como un animal caído, tratando por todos los medios de encoger las piernas y colocar los pies bajo el cuerpo, y consiguió sólo levantarse parcialmente y desplomarse otra vez de costado. Hoban continuaba con sus preguntas, pero Winser se negaba a oírlas; preguntas sobre comisiones pagadas en vano, sobre autoridades portuarias en teoría dispuestas a cooperar que después resultaron hostiles, sobre sumas de dinero transferidas a cuentas bancarias días antes de que dichas cuentas fuesen embargadas. Pero Winser nada sabía de aquello.

—¡Todo eso es mentira! —exclamó—. Single es una asesoría seria y honrada. Los intereses de nuestros clientes son lo primero para nosotros.

—Arrodíllese y escuche bien —ordenó Hoban.

Y Winser, gracias a su recién hallada dignidad, logró de algún modo arrodillarse y escuchar. Atentamente. Y aún más atentamente. Tan atentamente como si Tiger en persona reclamase su atención. Nunca en su vida había escuchado de manera tan enérgica, tan diligente, la melodiosa música ambiental del universo como en aquel momento, en su afán por ahogar el único sonido que rehusaba rotundamente oír, el chirriante y monótono dejo ruso-norteamericano de Hoban. Reparó complacido en los chillidos de las gaviotas que competían con el lamento lejano de un almuecín, el rumor del mar bajo la brisa, el tintineo de las embarcaciones de recreo mientras las aparejaban para el inicio de la temporada. Vio a una muchacha de su juventud, arrodillada y desnuda en un campo de amapolas, y tuvo miedo, tanto ahora como entonces, de tender la mano hacia ella. Con aquella pasión aterrorizada que brotaba de él, adoró todos los sabores, texturas y sonidos de la tierra y el cielo, a condición de que no fuesen la horrísona voz de Hoban pronunciando con estentóreos gritos su sentencia de muerte.

—Consideramos esto un castigo ejemplar —proclamaba Hoban, ciñéndose a la declaración preparada que llevaba escrita en el devocionario.

—Más alto —ordenó lacónicamente monsieur François desde su posición, unos metros más arriba, y Hoban repitió la frase.

—Sin duda esta muerte es también una venganza.

Por favor. No seríamos humanos si no tomásemos venganza. Pero pretendemos asimismo que este gesto se interprete como una solicitud formal de compensaciones. —Todavía más alto. Y más claro—. Y tenemos la sincera esperanza, señor Winser, de que su amigo el señor Tiger Single y la policía internacional comprendan el significado de este mensaje y extraigan las conclusiones debidas.

Seguidamente leyó a voz en grito lo que Winser supuso que era el mismo mensaje en ruso, en consideración a aquella parte de su público cuyo inglés no diese quizá la talla. ¿O era acaso polaco, para ilustración del doctor Mirsky?

Winser, que había perdido momentáneamente el habla, comenzaba a recuperarla de manera gradual, si bien al principio sólo fue capaz de articular retazos descabalados tales como «mal de la cabeza», «juicio y jurado a la vez» y «con Single no se juega». Se hallaba en un estado lamentable, manchado de sudor, orina y barro. En su pugna por la supervivencia de la especie, lidiaba con fútiles visiones eróticas propias de una doble vida inviable, y la caída a tierra lo había dejado cubierto de polvo rojo. Los brazos inmovilizados eran un martirio, y tenía que echar atrás la cabeza para que la voz le saliese de la garganta. Pero se sobrepuso. No desfalleció.

En su defensa adujo que, como antes había expresado, gozaba de inmunidad de facto y de jure. Era abogado, y la ley se amparaba en la propia ley. Era director jurídico y miembro del consejo de administración de la Casa de Single, un mediador pasivo de ilimitada buena voluntad, con la misión de reparar, no de destruir. Era un esposo y un padre de familia que, pese a su debilidad por las mujeres y a dos divorcios desafortunados, había conservado el cariño de sus hijos. Tenía una hija que en aquellos momentos emprendía una prometedora carrera de actriz. Al mencionar a su hija, se le quebró la voz, pero nadie compartió su dolor.

—¡Hable más alto! —recomendó desde arriba monsieur François, el agrimensor.

A Winser se le saltaron las lágrimas, y éstas dejaron regueros en el polvo de sus mejillas, dando la impresión de que se le estuviese resquebrajando el maquillaje. Aun así, siguió adelante, todavía sin desfallecer. Era especialista en planificación fiscal preventiva e inversiones, dijo, echando la cabeza atrás completamente y clamando al cielo blanco. Su área de conocimientos abarcaba las compañías *offshore,* las corporaciones, los paraísos fiscales y los refugios contra la presión impositiva ofrecidos por todas aquellas naciones indulgentes. No era un experto en derecho marítimo como decía ser el doctor Mirsky, ni un aventurero de negocios turbios como Mirsky, ni un gángster. Él se dedicaba al arte de lo legítimo, a la transferencia de activos extraoficiales a terrenos más sólidos. Y a esto añadió una desesperada adenda respecto a los segundos pasaportes legales, la ciudadanía alternativa y la residencia no obligatoria en más de una docena de países atractivos tanto por su clima como por sus sistemas tributarios. Pero nunca —«nunca» por duplicado, con audaz insistencia— se había involucrado en lo que él llamaba las «metodologías» de la acumulación de riqueza primaria. Recordó que Hoban había pertenecido al ejército en el pasado... ¿o quizá a la marina?

—Somos cerebros grises, Hoban, ¿no lo entiende? Trabajamos en la sombra. Somos planificadores, estrategas. Los hombres de acción son ustedes, no nosotros. Usted y Mirsky, si quiere, ya que parece hacer tan buenas migas con él.

Nadie aplaudió. Nadie dijo amén. Pero tampoco lo interrumpió nadie, y aquel silencio lo convenció de que escuchaban. Había cesado el clamor de las gaviotas. Al otro lado de la bahía era tal vez la hora de la siesta. Hoban volvió a consultar su reloj. Empezaba a parecer un tic: sujetando el arma con las dos manos, torcía hacia adentro la muñeca izquierda hasta que asomaba la esfera del reloj. La hizo girar de nuevo hacia fuera. Un Rolex de oro. Ésa es la máxima aspiración de todos ellos. Mirsky también lleva uno. La audacia de sus propias palabras le había devuelto la entereza. Tomó aire y forzó una sonrisa con la que creyó transmitir cordura. En un arranque de sociabilidad, comenzó a farfullar una selección de los mejores fragmentos de su exposición del día anterior en Estambul.

—Estas tierras son suyas, Hoban. Son de su propiedad. Seis millones de dólares contantes y sonantes, pagaron. En dólares, libras, marcos, yenes, francos… surtido variado. Cestas, maletas, baúles llenos de billetes, y nadie hizo una sola pregunta, ¿recuerda? ¿Quién se encargó de todo? Nosotros. Funcionarios comprensivos, políticos tolerantes, personas influyentes…, ¿recuerda? Single dio la cara por ustedes de principio a fin, dejó de un blanco reluciente su dinero sucio, y de la noche a la mañana, ¿recuerda? Ya oyó a Mirsky: «… tan legal que debería estar prohibido». Pues no lo está. ¡Es legal!

Nadie admitió recordarlo.

Winser comenzó a hablar entrecortadamente, y a desvariar un poco.

—Un serio banco privado, Hoban, nosotros, ¿recuerda? Con sede en Mónaco, se ofrece a financiar íntegramente la compra de *sus tierras*. ¿Aceptan ustedes? ¡No! Ustedes quieren sólo papel, nada en efectivo. Y nuestro banco accede. Accede a todo, claro que accede. Porque nosotros somos *ustedes,* ¿recuerda? Somos la misma persona con distinto sombrero. Somos un banco, pero utilizamos *su* dinero para financiar la compra de *sus* tierras. ¡No van a matarse a sí mismos! Somos *ustedes…* somos *uno.*

Demasiado estridente. Se contuvo. La clave reside en mostrarse objetivo. Desapasionado. Distante. Nunca hay que exagerar los méritos propios. Ahí radica el problema de Mirsky. Después de escuchar durante diez minutos la palabrería de Mirsky, cualquier hombre de negocios que se precie está ya a medio camino de la puerta.

—¡Fíjese en las cifras, Hoban! ¡Lo sublime de la operación! Un floreciente centro turístico de su propiedad, sin el menor control de cuentas. ¡Considere la capacidad de blanqueo una vez que empiecen a invertir! Doce millones para las calles, el alcantarillado, el tendido eléctrico, las instalaciones para la práctica de deportes acuáticos, la piscina común; diez más para los chalets de alquiler, los hoteles, los casinos, los restaurantes y la infraestructura adicional. ¡Hasta un niño llegaría fácilmente a treinta millones!

Winser estuvo a punto de añadir «Hasta usted, Hoban», pero se reprimió justo a tiempo. ¿Lo oían bien? Quizá debía hablar más alto. Prosiguió a voz en cuello. D'Emilio sonrió. ¡Claro está! Ése es el volumen que le gusta a D'Emilio. Bien, pues también a mí me gusta. Vociferar es libertad. Vociferar es franqueza, legalidad, transparencia. Vociferar es cosa de pandilla de amigos, de camaradas, de todos uno. Vociferar es compartir sombreros.

—Ni siquiera necesitan inquilinos, Hoban, no para los chalets, no durante el primer año. No inquilinos *reales*. Durante doce meses completos les basta con inquilinos fantasma. ¿Se imagina? Residentes imaginarios desembolsando *dos millones semanales* en tiendas, hoteles, discotecas, restaurantes y propiedades alquiladas. El dinero irá derecho de su maletín a legítimas cuentas bancarias *europeas,* quedando registrado en los libros de la empresa, generando un impecable balance de explotación para cualquier futuro comprador de acciones. ¿Y quién es el comprador? *¡Ustedes!* ¿Y quién es el vendedor? *¡Ustedes!* Se lo venden a sí mismos, se lo compran a sí mismos, y así sucesivamente sin limitación alguna. Y Single actúa en calidad de hombre bueno, velando por que prevalezca el juego limpio, por que las cosas sigan el curso deseado, sin trampa ni cartón. Somos sus amigos, Hoban. No marrulleros como Mirsky, que al menor problema escurren el bulto. Ustedes y nosotros somos compañeros de armas. ¡Uña y carne! Estaremos siempre a su disposición. Incluso cuando corran malos vientos, ahí estaremos… —citando palabras de Tiger a la desesperada.

Una repentina lluvia cayó del cielo despejado, asentando el polvo rojo, avivando los olores y trazando nuevos surcos en la cara embadurnada de Winser. Vio acercarse a D'Emilio con el panamá que compartían y concluyó que había ganado el juicio y enseguida recibiría ayuda para ponerse en pie, unas palmadas en la espalda y la enhorabuena del tribunal.

Sin embargo D'Emilio tenía otros planes. Colgaba una gabardina blanca de los hombros de Hoban. Winser intentó desmayarse pero no pudo. Gritaba: «¿Por qué? ¡Amigos! ¡No!» Balbuceando, aseguraba que nunca había oído hablar del *Free Tallinn,* que no conocía a nadie de la policía internacional, que se había pasado la vida entera eludiéndola. D'Emilio colocaba algo en la cabeza de Hoban. ¡Madre de Dios, un birrete! No, una cinta de tela negra. No, una media, una media negra. ¡Cielo santo, Dios mío, Virgen santísima, una media negra para distorsionar las facciones de mi verdugo!

—Hoban. Tiger. Hoban. Escúcheme. ¡Deje de mirar el reloj! Bunny. ¡Alto! Mirsky. ¡Espere! ¿Yo qué mal les he hecho? ¡Ninguno, se lo juro! ¡Tiger! ¡Toda mi vida! ¡Espere! ¡Alto!

Cuando barbotó estas palabras, su inglés había empezado ya a perder fluidez, como si tradujese mentalmente de otro idioma. Sin embargo no hablaba ningún otro idioma, ni ruso, ni polaco, ni turco, ni francés. Miró alrededor y vio a monsieur François, el agrimensor, unos metros más arriba, que llevaba puestos unos auriculares y observaba a través del ocular de un tomavistas con un micrófono acoplado al tubo del objetivo y provisto de un paravientos de espuma. Vio la figura de Hoban con el antifaz negro y la capa blanca, que permanecía solícitamente en posición de tiro, una pierna atrás en histriónica actitud, la pistola apuntada a la sien de Winser en una mano y en la otra un teléfono móvil desplegado por el que susurraba ternezas en ruso sin apartar la vista de Winser. Vio a Hoban lanzar una última ojeada a su reloj mientras monsieur François se preparaba, en la mejor tradición de la fotografía, para inmortalizar aquel momento tan especial. Y vio a un niño de cara sucia que lo contemplaba desde una grieta entre dos peñascos. Tenía unos ojos castaños y grandes de mirada incrédula, como los de Winser a esa edad, y estaba echado de bruces con las manos bajo la barbilla a modo de almohada.

2

—Oliver Hawthorne. Haz el favor de venir enseguida. Volando. Te llaman por teléfono.

En Abbots Quay, una pequeña localidad encaramada a la ladera de un monte de la costa de Devon, en el sur de Inglaterra, una radiante mañana de primavera con olor a flores de cerezo, la señora Elsie Watmore, de pie en el porche de su pensión victoriana, reclamaba alegremente la presencia de su huésped, Oliver, que estaba en la acera, doce peldaños más abajo, cargando desgastadas maletas negras en su furgoneta japonesa con la ayuda del hijo de ella, Sammy, de diez años de edad. La señora Watmore había descendido a Abbots Quay desde la elegante ciudad balneario de Buxton, en el norte, portando consigo su elevado sentido del decoro. La pensión era una sinfonía victoriana de ondulantes encajes, espejos dorados y vitrinas con botellas de licor en miniatura. Se llamaba el Reposo de los Marineros, y la señora Watmore había llevado allí una vida venturosa con Sammy y su marido, Jack, hasta que éste murió en el mar cuando le faltaba ya poco tiempo para retirarse. Era una mujer opulenta, inteligente, agraciada y compasiva. El engolado acento de Derbyshire, a voz en cuello para efecto cómico, resonó como una sierra mecánica sobre las casas de las empinadas calles que bajaban al mar. Lucía un coqueto pañuelo de color malva atado a la cabeza, porque era viernes, y los viernes siempre se lavaba y arreglaba el pelo. Una suave brisa soplaba desde el mar.

—Por favor Sammy, cariño, dale un codazo a Ollie en las costillas de mi parte y avísalo de que lo llaman por teléfono. Está dormido, como de costumbre. ¡En el vestíbulo, Ollie! Es el señor Toogood, del banco. Tienes que firmar algo, papeleo de rutina, dice, pero es urgente; y para variar, se le nota atento y caballeroso, así que no lo estropees, o se negará otra vez a autorizarme los descubiertos. —La señora Watmore aguardó, armándose de paciencia, que era lo único que podía hacerse con Ollie. No se inmuta por nada, pensó. Al menos cuando está ensimismado. No oiría ni un bombardeo aéreo. Para mayor incentivo, añadió—: Sammy acabará de cargar por ti, ¿verdad, Samuel? Claro que sí.

Volvió a aguardar en vano. Oliver entregó otra maleta negra a Sammy para que la acomodase en la parte trasera de la furgoneta, y su rostro carnoso, ensombrecido por la boina de vendedor de cebollas francés que era su sello personal, permaneció contraído en un visaje de extrema concentración. Son tal para cual, pensó la señora Watmore con condescendencia, observando a Sammy mientras probaba a colocar la maleta de todas las maneras posibles porque era tardo, y más aún desde la muerte de su padre. Para ellos, la menor dificultad se convierte en un problema. Cualquiera diría que van a Montecarlo, y no a cuatro pasos de aquí. Las maletas eran como las de los viajantes de comercio, forradas de piel sintética, cada una de un tamaño. Al lado había una pelota roja hinchada de más de medio metro de circunferencia.

—No ha dicho: «¿Dónde para el bueno de Ollie?» No, no era ése el tono ni mucho menos —insistió la señora Watmore, convencida a esas alturas de que el director del banco había colgado ya—. Ha sido más bien algo como «¿Tendría la amabilidad de pasarme con el señor Oliver Hawthorne?». No te habrá tocado la lotería, ¿eh, Ollie? Sólo que te lo guardabas, ¿no?, como sería propio de ti, siempre tan serio y callado. Deja ya esa maleta, Sammy. Ollie te ayudará a colocarla cuando haya hablado con el señor Toogood. Al final se te caerá. —Cerró los puños y se puso en jarras con fingida exasperación—. Oliver Hawthorne, el señor Toogood es un ejecutivo bien remunerado de nuestro banco. No puedes tenerlo escuchando el vacío a cien libras la hora. Luego nos subirá las comisiones, y serás tú el único culpable.

Pero para entonces, bajo el influjo del sol y la languidez del primaveral día, sus pensamientos habían tomado otro rumbo por propia iniciativa, cosa que solía ocurrir en presencia de Ollie. Pensaba en la imagen que ofrecían juntos, casi como dos hermanos, pese a no parecerse demasiado: Ollie, grande como una montaña con su abrigo de color gris lobo, que llevaba hiciese frío o calor, sin preocuparse jamás de los vecinos o las miradas que le dirigían; Sammy, de rostro enjuto y aguileño como su padre, con su flequillo castaño y sedoso y la cazadora de cuero que Ollie le había regalado para su cumpleaños y apenas se había quitado desde entonces.

Recordaba el día que Oliver apareció ante su puerta por primera vez, con un aspecto desmadejado y enorme dentro de aquel abrigo, barba de dos días y sólo una maleta pequeña en la mano. Eran las nueve de la mañana; ella estaba recogiendo los platos del desayuno. «¿Puedo venir a vivir aquí, por favor?», pregunta. No «¿Tienen una habitación libre?» o «¿Puedo verla?» o «¿A cuánto cobran la noche?» No, simplemente, «¿Puedo venir a vivir aquí», como un niño perdido.

Y además llueve, así que ¿cómo va ella a dejarlo allí plantado en la puerta? Hablan del tiempo; Oliver contempla con admiración el aparador de caoba y el reloj de similor. Ella le enseña el salón y el comedor, le informa de las normas de la pensión y lo lleva arriba para ofrecerle la número siete, con vistas al cementerio, si no le resulta demasiado deprimente. No, dice él, no ve el menor inconveniente en tener a los muertos por compañeros de habitación. Y si bien no es así como Elsie lo habría expresado, al menos desde el fallecimiento del señor Watmore, ríen los dos con ganas. Sí, dice él, traerá más equipaje, en su mayor parte libros y trastos inútiles.

—Y una impresentable furgoneta vieja —añade tímidamente—. Si es una molestia, la dejaré calle abajo.

—No es ninguna molestia —responde ella con tono melindroso—. En el Reposo no somos así, señor Hawthorne, y confío en que nunca lo seamos.

Y acto seguido él paga un mes por adelantado, cuatrocientas libras contadas sobre el lavabo, y como caídas del cielo considerando el descubierto de su cuenta.

—No será un fugitivo, ¿verdad? —pregunta ella medio en broma, medio en serio, ya abajo de nuevo.

Primero él la mira desconcertado, luego se sonroja. Por último, para alivio de ella, le dirige una sonrisa amplia y radiante que disipa todas sus dudas.

—No, en estos momentos no, creo —contesta.

—Y aquel que asoma por allí es Sammy —dice Elsie, señalando la puerta entreabierta del salón, porque Sammy, como de costumbre, ha bajado de puntillas para espiar al nuevo huésped—. Ya puedes salir, Sammy; te hemos descubierto.

Y una semana después llega el cumpleaños de Sammy, y esa cazadora de cuero debe de costar cincuenta libras como mínimo, y a Elsie se le encogió el corazón porque en esos tiempos una nunca sabía de qué pie cojeaban los hombres, por encantadores que se mostrasen cuando les convenía. Pasó la noche en vela devanándose los sesos para imaginar qué habría hecho el pobre Jack, ya que después de tantos años en el mar había desarrollado un especial olfato para esa clase de individuos. Los distinguía en cuanto pisaban la pasarela, alardeaba, y Elsie temía que Oliver fuera uno de ésos y ella no lo hubiese notado. A la mañana siguiente faltó poco para que dijese a Ollie que devolviese inmediatamente la cazadora a la tienda donde la había comprado; en realidad se lo habría dicho si no hubiese charlado con la señora Eggar, de Glenarvon, mientras hacían cola en la caja del supermercado, averiguando, para asombro suyo, que Ollie tenía una hija de corta edad llamada Carmen y una ex esposa llamada Heather, en otro tiempo enfermera del Freeborn, conocida por su ineptitud y por acostarse con todo aquel capaz de manejar un estetoscopio. Por no hablar ya de la lujosa casa en Shore Heights que él le había cedido, pagada hasta el último penique y escriturada. Algunas mujeres daban asco.

—¿Por qué no me ha dicho que es un orgulloso padre? —preguntó Elsie a Ollie con tono de reproche, dividida entre el alivio por el descubrimiento y la humillación de recibir una información sensacional de una patrona de la competencia—. Nos encantan los bebés, ¿verdad, Samuel? Nos chiflan los bebés, siempre y cuando no molesten a los huéspedes, ¿eh que sí?

A lo cual Ollie no respondió. Como un hombre sorprendido en algún acto vergonzoso, se limitó a bajar la cabeza y musitar:

—Sí, bien, hasta luego.

Subió a su habitación y empezó a caminar de un lado a otro, con pasos suaves, procurando no molestar, como era propio de él. Hasta que finalmente se interrumpió el deambular y se oyó el crujido de su butaca, y Elsie supo que se había calmado y puesto a leer uno de sus libros, amontonados en el suelo pese a que ella le había proporcionado una estantería, libros de leyes, ética, magia, libros en lenguas extranjeras, todos tanteados, catados y abandonados, abiertos y boca abajo o con jirones de papel entre las hojas para señalar el punto de lectura. A veces Elsie se estremecía sólo de pensar en el cóctel de ideas que debía de agitarse dentro de aquella desgarbada figura.

Y sus borracheras —tres hasta la fecha—, tan controladas que a Elsie la sobrecogían. Ya había tenido huéspedes que bebían, claro está. Incluso tomaba una copa con ellos de vez en cuando, por cortesía, por cautela. Pero nunca se había presentado allí un taxi al amanecer, deteniéndose a veinte metros de la entrada para no despertar a los otros huéspedes, y entregado una mole cadavérica y momificada de alrededor de un metro noventa que había que acompañar escalinata arriba como a un herido en la explosión de una bomba, con el abrigo sobre los hombros y la boina recta y calada hasta las cejas, y capaz sin embargo de sacar su cartera, separar un billete de veinte para el taxista, susurrar «lo siento, Elsie» y —con sólo una mínima ayuda por parte de ella— subir a su habitación sin causar molestias a nadie excepto a Sammy, que había pasado la noche en claro esperándolo. Luego Oliver dormía toda la mañana, o dicho de otro modo, Elsie no oía crujidos ni pisadas a través del techo y en vano permanecía atenta al golpeteo de las cañerías. Y cuando subía a verlo, con la excusa de llevarle una taza de café, y llamaba a su puerta y, al no oír nada, hacía girar el picaporte temerosamente, lo encontraba no en la cama sino en el suelo, de costado, con el abrigo aún puesto, las piernas encogidas contra el vientre igual que un niño, los ojos muy abiertos y la mirada fija en la pared.

—Gracias, Elsie. Déjalo en la mesa si eres tan amable —decía él con paciencia, como si no hubiese terminado aún de mirar la pared.

Ella obedecía. Y se marchaba, y ya abajo se preguntaba si convenía avisar al médico, pero nunca lo hizo, ni la primera vez ni las siguientes.

¿Qué lo atormentaba? ¿El divorcio? Aquella ex esposa suya era una buscona empedernida, según contaban, y estaba obsesionada con el tema; podía considerarse afortunado de haberse librado de ella. ¿Qué trataba de olvidar con la bebida que ésta avivaba más aún? En ese punto el pensamiento de Elsie regresó, como siempre en los últimos días, a la noche de tres semanas atrás en que durante una angustiosa hora creyó que Sammy acabaría encerrado en un sanatorio mental o algún sitio peor, hasta que Oliver llegó a rescatarlos a lomos de su caballo blanco. Nunca podré agradecérselo bastante. Haría lo que me pidiese, de día o de noche.

Cadgwith, dijo llamarse aquel hombre, y para demostrarlo exhibió ante la mirilla una flamante tarjeta de visita: «P. J. Cadgwith, supervisor de zona, Friendship Home Marketing Limited, sucursales en todas partes.» Debajo, en letra pequeña, se leía: «Haga un favor a sus amigos. Gane una fortuna sin salir de casa.» De pie allí mismo, donde Elsie se hallaba en ese momento, con el dedo en el timbre a las diez de la noche, el pelo brillante y peinado hacia atrás y los lustrosos zapatos de policía espejeando en el ojo de pez, y una falsa deferencia de policía.

—Señora, desearía hablar con el señor Samuel Watmore si me lo permite. ¿Es por casualidad su marido?

—Soy viuda —contestó Elsie—. Sammy es mi hijo. ¿Qué quiere?

Ése fue su primer error, como comprendió cuando ya no había remedio. Debería haberle dicho que Jack estaba en el bar de la esquina y volvería de un momento a otro. Debería haberle dicho que Jack le sacudiría el polvo si se le ocurría meter las narices en aquella casa. Debería haberle dado con la puerta en la cara, pues tenía perfecto derecho a hacerlo —como Ollie le explicó después—, en lugar de apartarse para dejarlo entrar en el vestíbulo y luego, casi sin pensar, llamar a voces a Samuel —«Sammy, cielo, ¿dónde estás? Ha venido un señor a hablar contigo»— una décima de segundo antes de verlo a través de la puerta entreabierta del salón cuando intentaba esconderse tras el sofá, arrastrándose boca abajo, con el trasero en alto y los ojos cerrados. A partir de ese instante conservaba sólo un recuerdo fragmentario, incompleto, los peores momentos.

Sammy de pie en el centro del salón, blanco como el papel, con los ojos cerrados, negando con la cabeza pero en realidad asintiendo. La señora Watmore susurrando: «Sammy.» Cadgwith, con el mentón hundido como un emperador, diciendo: «¿Dónde? Enséñamelo. ¿Dónde?» Sammy metiendo la mano en el jarrón anaranjado donde había escondido la llave. Elsie con Sammy y Cadgwith en el taller de Jack, donde Jack y Sammy construían juntos sus barcos a escala cuando Jack regresaba a casa de permiso, galeones españoles, yolas, dragones vikingos, todos tallados a mano hasta el último detalle, ni una sola maqueta comprada ya lista para montar. Ésa era la mayor pasión de Sammy, motivo por el cual pasaba allí lánguidamente horas y horas tras la muerte de su padre, hasta que Elsie decidió que aquello era malsano para él y cerró con llave el taller para ayudarlo a olvidar. Sammy abriendo los armarios del taller uno por uno, y allí estaba todo: montones de artículos de muestra procedentes de Friendship Home Marketing, sucursales en todas partes. Haga un favor a sus amigos. Gane una fortuna sin salir de casa, salvo que Sammy no había hecho un favor a nadie ni había ganado un solo penique. Había suscrito un contrato de representante para el vecindario y lo había guardado todo como un tesoro para suplir la ausencia de su padre, o quizá lo concibiese como una especie de regalo para él: bisutería, relojes perpetuos, jerséis noruegos de cuello vuelto, amplificadores de pantalla para agrandar la imagen del televisor, perfumes, fijadores de cabello, ordenadores de bolsillo, chalets de madera con damas y caballeros que salían o entraban según se avecinase buen o mal tiempo… cuyo valor ascendía a mil setecientas treinta libras, calculó Cadgwith cuando volvieron al salón, cifra que, sumados los intereses y las ganancias no percibidas y el tiempo de viaje y la visita y las horas extra, redondeó en mil ochocientas cincuenta que, concediéndoles un trato de amistad, se reducían de nuevo a mil ochocientas por pronto pago, o aumentaban a cien libras mensuales durante veinticuatro meses, debiendo hacerse efectivo el primer plazo en aquel mismo instante.

Elsie no alcanzaba a comprender cómo se las había ingeniado Sammy para poner en práctica semejante plan —solicitar los impresos, falsificar la fecha de nacimiento y lo demás, todo sin ayuda de nadie—, pero lo había hecho, ya que el señor Cadgwith llevaba consigo la documentación, cumplimentada, doblada y metida en un sobre marrón de apariencia oficial con una presilla de algodón y un botón como cierre: primero el contrato que Sammy había firmado, presentándose como un adulto de cuarenta y cinco años, la edad de Jack en el momento de su muerte, y luego el «Compromiso Solemne de Pago», con un león estampado en relieve en cada esquina para mayor solemnidad. Y Elsie habría firmado cualquier cosa en el acto, habría firmado la cesión del Reposo y todo lo demás que no poseía, con tal de sacar a Sammy del aprieto, de no ser porque en ese preciso instante, gracias a Dios, apareció Ollie con su andar desgarbado, después del último bolo de la jornada, todavía con la boina y el abrigo de color gris lobo, y encontró a Sammy sentado en el sofá como un cadáver con los ojos abiertos… y en cuanto a ella…, en fin, tras el fallecimiento de Jack pensó que nunca más lloraría, pero estaba equivocada.

En primer lugar Ollie, bajo la mirada de Cadgwith, leyó despacio los papeles, arrugando la nariz y frotándosela, frunciendo el entrecejo, como quien sabe qué busca y no acaba de gustarle. Lo leyó todo y luego, con expresión aún más ceñuda, lo releyó, y esta vez, mientras leía, pareció erguirse o plantarse o cuadrarse, o lo que fuese que hacía un hombre cuando se preparaba para una agarrada. Fue verdaderamente un descorrer el velo lo que Elsie presenció, como una escena de una película que a ella y a Sammy les encantaba, el momento cuando el héroe escocés sale de la cueva con la armadura puesta y el espectador descubre que es él, pese a que se sabía desde el principio. Y Cadgwith debió de percibir algo de eso, porque cuando Ollie hubo terminado de leer el contrato de Sammy por tercera vez —y después el «Compromiso Solemne de Pago»—, había empezado a desinflarse.

—Enséñeme las cifras —ordenó Ollie, así que Cadgwith le entregó las cifras, páginas y páginas, con los intereses incluidos, y al pie de cada página los totales en números rojos. Y Ollie leyó también las cifras, con la soltura que uno ve sólo en banqueros o contables, las leyó tan deprisa como si fuesen palabras. Finalmente dijo—: Lleva todas las de perder. El contrato no tiene pies ni cabeza; la contabilidad da risa; Sam es un menor, y usted, un sinvergüenza. Coja la puerta y ahueque el ala.

Y Ollie es desde luego todo un hombretón, y cuando no habla como si llevase algodones en la boca, tiene una voz en consonancia, potente, firme, con autoridad, la clase de voz que uno oye en las películas de juicios.

Y también la mirada, cuando en lugar de fijarla en el suelo a tres metros por delante de él mira a la cara como es debido. Una mirada fiera. Una mirada como la de esos pobres irlandeses que han pasado años en la cárcel por crímenes que no cometieron. Y con su estatura y corpulencia, Oliver se acercó a Cadgwith y, sin separarse de él, lo acompañó hasta la puerta, con actitud en apariencia cortés. Y en la puerta dijo algo a Cadgwith para ayudarlo en su camino. Y si bien Elsie no llegó a oír sus palabras, Sammy sí las oyó con absoluta claridad, pues en las semanas siguientes, mientras recobraba el ánimo, las repetía en el momento menos pensado como una frase de aliento: «Y si vuelve a aparecer por aquí, le romperé ese asqueroso cuello», con una voz comedida, desapasionada, sin intención de amenazar, sólo a título informativo, pero sirvió de apoyo a Sammy a lo largo de su recuperación. Porque durante todo el tiempo que Sammy y Ollie pasaron en el taller embalando los tesoros para reenviarlos a Friendship Home Marketing, Sammy continuó musitándola para mantener alta la moral: «Si vuelve a aparecer por aquí, le romperé ese asqueroso cuello», como una plegaria de esperanza.

Oliver había accedido por fin a escucharla.

—Gracias, Elsie, ahora no puedo ponerme. Lo siento mucho, pero no es buen momento —respondió desde la sombra de la boina, sus modales intachables como siempre.

Luego se desperezó, una de sus contorsiones, arqueando la larga espalda y estirando los brazos hacia atrás y hacia abajo, con el mentón contra el pecho como un soldado de la Guardia Real llamado al orden. Erguido así, cuan alto y amplio era, su estatura resultaba excesiva para Sammy y su anchura excesiva para la furgoneta, que era roja y más alta que ancha y llevaba en el costado el rótulo AUTOBÚS MÁGICO DEL TÍO OLLIE, en gruesas y redondeadas mayúsculas de color rosa, parcialmente borradas a causa de los malos aparcamientos y los vándalos.

—Actuamos a la una en Teignmouth y a las tres en Torquay —explicó mientras se encajonaba en el asiento del conductor. Sammy estaba ya a su lado con la pelota roja entre las manos, dándose de cabezadas contra ella, impaciente por ponerse en marcha—. Y en el centro del Ejército de Salvación a las seis. —El motor tosió, pero no pasó de ahí—. Quieren jugar a toma ésa, jueguecito de mierda —añadió por encima del aullido de frustración de Sammy.

Hizo girar la llave de contacto por segunda vez, con igual resultado. Ya ha vuelto a ahogar el motor, pensó ella. Llegará tarde a su propio funeral.

—Si no se juega al toma ésa, por nosotros no hay inconveniente, ¿verdad, Sammy? —Accionó por tercera vez la llave. El motor cobró vida con un estertor remiso y vacilante—. Hasta luego, Elsie. Dile, por favor, que le telefonearé mañana. Por la mañana. Antes de irme a trabajar. Y tú para de hacer gilipolleces —ordenó a Sammy—. No te des esos golpes en la cabeza; es una tontería.

Sammy dejó de golpearse la cabeza. Elsie Watmore se quedó mirando la furgoneta, que zigzagueó pendiente abajo entre las casas de la ladera hasta el puerto y dio dos vueltas a la rotonda antes de enfilar la carretera de circunvalación, despidiendo humo por el tubo de escape. Y mientras la observaba, le asaltó como siempre una creciente ansiedad que no podía, ni quizá quería, contener. No por Sammy, que era lo extraño, sino por Ollie. Era el temor de que no regresase. Cada vez que Ollie salía de la casa, a pie o en su furgoneta —incluso cuando se llevaba a Sammy al Legion para echar una partida de billar—, tenía la impresión de decirle adiós para siempre, igual que cuando su Jack se hacía a la mar.

Perdida aún en sus ensoñaciones, Elsie Watmore abandonó el soleado porche y en el vestíbulo descubrió, para su sorpresa, que Arthur Toogood seguía al teléfono.

—El señor Hawthorne tiene actuaciones hasta la noche —le informó con desdén—. Vendrá tarde. Le telefoneará mañana si encuentra un hueco en su agenda.

Pero Toogood no podía esperar hasta el día siguiente. Con carácter absolutamente confidencial, se veía obligado a facilitarle su número de teléfono particular, que ni siquiera constaba en la guía. Ollie debía llamarlo en cuanto llegase, por tarde que fuese, ¿entendido, Elsie? Toogood trató de sonsacarle dónde actuaba Ollie, pero ella mantuvo las distancias. El *señor* Hawthorne había mencionado quizá un hotel de lujo en Torquay, admitió con displicencia. Y una discoteca en el albergue del Ejército de Salvación a las seis. O era tal vez a las siete; lo había olvidado. Y si no lo había olvidado, lo hizo ver. En algunos momentos no deseaba compartir a Ollie con nadie, y menos con un rijoso director de sucursal bancaria de pueblo que en la última entrevista para hablar de las condiciones de su crédito le propuso que puntualizasen los detalles en la cama.

—¡Toogood! —repitió Oliver, exasperado, mientras giraba en la rotonda—. Papeleo de rutina. Una charla amistosa. Menudo capullo está hecho. ¡Mierda! —Se había pasado la salida a la carretera. Sammy soltó una sonora y áspera carcajada—. ¿Qué queda por firmar? —preguntó Oliver, dirigiéndose a Sammy de igual a igual, que era como le hablaba siempre—. Ella tiene ya la casa. Tiene el jodido dinero. Tiene a Carmen. Lo tiene todo menos a mí, como ella quería.

—Entonces se ha quedado sin la mejor parte, ¿no? —exclamó Sammy con tono jocoso.

—La mejor parte es Carmen —gruñó Oliver, y Sammy se mordió la lengua por un rato.

Ascendieron a paso de tortuga por una cuesta. Un camión impaciente los obligó a pisar el bordillo. La furgoneta no tiraba en las subidas.

—¿Qué vamos a hacer hoy? —preguntó Sammy cuando le pareció prudente.

—Menú A: Bota bota la pelota, las cuentas mágicas, encuentra el pajarito, molinetes, esculpir un cachorro, origami y adivina quién te dio —explicó Oliver. Sammy lanzó un desesperado lamento de película de terror—. ¿Qué pasa ahora?

—¿Y platos giratorios no?

—Si queda tiempo, incluiremos los platos; sólo si queda tiempo.

Los platos giratorios eran la especialidad de Sammy. Había ensayado el número día y noche, y si bien nunca conseguía hacer girar un solo plato, se había convencido de que era un fuera de serie. La furgoneta entró en una lúgubre zona de viviendas de protección oficial. Un amenazador cartel prevenía del riesgo de infarto, pero no dejaba claro el remedio.

—A ver si ves los globos —indicó Oliver.

Sammy estaba ya atento. Apartando la pelota roja, se levantó del asiento sin desabrocharse el cinturón de seguridad y extendió un brazo. Cuatro globos, dos verdes y dos rojos, pendían mustios de una ventana del piso superior del número 24. Tras subir la camioneta a la acera con una brusca sacudida, Oliver entregó las llaves a Sammy para que comenzase a descargar y se dirigió hacia la casa por el corto camino de cemento, los faldones de su abrigo gris lobo ondeando alrededor agitados por la tonificante brisa marina. Una desangelada banderola pegada al cristal esmerilado de la puerta rezaba: FELIZ CUMPLEAÑOS MARY JO. De dentro emanaba olor a tabaco, bebé y pollo frito. Oliver tocó el timbre y lo oyó sonar por encima de los gritos de guerra de la chiquillería enloquecida. La puerta se abrió de golpe y dos niñas menudas vestidas de fiesta se quedaron mirándolo con la respiración entrecortada. Oliver se quitó la boina e hizo una profunda reverencia oriental.

—Soy el tío Ollie —declaró con extrema solemnidad pero sin llegar a asustar—, mago extraordinario. A su entera disposición, señoras. Llueva o brille el sol. Tengan la bondad de guiarme hasta el organizador.

Un hombre de cabeza rapada apareció detrás de ellas. Llevaba una camiseta de malla y tatuajes en el primer nudillo de cada dedo salvo los meñiques. Oliver lo siguió hasta la sala de estar, y en cuanto entró, tomó nota del escenario y el público. En su breve vida reciente había trabajado en mansiones, establos, salas comunales, playas abarrotadas de gente, e incluso bajo la marquesina de una parada de autobús, en un paseo marítimo, con un viento de fuerza ocho. Había ensayado por las mañanas y actuado por las tardes. Había trabajado ante niños pobres, niños ricos, niños enfermos y niños hospicianos. Al principio permitía que lo arrinconasen junto al televisor y la *Encyclopaedia Britannica*. Pero con el tiempo había aprendido a imponerse. Aquella tarde las condiciones eran precarias pero tolerables. Seis adultos y treinta niños apiñados en una reducida sala de estar, los críos sentados en el suelo frente a él formando un semicírculo, los adultos en una fotografía de grupo, todos en un único sofá, los hombres en el asiento y las mujeres, descalzas, encaramadas en el respaldo por encima de ellos. Agachándose e irguiéndose una y otra vez, Oliver abrió las maletas y extendió sus bártulos sin despojarse del abrigo gris lobo. Utilizando sus pliegues a modo de pantalla, montó con afectada gravedad, ayudado por Sammy, la jaula del canario evanescente y la lámpara de Aladino, que al frotarse se llenaba de valiosos tesoros. Y cuando se puso en cuclillas para dirigirse a los niños a su misma altura —ya que por principio nunca hablaba hacia abajo sino sólo hacia arriba o a nivel—, con las colosales rodillas junto a las orejas y las manos sudorosas colgando pesadamente de ellas, parecía una especie de mantis religiosa, en parte profeta, en parte insecto gigante.

—Hola a todos —empezó con una voz inesperadamente dulce—. Soy el tío Ollie, un hombre de facultades misteriosas, grandes habilidades y poderes mágicos. —Hablaba sin engolamiento pero sí con cierta afectación. Su sonrisa, libre de su habitual reclusión, era un afable resplandor—. Y aquí a mi derecha se encuentra el gran y no muy diestro Sammy Watmore, mi inestimable ayudante. Un aplauso para él, por favor... ¡Ay!

«Ay» para el momento en que le muerde *Rocco* el mapache, cosa que *Rocco* siempre hace llegado ese punto, ante lo cual Oliver salta por los aires y vuelve a caer con increíble soltura a la vez que, con el pretexto de contener a *Rocco*, acciona disimuladamente el ingenioso resorte oculto en la tripa del mapache. Y cuando por fin *Rocco* entra en vereda, también él es presentado ceremoniosamente, y a continuación pronuncia un florido discurso de bienvenida a los niños, haciendo especial mención de Mary Jo, la niña agasajada por su cumpleaños, que es delicada y preciosa. Y de ahí en adelante la misión de *Rocco* consiste en demostrar a los niños que en realidad su amo es un pésimo mago, para lo cual asoma el hocico desde el interior del abrigo gris lobo y exclama: «¡Chicos, tendríais que ver lo que hay aquí dentro!», y en el acto empieza a lanzar naipes —todos ases—, un canario de peluche, una bolsa con sándwiches a medio comer y una botella de plástico de apariencia dañina marcada con el rótulo ALPISTE. Y después de poner en evidencia a Oliver como mago —aunque no con total éxito—, *Rocco* lo pone en evidencia como acróbata, agarrándose a su hombro y lanzando alaridos de pánico mientras Oliver, con inesperada agilidad, brinca por el exiguo escenario de la sala de estar montado en la pelota roja, con los brazos extendidos y los faldones del abrigo gris lobo agitándose a sus espaldas. Casi choca con estanterías, mesas y el televisor y pisa las puntas de los pies a los niños más cercanos, acompañado en todo momento por el griterío de *Rocco*, que le advierte de que ha rebasado el límite de velocidad, ha adelantado a un coche de policía, avanza derecho a una reliquia familiar de incalculable valor, va contra dirección en una calle de sentido único. A esas alturas de la función un resplandor inunda la sala y un resplandor envuelve también el porte de Oliver. Echa atrás la cabeza, el rostro sonrojado, los rizos negros de su abundante melena flotando sobre sus hombros como los de un gran director de orquesta, las fluidas mejillas radiantes de agotador placer, la mirada de nuevo juvenil y limpia, y ríe, y los niños ríen aún más fuerte. Entre ellos es el Príncipe del Resplandor, el increíble espantanublados. Es el torpe bufón que, por tanto, debe protegerse. Es un dios hábil capaz de invocar la risa, y hechizar sin destruir.

—Y ahora, princesa Mary Jo, quiero que cojas la cuchara de madera que te ofrecerá Sammy… Dale la cuchara de madera, amigo mío. Y quiero, Mary Jo, que remuevas en esta olla muy despacio y con total concentración. Sammy, acércale la olla. Gracias, Sammy. Bien. Todos habéis visto ya el interior de la olla, ¿no es así? Todos sabéis que la olla está vacía, salvo por unas pocas cuentas sueltas y aburridas que de nada sirven a hombre o animal alguno.

—Y todos saben también que tiene un doble fondo, gordinflón estúpido —grita *Rocco*, y recibe clamorosos aplausos.

—¡*Rocco*, eres un hurón peludo y apestoso!

—¡Mapache! ¡Mapache! ¡No hurón! ¡Mapache!

—Cállate de una vez, *Rocco*. Mary Jo, ¿habías sido princesa alguna vez? —Con un minúsculo gesto de negación, Mary Jo nos informa de que carece de experiencia previa en cuestiones de realeza—. En ese caso quiero que pidas un deseo, Mary Jo, un deseo grande, maravilloso y muy secreto. Tan grande como gustes. Sammy, ahora mantén esa olla muy quieta. ¡Ay!... *Rocco*, si vuelves a hacer eso, te...

Pero Oliver, pensándolo mejor, decide no concederle a *Rocco* una segunda oportunidad. Agarrando a *Rocco* por la cabeza y la cola, se lo lleva a la boca y le da un mordisco brutal y catártico en la tripa. De inmediato, entre las carcajadas y chillidos de terror de su público, escupe un convincente pedazo de piel de mapache que ha extraído de algún recóndito escondrijo del abrigo.

—¡Je, je! ¡Ji, ji! ¡No me has hecho daño! —se burla *Rocco*, haciéndose oír por encima de los aplausos.

Pero Oliver no le presta la menor atención. Ha reanudado el número.

—Niños y niñas, quiero que miréis todos dentro de esa olla y vigiléis las cuentas sueltas y aburridas por mí. ¿Pedirás un deseo para nosotros, Mary Jo?

Un tímido gesto de asentimiento nos indica que Mary Jo pedirá un deseo para nosotros.

—Ahora remueve despacio, Mary Jo, y espera un poco a que la magia surta efecto. Remueve esas cuentas sueltas y aburridas. Ya has pedido el deseo, ¿verdad, Mary Jo? Un buen deseo requiere su tiempo. ¡Ah, magnífico! ¡Divino!

Oliver retrocede de un salto teatral, con los dedos

extendidos para protegerse la vista del esplendor de su creación. Ante nosotros aparece la princesa con el atavío que como tal le corresponde: un collar de cuentas plateadas alrededor del cuello y una diadema plateada en la cabeza.

—¿Le viene bien que le pague en monedas, jefe? —pregunta el hombre de la cabeza rapada, y a continuación saca veinticinco libras de una bolsa de gamuza y, contándolas, las deposita una a una en la mano abierta de Oliver.

Contemplando la colecta de monedas, Oliver se acuerda de Toogood y el banco, y nota que se le revuelve el estómago sin saber por qué, a no ser por el tufo a irregularidad que desprende el comportamiento de Arthur Toogood, un tufo cada vez más intenso.

—¿Podemos jugar al billar el domingo? —sugiere Sammy, de nuevo en la carretera.

—Ya veremos —responde Oliver, cogiendo una de las agujas de salchicha que han recibido de propina.

El segundo compromiso de Oliver en la tarde de aquel viernes tuvo lugar en el salón de banquetes del Majestic Hotel Esplanade de Torquay, donde su público se componía de veinte niños de buena familia con voces que le traían recuerdos de su niñez, una docena de madres aburridas con vaqueros y perlas, y dos estirados camareros con sucias pecheras postizas que entregaron disimuladamente a Sammy un plato con sándwiches de salmón ahumado.

—Nos ha parecido una actuación sensacional —comentó una distinguida dama mientras extendía un cheque en la sala de bridge—. ¡Y sólo por veinticinco libras! Lo encuentro baratísimo. No sé de *nadie* que haga *nada* por veinticinco libras en estos tiempos —añadió, enarcando las cejas y sonriendo—. No debe de quedarle un solo minuto libre en su agenda, ¿verdad?

Ignorando la finalidad de su pregunta, Oliver masculló unas palabras ininteligibles y se puso de mil colores.

—Bueno, al menos *dos* personas han telefoneado durante la función preguntando por usted —dijo ella—. A no ser que haya llamado dos veces el mismo hombre. Me he tomado la libertad de pedir a la telefonista que dijese que estaba usted *con las manos en la masa...* ¿he hecho mal?

El edificio del Ejército de Salvación, en las afueras del pueblo, era una fortaleza contemporánea de ladrillo rojo con esquinas curvas y aspilleras para proporcionar un amplio campo de tiro a los Soldados de Jesús. Oliver había dejado a Sammy al pie de West Hill, porque Elsie quería que merendase a su hora. En la sala de actos, treinta y seis niños sentados alrededor de una larga mesa esperaban para comerse las patatas fritas en cajas de cartón que había repartido un hombre con un chaquetón de borreguillo que imitaba la piel de castor. De pie ante la cabecera de la mesa estaba Robyn, una mujer pelirroja con un chándal verde y unas llamativas gafas.

—Levantad todos la mano derecha así —ordenó Robyn, alzando en el acto su propia mano—. Ahora levantad la izquierda así. Juntadlas. Ayúdanos, Jesús, a disfrutar de esta comida y de la tarde de juegos y baile y a saber valorarlo. No permitas que nos comportemos mal ni que olvidemos a los pobres niños del hospital y a tantos otros que hoy no podrán divertirse. Cuando veáis que yo o la teniente agitamos los brazos así, dejáis lo que estéis haciendo y os quedáis quietos, porque significará que tenemos algo que decir o que os portáis mal.

Al monótono son de canciones infantiles, los niños jugaron a pasa el paquete, elefantes al galope y como estatuas cuando pare la música. Jugaron a leones dormidos, y una Venus de nueve años y cabello largo fue el último león en despertar. Tendida en el suelo, mantuvo los ojos cerrados mientras sus compañeros le hacían cosquillas con actitud respetuosa sin aparente resultado.

—¡Y ahora de pie y toma ésa! —gritó Oliver atropelladamente a la vez que Robyn prorrumpía en un rugido de furia.

Los niños lanzaron puñetazos al aire e hicieron las consabidas manifestaciones de éxtasis. Como de costumbre, Oliver no tardó en tener dolor de cabeza a causa del estruendo y las luces estroboscópicas. Robyn le ofreció una taza de té y dijo algo a voz en cuello, pero Oliver no la oyó. Le dio las gracias con gestos pero ella no se movió de donde estaba. Vociferando para hacerse oír por encima del alboroto, volvió a darle las gracias, pero ella continuó hablando hasta que Oliver bajó el volumen e inclinó la cabeza hacia su boca.

—Un hombre con sombrero quiere hablar con usted —gritó ella, sin darse cuenta de que la música sonaba mucho más baja—. Un sombrero verde con el ala vuelta hacia arriba. Pregunta por Oliver Hawthorne. Es urgente.

Escudriñando la parpadeante bruma, Oliver distinguió a Arthur Toogood junto a la barra, custodiado por el tipo del chaquetón de borreguillo. Lucía un sombrero de fieltro de ala abarquillada y un anorak guateado sobre el traje. Con aquella iluminación, y agitando las manos irisadas para demostrar que no llevaba armas ofensivas, ofrecía el aspecto de un rollizo diablo.

3

El director del hospital se cogió las manos en un oriental ademán de súplica y lamentó el deficiente funcionamiento del aire acondicionado. Un espectral médico con una bata blanca manchada de sangre coincidió plenamente con él. También, pues, se adhirió el alcalde, que vestía un traje negro, bien por respeto al muerto, bien en honor de los diplomáticos ingleses llegados de Estambul.

—El sistema de aire acondicionado se sustituirá el próximo invierno —tradujo para Brock el cónsul de Su Majestad mientras los circunstantes escuchaban y asentían sin comprender—. Se instalará un nuevo aparato, cueste lo que cueste. Un aparato británico. Su excelencia el alcalde lo inaugurará personalmente. Ya se ha fijado una fecha para la ceremonia. El alcalde tiene una excelente opinión de los productos británicos. Ha insistido en que se adquiera sólo material de primera calidad.

Brock acogió esta información con una chispeante sonrisa de complicidad propia de un duendecillo mientras el alcalde corroboraba con tono enérgico su devoción por todo lo británico, y sus acompañantes, incómodamente arracimados en el sótano alrededor de él, expresaban su no menos enérgica conformidad.

—El alcalde desea manifestarte su especial pesar por el hecho de que nuestro amigo sea de Londres. El alcalde ha estado en Londres una vez. Ha visto la Torre de Londres, el palacio de Buckingham y otras muchas atracciones. Siente un profundo respeto por la continuidad británica.

—Me alegra saberlo —comentó Brock con seriedad, sin levantar su cabeza canosa—. Da las gracias al alcalde por las molestias, Harry, si eres tan amable.

—Ha preguntado quién eres —susurró el cónsul después de transmitir su agradecimiento—. He dicho que trabajas para el Foreign Office, en un departamento que se ocupa de las muertes de ingleses en el extranjero.

—Sí, es eso poco más o menos, Harry. Lo has informado bien. Gracias —respondió Brock cortésmente.

Sin embargo, pese a la aparente deferencia, el cónsul percibió en su voz un tonillo de autoridad, y no por primera vez. Y aquel acento de Merseyside no siempre resultaba tan campechano como pretendía. Un sujeto con múltiples envolturas, no todas ellas irreprochables. Un depredador disfrazado. El cónsul era un hombre timorato que ocultaba sus susceptibilidades tras una elegancia espontánea y sutil. Cuando hacía de intérprete, arrugaba la frente y dirigía la mirada hacia algún punto impreciso situado en segundo plano, un hábito heredado de su padre, un distinguido egiptólogo. «Vomitaré —había advertido a Brock en el coche camino del hospital—. Siempre me pasa. Sólo con ver un perro muerto en la cuneta, devuelvo en el acto. Sencillamente la muerte y yo no estamos hechos el uno para el otro.» Brock se había limitado a sonreír y mover la cabeza como diciendo que de todo ha de haber en este mundo.

Los dos ingleses se hallaban a un lado de la bañera de hierro galvanizado. Al otro, sobre una plataforma elevada, estaban el director del hospital y el jefe médico y el alcalde y la corporación municipal en pleno, enarbolando deslumbradoras sonrisas. Entre ellos, desnudo y con media cabeza volada, descansaba el difunto señor Alfred Winser. Yacía en postura fetal sobre un lecho de cubitos de hielo procedentes de la máquina de la plaza mayor, a un paso de allí. A sus pies, en una mesa rodante, había una rebanada de pan azucarado a medio comer, el desayuno sin terminar de alguien, entre varios aerosoles de matamoscas. Un ventilador eléctrico gimoteaba inútilmente en un rincón, junto a un viejo montacargas que debía de emplearse, supuso el cónsul, para subir y bajar los cadáveres. Por un tragaluz enrejado de lo alto del muro se veían pasar a veces las ruedas de una ambulancia, a veces un par de pies apresurados, portando esperanzadoras noticias del mundo de los vivos. Dentro del depósito el aire apestaba a putrefacción y formaldehído. Al cónsul aquel hedor le roía la laringe y le revolvía el estómago como un dispositivo de acción lenta.

—La autopsia se practicará el lunes o martes —tradujo el cónsul, arrugando la frente con vigor—. El forense está abrumado de trabajo en Adana. Es el mejor de Turquía, etcétera, etcétera. La cantinela de siempre. Primero la viuda debe identificar el cadáver. El pasaporte de nuestro amigo no basta. Ah, y fue un suicidio.

Todo esto susurrado confidencialmente al oído izquierdo de Brock mientras examinaba el cuerpo.

—¿Cómo dices, Harry?

—Según él, fue un suicidio —repitió el cónsul. Al advertir que Brock no daba mayores señales de haberlo oído, añadió—: Un suicidio, en serio.

—¿Quién lo ha dicho? —preguntó Brock como si fuese un poco corto de entendederas para aquellas cuestiones.

—El capitán Alí.

—¿Y ése quién es, Harry? Refréscame la memoria si no te importa.

Pero Brock sabía de sobra quién era. Mucho antes de preguntar, sus ojos azules e inocentes se habían posado ya en la figura risueña y aletargada del capitán de la policía local, que llevaba un uniforme gris recién planchado y unas gafas de sol con montura de oro de las que sin duda estaba muy orgulloso y, acompañado por dos acólitos de paisano, permanecía en actitud indolente a un par de pasos de la comitiva del alcalde.

—El capitán sostiene que ha realizado una investigación exhaustiva y está seguro de que la autopsia confirmará sus averiguaciones. Suicidio en estado de embriaguez. Caso resuelto. Dice que has hecho este viaje en balde —agregó el cónsul con la vana esperanza de que Brock interpretase el comentario como indicación para marcharse.

—¿Y por qué medio se suicidó exactamente, Harry? —preguntó Brock, reanudando su concienzudo examen del cadáver.

El cónsul planteó su duda al capitán.

—Una bala —respondió a Brock tras un entrecortado diálogo—. Se pegó un tiro. En la cabeza.

Brock alzó de nuevo la mirada, dirigiéndola por un instante al cónsul y luego al capitán. Por efecto de unas marcadas patas de gallo, a primera vista sus ojos transmitían benevolencia. Pero el cónsul los encontraba también inquietantes.

—Bueno, bueno. Ya. Seguramente. Gracias, Harry. —Dio la impresión de que por un momento Brock se cuestionaba la conveniencia de continuar, pero al final decidió arriesgarse—. Sólo que si tenemos que considerar seriamente la teoría del capitán, Harry, y no veo razón alguna para no hacerlo, quizá debería antes aclararnos cómo puede alguien volarse los sesos con las manos esposadas a la espalda, que es la única explicación que se me ocurre para las rozaduras en las muñecas de nuestro amigo. ¿Me harías el favor de preguntarle eso por mí, Harry? Hay que admitir que hablas un turco excelente.

Nuevo intercambio de palabras entre el cónsul y el capitán, éste en extremo gesticulante con manos y cejas mientras sus ojos seguían ocultos tras las gafas con la montura de oro.

—Nuestro amigo tenía ya las marcas de esposas en las muñecas cuando desembarcó en el aeropuerto de Dalaman —tradujo puntualmente el cónsul—. El capitán cuenta con un testigo que puede dar fe de ello.

—Desembarcó ¿de *dónde,* Harry, por favor?

El cónsul trasladó al capitán la pregunta de Brock.

—Del vuelo de última hora de la tarde procedente de Estambul —dijo.

—¿El vuelo comercial? ¿El vuelo comercial corriente?

—El vuelo de las aerolíneas turcas. El nombre de nuestro amigo consta en la lista de pasajeros. El capitán te la enseñará con mucho gusto.

—Y yo le echaré un vistazo también con mucho gusto, Harry. Dile, por favor, que me admira su diligencia.

El cónsul transmitió el mensaje. El capitán aceptó el cumplido de Brock y prosiguió con su testimonio, que el cónsul tradujo.

—El testigo del capitán es una mujer, de profesión enfermera, que se sentó al lado de nuestro amigo en el avión. Es la mejor enfermera de la región, la más solicitada. Tanto le preocupó el estado de las muñecas de nuestro amigo que le rogó que le permitiese acompañarlo a una clínica en cuanto tomasen tierra para que se las vendasen. Él se negó. Farfullando como un borracho. Rechazándola con los malos modos de un borracho.

—¡Qué barbaridad!

Desde la plataforma elevada al otro lado de la bañera el capitán se valía de sus dotes histriónicas para reconstruir la escena descrita: Winser repantigado al desgaire en su asiento; Winser manoteando bruscamente para librarse de la bienintencionada enfermera; Winser levantando el puño en ademán amenazador.

—Y eso concuerda con la declaración de un segundo testigo que viajó desde el aeropuerto de Dalaman hasta aquí en el mismo autobús que nuestro amigo —explicó el cónsul a Brock tras otra larga parrafada del capitán.

—O sea, que vino en autobús, ¿no? —apostilló Brock con el alborozo de quien acaba de ver la luz—. Un vuelo comercial y un autobús de línea. Bueno, bueno. Todo un señor abogado de una importante asesoría financiera del West End de Londres usando el transporte público. Puede que me decida a comprar acciones de esa firma.

A pesar de la interrupción, el cónsul no pierde el hilo.

—En el autobús, nuestro amigo y este segundo testigo ocuparon dos asientos contiguos de la última fila. El segundo testigo es un policía retirado, el policía más querido de la comunidad, como un padre para los campesinos, cosa que por aquí no es muy frecuente. Ofreció a nuestro amigo un higo fresco de una bolsa que llevaba. Nuestro amigo amenazó con agredirlo. El capitán tiene en su poder las declaraciones juradas y firmadas de estos dos vitales testigos, así como las del conductor del autobús y la azafata del avión.

Atentamente, el capitán hizo una pausa por si el distinguido caballero de Londres tenía alguna pregunta. Pero al parecer no era ésa la intención de Brock, y la sonrisa de su rostro revelaba sólo muda admiración. Alentado por tan buena disposición, el capitán se acercó a los marmóreos pies de Winser y señaló con un puntilloso dedo índice las muñecas laceradas.

—Además, unas esposas turcas nunca dejarían estas marcas —dijo el cónsul sin la menor señal de ironía—. Las esposas turcas se diferencian de otras en que son más humanas, más consideradas con el detenido. No te rías. El capitán deduce que nuestro amigo fue aprehendido y esposado en otro país, y escapó o fue obligado a correr con las esposas puestas. El capitán desearía saber si los antecedentes penales de nuestro amigo incluyen algún delito en el extranjero anterior a su viaje a Turquía, y en tal caso, si el delito guardaba relación con el consumo de alcohol. Desearía contar con tu ayuda en esa línea de la investigación. Siente gran respeto por los métodos de la policía inglesa. Dice que, trabajando juntos, no hay delito que tú y él no podáis resolver.

—Contéstale que me siento muy halagado, Harry, por favor. Es siempre una satisfacción resolver un delito, aunque sea sólo un suicidio. Sin embargo, en cuanto a esa línea de la investigación, lamento informarlo de que, según sabemos, nuestro amigo tenía una conducta intachable.

Pero el cónsul se ahorró el trabajo de traducir aquello gracias a un brusco golpe en la puerta de acero. El director se apresuró a abrir y permitió entrar a un kurdo cansino cargado con un cubo de hielo y un tubo para enemas. Introdujo un extremo del tubo en la bañera y succionó por el otro. El hielo fundido cayó al suelo y afluyó a los desagües hasta vaciarse la bañera. El kurdo vertió el hielo de recambio en la bañera y se marchó acompañado por el chacoloteo de sus chinelas contra los peldaños de piedra. El cónsul salió precipitadamente detrás de él, doblado por la cintura y apretándose el estómago con una mano.

—No estoy pálido —aseguró a Brock con un gor-

goteante murmullo al volver avergonzado al depósito—. Es sólo la luz.

Como si viese una provocación en el regreso del
cónsul, el alcalde prorrumpió en una sarta de quejas,
expresándose en un inglés macarrónico. Era un hombre rehecho, con la complexión de un bracero ido a
más, y habló con vehemencia, como si arengase a un
grupo de compañeros huelguistas, gesticulando con los
robustos antebrazos para señalar ora al cadáver, ora al
tragaluz enrejado tras el cual se extendía el pueblo cuyo
bienestar le había sido confiado.

—Nuestro amigo era suicida —declaró indignado—. Nuestro amigo era ladrón. No es nuestro amigo.
Roba nuestro bote. Muerto, va a la deriva en el bote.
Era alcohólico. En el bote había también una botella de
whisky. Estaba vacía. ¿Qué arma hace un agujero así?
—preguntó retóricamente, apuntando con un brazo
grueso y corto en dirección a la cabeza destrozada del
pobre Winser—. Por favor, ¿quién tiene en este pueblo
un arma tan grande? Nadie tiene. Todos tienen armas
pequeñas. Fue un arma inglesa. Este inglés bebe, roba
nuestro bote, se pega un tiro. Es ladrón. Es alcohólico.
Es suicida. Punto.

La cordial sonrisa de Brock encajó sin inmutarse la
embestida.

—Me pregunto si podríamos remontarnos un poco
en el tiempo, Harry —propuso—. Siempre y cuando te
hayas recuperado.

—Como tú creas conveniente —masculló el cónsul
desconsoladamente, enjugándose los labios con un pañuelo de papel.

—Según parece, nuestro amigo vino en un vuelo
comercial procedente de Estambul y en un autobús de
línea desde Dalaman. Luego se pegó un tiro, ¿no es así?
Pero no acabo de entender el motivo. Para empezar,
¿qué lo trajo hasta aquí? ¿En qué empleó el tiempo

desde que bajó del autobús? ¿Lo esperaba aquí algún amigo? ¿Reservó habitación en alguno de los excelentes hoteles del pueblo? ¿Dejó una nota de despedida? A la mayoría de los suicidas ingleses les gusta escribir un par de líneas antes de emprender la marcha. ¿De dónde sacó el arma? ¿Dónde está ahora el arma?, me pregunto. ¿O se les ha olvidado enseñárnosla?

De pronto todos empezaron a hablar a la vez, el director del hospital, el jefe médico, el capitán y varios miembros de la corporación municipal, cada cual deseoso de demostrar mayor vigor que los demás en su respuesta.

—No había nota de despedida, como el capitán preveía —tradujo el cónsul resueltamente, seleccionando la voz del capitán entre el barullo—. Alguien que roba un bote, sale a la mar con una botella de whisky y se la bebe, no está en condiciones de escribir una nota. Has preguntado por el motivo. Nuestro amigo era un pordiosero. Era un degenerado. Era un preso fugado. Y era, como no podía faltar, un pervertido.

—¿También eso, Harry? ¡Dios mío! ¿Y a qué se debe *esa* impresión?, me pregunto.

—La policía ha tomado declaración a varios atractivos pescadores turcos que nuestro amigo encontró en los muelles a media tarde e intentó seducir —explicó el cónsul con un tono monocorde e inexpresivo—. Todos lo rechazaron. Nuestro amigo era un homosexual despechado, un alcohólico, un fugitivo de la justicia. Decidió poner fin a todo. Afanó una botella de whisky, esperó a que oscureciese, se echó a la mar en el bote y se pegó un tiro. El arma cayó al agua. A su debido tiempo, unos submarinistas bajarán a recuperarla. En estos momentos, con tantas embarcaciones de recreo en el puerto, no sería oportuno sumergirse. ¿Dónde consiguió el arma? Según el capitán, eso no viene al caso. Los delincuentes son delincuentes. Saben dónde encontrarse unos a otros, se compran y venden armas entre sí; es un hecho sabido. ¿Cómo logró pasar el arma en el vuelo nacional desde Estambul? En el equipaje. ¿Dónde está su equipaje? Continúan las indagaciones. En este país, eso significa que el resultado se conocerá dentro de un milenio menos un año.

Brock reanudó el examen del cadáver de Winser.

—Sólo que a mí esto me parece obra de una bala de punta hueca, ¿comprendes, Harry? —objetó con delicadeza—. No hay orificio de salida; es una herida desperdigada. Para abrir un boquete como éste, se requiere una bala dum-dum.

—No puedo traducir «desperdigada» —advirtió el cónsul, descompuesto. Lanzando una inquieta mirada hacia el camino por donde antes había escapado, añadió—: No existe equivalente.

Al alcalde le había cogido otra rabieta. Dotado de la perspicacia de un político, quizá recelaba de la ecuanimidad de Brock más que sus subordinados. Paseándose de un lado a otro del sótano, adoptó el enfoque más amplio, más agresivo. ¡Los *ingleses*!, se quejó. ¿Con qué derecho se presentaban allí los *ingleses* haciendo preguntas si eran ellos los únicos causantes de la desgracia del pueblo? ¿Por qué, para empezar, vino a nuestro pueblo este pederasta *inglés*? ¿Por qué no se fue a pegarse un tiro a otra parte? ¿A Kalkan? ¿A Kas? Más aún, ¿por qué tuvo que venir a Turquía? ¿Por qué no se quedó en *Inglaterra* en lugar de venir a amargarle las vacaciones a la gente y empañar el buen nombre del pueblo?

Pero Brock no tomó a mal ni siquiera esta invectiva. Por su discreta manera de asentir con la cabeza se adivinaba que comprendía la fuerza de sus argumentos, respetaba la sabiduría local y el dilema local. Y su razonable actitud surtió efecto gradualmente en el alcalde, que primero se llevó un dedo a los labios y luego, como si se exhortase a conservar la calma, dio unas palmadas al aire, de arriba abajo, como quien ahueca un cojín. El capitán, en cambio, no hizo gala de tal compostura. Con los brazos levantados en un gesto de capitulación, pese a que no capitulaba ni mucho menos, adelantó una heroica pierna y peroró con orgullosas frases, abreviadas en atención al cónsul.

—Nuestro amigo está borracho —tradujo el cónsul, impasible—. Está en nuestro bote. La botella de whisky está vacía. Está deprimido. Se pone en pie. Se pega un tiro. El arma cae al mar. Él queda tendido en el bote porque está muerto. En invierno buscaremos el arma.

Brock escuchó aquello con manifiesto respeto.

—¿Y hay alguna posibilidad de echar un vistazo al bote, Harry?

El alcalde volvió a la carga.

—El bote estaba sucio. Muy manchado de sangre. El dueño de ese bote, muy triste, muy enfadado. Muy supersticioso de Dios. Ha quemado el bote. No le importa. ¿El seguro? ¡El dueño escupe sólo de oírlo!

Brock se paseó ociosamente por las estrechas callejas, haciendo el papel de turista cuando se detenía ante las tiendas a examinar las alfombras o los artefactos otomanos expuestos, o los reflejos en algún escaparate bien situado. Había dejado al cónsul en el despacho del alcalde, tomando té de manzana y discutiendo cuestiones técnicas tales como los ataúdes de acero y la normativa referente al transporte de cadáveres una vez realizada la autopsia. Con el pretexto de buscar un regalo de cumpleaños para una hija inexistente, había resistido la invitación a almorzar del alcalde y se había visto obligado, por consiguiente, a escuchar interminables recomendaciones respecto a las muchas y magníficas tiendas del pueblo, siendo sin duda la mejor una bouti- que climatizada propiedad del sobrino del alcalde. No sentía fatiga, ni decaía su habitual celo en la búsqueda. En las últimas setenta y dos horas había dormido seis como mucho, en aviones, taxis, de camino a reuniones convocadas precipitadamente, en Whitehall por la ma- ñana, en Amsterdam a mediodía, y al caer la tarde en el umbrío jardín de una finca de Marbella perteneciente a un capo de la droga, ya que Brock tenía informadores en todas partes. Gente de todas clases acudía a él por las más diversas razones. Incluso a su paso por aquel pe- queño pueblo, los fogueados comerciantes y restaura- dores, al llamarlo para ofrecerle sus mercancías, perci- bían algo en él que les daba que pensar en medio del bullicio. Algunos hasta bajaban los precios en su men- te. Y cuando Brock, en el momento de crüzar la calle para ver si alrededor alguien vacilaba o cambiaba re- pentinamente de dirección, les respondía con un de- senfadado gesto de negación o un «¡Quizá la próxima vez!» en tono de disculpa, tenían la vaga impresión de que sus intuitivas sospechas quedaban confirmadas por ese rechazo, lo seguían con la mirada y permanecían en un pasivo estado de alerta por si volvía a pasar ante ellos una segunda vez.

Al llegar al pequeño puerto pesquero, con su faro pintado de blanco, su antiguo malecón de granito y sus concurridas tabernas, Brock continuó exteriorizando un ostensible placer por todo lo que veía: los bazares y las tiendas de vaqueros donde si hubiese tenido una hija, probablemente habría encontrado lo que buscaba; los yates y los barcos con el fondo de cristal; los bous con sus redes de pesca a modo de mantillas; el mu- griento jeep de color ocre detenido en el camino de tie- rra roja excavado en la ladera del monte que se alzaba detrás del puerto. Dos figuras ocupaban los asientos delanteros, un chico y una chica. Incluso a sesenta metros de distancia se los veía tan desastrados como el propio jeep. Brock entró en un bazar, toqueteó unas cuantas cosas, echó algún que otro vistazo a través de los espejos y eligió una graciosa camiseta, que pagó con la tarjeta de crédito a la que cargaba los gastos operacionales. Con la bolsa de la tienda en la mano, recorrió tranquilamente el malecón hasta el faro, donde extrajo un teléfono móvil del bolsillo, marcó el número de su oficina en Londres, y de inmediato la voz de Tanby, su lugarteniente, con el característico acento del sudoeste de Inglaterra, comenzó a transmitirle una serie de inconexos mensajes que habrían resultado absurdos a cualquiera que desconociese su significado oculto.

—Entendido —masculló Brock después de escucharlos en silencio, y cortó la comunicación.

Una estrecha escalera de madera ascendía al camino de tierra. Brock subió por ella como un turista más. El jeep ocre había desaparecido. Ya en el camino, rodeó una hilera de chalets en construcción y trepó por otro tramo de escalera hasta la siguiente franja de terreno nivelado, donde estaban ya marcadas las parcelas para otro grupo de chalets pero aún no se había empezado a edificar. En esa segunda grada de la ladera, el camino se hallaba salpicado de material de desecho de las obras y botellas vacías. Brock se colocó al borde, un posible comprador tomando contacto con el lugar, formándose una idea del paisaje tal como se vería desde los chalets aún por construir. Se acercaba la hora de la siesta. Ni un solo vehículo, ni un solo transeúnte, ni siquiera un perro. Abajo, en el pueblo, dos almuecines competían en sus exhortaciones, uno con perentorios gemidos, el otro con un lamento suave e irresistible. Apareció el jeep ocre, levantando una nube de polvo rojo. Lo conducía una muchacha de barbilla redonda, ojos grandes y claros y desgreñada melena rubia. Su novio, si es que era ésa su relación, guardaba un hosco silencio en el asiento contiguo. Llevaba una barba de tres días y un pendiente.

Brock echó una ojeada camino arriba y ladera abajo. Levantó la mano. El jeep se detuvo, y desde dentro abrieron de inmediato la puerta trasera. En el asiento posterior había un montón de alfombras, unas enrolladas y otras dobladas. Brock subió de un salto y, con notable agilidad para un hombre de su edad, se tendió en el suelo. El chico lo cubrió con las alfombras. Conduciendo a una marcha moderada, la chica siguió ascendiendo por el sinuoso camino hasta una explanada casi en lo alto del promontorio y allí paró.

—Nadie a la vista —anunció el chico.

Brock salió de entre las alfombras y se acomodó en el asiento trasero. El chico encendió la radio, a un volumen no muy alto. Música turca, palmas, panderetas. Frente a ellos se alzaba una cantera de arenisca roja, abandonada y con señales que advertían del peligro de desprendimientos. Había un banco de madera, ya roto. Había una zona de giro para camiones, ya invadida por la maleza. Seis pequeñas islas de contornos recortados se adentraban en el mar en orden descendente. Al otro lado de la bahía se avistaban blancos pueblos de veraneo enclavados entre los montes.

—Soy todo oídos —dijo Brock.

Los dos chicos eran Derek y Aggie y no existían lazos amorosos entre ellos, por más que Derek quizá deseas lo contrario. Derek era propenso a los circunloquios y a un uso estridente del lenguaje moderno. Aggie era una muchacha de mirada franca y piernas largas, dotada de una elegancia inconsciente. Mientras Derek informaba a Brock, Aggie permaneció atenta a los retrovisores, ajena en apariencia a la conversación. Habían tomado una habitación en el Driftwood, dijo Derek —lanzando una mirada acusadora a Aggie— una «choza de alto *standing*» con una taberna y un camarero irlandés, homosexual, que se llamaba Fidelio y era capaz de conseguir cuanto se le pedía.

—El pueblo es un hervidero de rumores, Nat —intervino Aggie, con un cuidado acento de Glasgow—. No hay más que un tema de la mañana a la noche: Winser. Todo el mundo tiene su propia teoría, y muchos tienen dos o tres.

El alcalde aparecía como protagonista principal en la mayoría de los rumores, prosiguió Derek como si Aggie no hubiese hablado. Uno de los cinco hermanos del alcalde era un pez gordo en Alemania. Según se decía, controlaba una red de tráfico de heroína y una cuadrilla de albañiles turcos. Aggie volvió a interrumpirlo.

—Es dueño de varios casinos, Nat, y de un centro de ocio en Chipre. Una facturación bruta de millones. Y escucha esto: según cuentan, tiene conexiones con una de las grandes mafias rusas.

—¡No me digas! —exclamó Brock, maravillado, y se permitió una discreta sonrisa que en cierto modo ponía de relieve su edad y la distancia que lo separaba de ellos.

Según los rumores, continuó Derek, ese mismo hermano estuvo en el pueblo el día de la muerte de Winser. Debía de haber viajado desde Alemania en una escapada, porque lo vieron a bordo de una limusina propiedad de la cuñada del jefe de policía regional.

—El hermano del jefe de policía está casado con una heredera de Dalaman —explicó Derek—. La empresa de ella proporcionó los vehículos que esperaban al avión privado procedente de Estambul.

—Y además, Nat, el capitán Alí actúa como avanzadilla del jefe de policía —saltó de nuevo Aggie con vehemencia—. De verdad, Nat, hay mucha gente metida en esto. Aquí todos sacan tajada. Dice Fidelio que Alí incluso se tomó el miércoles libre, y sólo para ir de chófer en uno de los coches de la cuñada de su jefe. Sí, ya sé, el capitán Alí no destaca precisamente por su inteligencia. Pero estuvo presente, Nat. En el lugar del asesinato. Tomó parte activa. ¡Un policía, Nat! ¡Participando en el asesinato ritual de una banda! ¡Son peores que los nuestros!

—¿Tú crees? —musitó Brock, y se produjo un instante de silencio, porque ése era un tema que le llegaba al corazón.

—Luego está la ex novia del cocinero de Fidelio, una escultora inglesa —prosiguió Derek—. Una colgada. Estudió en el Cheltenham Ladies College, y ahora se chuta tres veces al día y vive rodeada de chusma en una comuna del promontorio. Se deja caer por el Driftwood para recoger el caballo.

—Tiene un hijo, Nat —atajó Aggie una vez más, y Derek, sonrojado, la miró con expresión ceñuda—. Zach, se llama. Es una buena pieza, te lo aseguro. Campan todos a su aire, los críos de la comuna, acosando a los turistas para venderles flores y vaciándoles el depósito del coche cuando van a ver el fortín otomano. Y resulta que Zach andaba por el monte entre las cabras, haciendo Dios sabe qué con una pandilla de niños kurdos, cuando un convoy completo de limusinas y jeeps se detiene justo debajo de ellos y salen todos y representan una escena de una película de gángsters. —Se interrumpió como si esperase una recriminación, pero ni Derek ni Brock despegaron los labios—. Un hombre recibe un balazo mientras el resto de la banda lo filma. Después de matarlo, lo cargan en un jeep y se marchan cuesta abajo en dirección al pueblo. Zach dice que fue estupendo, con sangre como la de verdad y todo.

Brock escrutaba el lado opuesto de la bahía. Una ondulada masa de nubes blancas se elevaba tras las crestas de las montañas. Las águilas ratoneras trazaban círculos en el aire caliente y trémulo.

—Y lo metieron en un bote con una botella de

whisky vacía —dijo, completando el relato por ella—. Es una suerte que Zach no acabase igual. ¿Vive alguien por allí, aparte de las cabras?

—Rocas y más rocas —contestó Derek—. Colmenas. Muchas huellas de neumáticos.

Brock volvió la cabeza hasta posar la mirada pensativamente en Derek y recreó en él la vista con la mejor de sus sonrisas fija en el rostro como si estuviese fundida en hierro.

—Mi joven amigo, creía haber dicho que no subieseis allí.

—Fidelio intenta colocarme su Harley-Davidson vieja. Me la dejó probar durante una hora.

—Y la probaste.

—Sí.

—Y desobedeciste mis órdenes.

—Sí.

—¿Y qué viste, mi joven amigo?

—Huellas de coche, huellas de jeep, pisadas. Mucha sangre seca. Ni el menor esfuerzo por borrar el rastro. ¿Para qué iban a andarse con disimulos teniendo al alcalde y el jefe de policía en el bolsillo? Y esto.

Lo echó a las manos extendidas de Brock: una bola de celofán arrugado con el rótulo VÍDEO-8/60 repetido por toda su superficie.

—Os marcharéis los dos de aquí hoy mismo —ordenó Brock después de extender el celofán sobre un muslo—. A las seis de la tarde sale un vuelo chárter de Esmirna. Os reservan un par de pasajes. Y otra cosa, Derek.

—¿Sí, señor?

—Esta vez, en la eterna pugna entre la iniciativa y la obediencia, la iniciativa se ha visto recompensada. Puedes, por tanto, considerarte un hombre con suerte, ¿no, Derek?

—Sí, señor.

Sin más vínculo común que su trabajo, Derek y Aggie regresaron a la buhardilla del Driftwood e hicieron el equipaje. Mientras Derek bajaba a pagar la cuenta, Aggie sacudió los sacos de dormir y puso en orden la habitación. Fregó las tazas y platos sucios y los guardó; pasó un trapo al lavabo y abrió las ventanas. Su padre era un maestro de escuela escocés; su madre, médica de cabecera y miembro de una organización humanitaria que ofrecía asistencia en los barrios más necesitados de Glasgow. Los dos poseían un sentido del decoro fuera de lo corriente. Una vez cumplidas sus obligaciones, corrió tras Derek hasta el jeep y emprendieron la marcha a toda velocidad por la tortuosa carretera de la costa en dirección a Esmirna, Derek al volante con una expresión de orgullo varonil herido y Aggie atenta a las cerradas curvas, el valle que se extendía bajo ellos y el reloj. Derek, dolido aún por el varapalo de Brock, juraba para sí que abandonaría el Servicio en cuanto llegase a Inglaterra y terminaría la carrera de derecho aunque se dejase la vida en el empeño. Hacía ese mismo juramento una vez al mes como mínimo, normalmente después de un par de cervezas en el bar. Por su parte Aggie, desde un enfoque diametralmente opuesto, se atormentaba con el recuerdo de Zach. No podía apartar de su memoria el modo en que había abordado al niño cuando entró trotando en la taberna con el dinero para un helado —¡Dios santo, me lo ligué literalmente!—, el rato que había pasado con él bailando, haciendo cabrillas en la playa, sentada a su lado al borde del malecón con un brazo alrededor de su hombro para que no se cayese mientras pescaba. Y se preguntaba qué opinión tenía de sí misma, a los veinticinco años, con unos padres como los suyos, sonsacando secretos a un niño de siete que veía en ella a la mujer de su vida.

4

Al volante de su impoluto Rover, erguido como un cochero real, Arthur Toogood descendía majestuosamente por la sinuosa carretera, seguido por Oliver en su furgoneta.

—¿A qué viene tanto jaleo? —había preguntado Oliver frente al edificio del Ejército de Salvación mientras Toogood, servicialmente, le tendía la maleta equivocada.

—Aquí nadie ha armado jaleo, Ollie; no es ése el tono ni mucho menos —contestó Toogood. Entregándole la maleta correcta, añadió—: Es el reflector. Puede ocurrirle a cualquiera.

—¿Qué reflector?

—El haz de luz que va girando, nos enfoca para echarnos un vistazo, lo encuentra todo en orden y sigue su curso —explicó Toogood con exasperación, sin interés ya en su propia metáfora—. Es totalmente aleatorio. No hay nada personal. No le des importancia.

—¿Qué revisan en concreto?

—Las cuentas fiduciarias, casualmente. Este mes les toca a las cuentas fiduciarias. De empresas, organizaciones benéficas, familiares y *offshore*. El mes que viene serán las carteras de valores, los préstamos a corto plazo o cualquier otra de las líneas de actividad del negocio.

—¿La cuenta de Carmen?

—Entre otras, muchas otras, sí. Lo que nosotros llamamos una redada nocturna agresiva. Eligen una línea de actividad, examinan las cifras, hacen unas cuantas preguntas y pasan a otra cosa. Simple rutina.

—¿Por qué se han interesado de pronto en la cuenta de Carmen?

A esas alturas el interrogatorio ya había sacado a Toogood de sus casillas.

—No es sólo la de Carmen. Son *todas* las cuentas fiduciarias. Llevan a cabo una inspección general de las cuentas fiduciarias.

—¿Por qué en plena noche? —insistió Oliver.

Aparcaron en el reducido patio trasero del banco. Los cegó la implacable luz de los focos de seguridad. Tres peldaños conducían a una puerta de acero. Toogood dobló un dedo para marcar el código de acceso, cambió de idea y, en un gesto impulsivo, agarró a Oliver por el bíceps del brazo izquierdo.

—Ollie.

Oliver se soltó de un tirón.

—¿Qué?

—¿Esperas… esperabas algún movimiento en la cuenta de Carmen? Recientemente. En los últimos meses, pongamos, o en un futuro cercano.

—¿Un movimiento?

—Una entrada o salida de dinero. Da igual un movimiento que otro. Una operación.

—Los dos somos fiduciarios, tú y yo. Sé lo mismo que tú. ¿Qué pasa? ¿Te has metido en algún asunto turbio?

—¡No, claro que no! A este respecto estamos en el mismo bando. ¿Y no… no conoces ningún otro factor que pueda haber incidido en el estado de la cuenta en fecha reciente? ¿No has recibido algún aviso? ¿Al margen del banco? ¿A título personal? ¿Un aviso de alguien?

—Nada, ni un silbidito.

—Bien. Perfecto. Mantén esa actitud. Sé tú mismo. Un mago de niños. Ni un silbidito. —Un destello de codicia iluminó los ojos de Toogood bajo el ala del sombrero—. Cuando te hagan las preguntas de rutina, contesta exactamente lo que acabas de decirme. Eres su padre, eres un fiduciario, como yo, fiel al compromiso contraído. —Marcó un número. La puerta se abrió con un zumbido. Dejando entrar a Oliver en un pasillo de color gris metálico alumbrado con fluorescentes, añadió en confianza—: Son Pode y Lanxon, de Bishopsgate. Pode es de baja estatura pero mucho peso. Mucho peso en el banco. Lanxon es más de tu estilo. Alto y robusto. No, no, ve tú delante. La juventud siempre en cabeza.

Era una noche estrellada, advirtió Oliver antes de cerrarse la puerta. Una luna rosada pendía sobre ellos, troceada por la espiral de alambre de espino que coronaba la tapia del patio. Sentados a la mesa de reuniones del despacho de Toogood, junto a la ventana, había dos hombres, ambos preocupados por la calvicie. Pode, de baja estatura pero mucho peso en el banco, llevaba un traje de tweed y unas bifocales sin montura, y el exiguo pelo le cruzaba el cuero cabelludo en líneas paralelas, todas con origen en un mismo lado de la cabeza. Lanxon, el alto y robusto, de orejas como botones y aspecto de pertenecer a una asociación de ex alumnos de algún colegio privado, lucía una corbata con estampado de palos de golf y una estropajosa peluca castaña de presentador de noticiario.

—No es fácil encontrarlo, señor Hawthorne —comentó Pode, no del todo en broma—. Arthur lo ha buscado como un loco por todo el pueblo, ¿verdad, Arthur?

—¿Le molesta el humo de la pipa? —preguntó Lanxon—. ¿Seguro que no? Sáquese el abrigo, señor Hawthorne; déjelo en cualquier sitio.

Oliver se quitó la boina pero no el abrigo. Tomó asiento. Siguió un tenso silencio mientras Pode ordenaba innecesariamente unos papeles y Lanxon atendía su pipa, escarbando en la cazoleta y echando tabaco húmedo en un cenicero. Persianas blancas, paredes blancas, luces blancas, observó Oliver con ánimo lúgubre. En esto se convierten los bancos por la noche.

—¿Qué te parece si nos tuteamos, Ollie? —propuso Pode.

—Me es indiferente.

—Nosotros somos Reg y Walter… nunca Wally si no te importa —dijo Lanxon—. Él es Reg. —Volvió a producirse un silencio—. Y yo, Walter —añadió en busca de unas risas que no consiguió.

—Y él es Walter —corroboró Pode, y los tres hombres sonrieron sin la menor naturalidad, primero a Oliver y luego en un mutuo intercambio.

Deberíais tener largas patillas grises, pensó Oliver, y narices cárdenas con escarcha en la punta. Deberíais llevar viejos relojes de bolsillo en el interior de los abrigos en lugar de bolígrafos. Pode sostenía un bloc de papel pautado amarillo. Anotaciones escritas por distintas manos, advirtió Oliver. Columnas de fechas y números. Pero no era Pode quien hablaba, sino Lanxon. Falto de elocuencia, a través del humo de su pipa. Iría derecho al grano, dijo. De nada servía andarse por las ramas.

—Para mi desgracia, Ollie, me ocupo de la seguridad interna del banco, lo que nosotros llamamos «observancia». Eso incluye desde el vigilante nocturno que aparece con la crisma rota hasta el blanqueo de dinero, pasando por el empleado que echa mano de la caja para redondearse el salario. —Tampoco esta vez rió nadie el comentario—. Y también las cuentas fiduciarias, como ya te habrá informado Arthur. —Dio una chupada a la pipa. Era de tubo corto. De niño, recordó Oliver, él tenía una no muy distinta, de caolín, que empleaba para hacer pompas de jabón en la bañera—. Acláranos un detalle, Ollie. ¿Quién es ese señor Crouch que no conocen ni en su casa?

«Una abstracción», había contestado Brock cuando Oliver le planteó esa misma duda en un bar de Hammersmith hacía un siglo. «Pensamos en llamarlo John Smith pero nos pareció poco original.»

—Un amigo de la familia —respondió Oliver, dirigiéndose a la boina que mantenía sujeta en el regazo. «Anodino», le había inculcado Brock. «Muéstrate anodino. Sin chispa. Los policías los preferimos anodinos.»

—¿Ah, sí? —dijo Lanxon, todo él inocencia perpleja—. ¿Qué *clase* de amigo, Ollie?

—Vive en las Antillas —contestó Oliver como si eso definiese aquella amistad.

—¿Ah, sí? ¿Seguramente un caballero de color, pues?

—No que yo sepa. Sólo vive allí.

—¿Dónde en concreto?

—En Antigua. Consta en la documentación.

Error. No lo pongas en evidencia. Es mejor que quedes tú en ridículo. Muéstrate anodino.

—¿Es simpático? ¿Te cae bien? —preguntó Lanxon, enarcando las cejas en un gesto alentador.

—No lo conozco personalmente. Nos mantenemos en contacto a través de sus abogados de Londres.

Lanxon arruga el entrecejo y sonríe al mismo tiempo, expresando sus reacias dudas. Se consuela llevándose la pipa a los labios. No aparecen pompas de jabón. Adopta el rictus que entre los fumadores de pipa pasa por una sonrisa.

—No lo conoces personalmente, pero en obsequio

ingresó ciento cincuenta mil libras en la cuenta de Carmen. Por mediación de sus abogados de Londres —declaró a través de una nociva nube de humo.

«Tiene el visto bueno», afirma Brock. En un bar. En un coche. Paseando por un bosque. «No seas tonto. Forma parte del trato.» Oliver se resiste. Se ha resistido todo el día. «Me trae sin cuidado si tiene o no el visto bueno. No soy yo quien lo ha dado.»

—¿No te parece un comportamiento un tanto insólito? —inquirió Lanxon.

—¿A qué te refieres?

—Al hecho de donar semejante suma a la hija de alguien que no se conoce. Por mediación de unos abogados.

—Crouch es rico —respondió Oliver—. Es un pariente lejano, tío segundo o algo así. Se autodesignó ángel custodio de Carmen.

—Lo que denominamos el síndrome del tío indeterminado —apostilló Lanxon, y miró primero a Pode y después a Toogood con un visaje de suficiencia que presagiaba un infausto panorama.

Sin embargo Toogood vio en aquello una afrenta.

—¡No es un síndrome de clase o género alguno! Es una práctica bancaria normal y corriente. Un hombre rico, amigo de la familia, autodesignado ángel custodio de un niño…, eso *sí* es un síndrome, te lo aseguro. Y muy corriente —concluyó con tono triunfal, contradiciéndose a cada palabra y aun así expresando de manera convincente su postura—. ¿Me equivoco, Reg?

Pero el pequeño Pode, que tenía mucho peso en el banco, estaba demasiado absorto en su bloc de papel pautado para contestar. Había descubierto un nuevo enfoque del asunto, éste mucho más inasequible a las previsiones de Oliver, y lo examinaba meticulosamente a través de sus bifocales con la luz de la lámpara de lectura reflejada en su calva a rayas.

—Ollie —dijo Pode con una voz fina y circunspecta, un estoque en comparación con la maza de Lanxon.

—¿Qué?

—¿Qué tal si repasamos esto desde el principio?

—Repasar ¿qué?

—Te ruego un poco de paciencia. Si no te importa, Ollie, me gustaría empezar por el día de apertura de la cuenta y seguir el proceso razonadamente a partir de ese momento. Soy un técnico. Me interesan los antecedentes y procedimientos. ¿Tendrás un poco de paciencia?

Oliver el anodino hizo un gesto de conformidad.

—Según nuestros datos —prosiguió Pode—, viniste a ver a Arthur a este mismo despacho, habiendo concertado previamente la hora, hace casi dieciocho meses, y justo una semana después del nacimiento de Carmen. ¿Correcto?

—Correcto —confirmó Oliver. Anodino como el barro.

—Por entonces eras cliente del banco desde hacía seis meses. Y te habías trasladado recientemente a esta zona tras un período de residencia en el extranjero. Por cierto, ¿dónde estuviste? Se me ha olvidado.

«¿Has visitado Australia alguna vez?», pregunta Brock. «No, nunca», responde Oliver. «Perfecto, porque es ahí donde has pasado los últimos cuatro años.»

—En Australia —dijo Oliver.

—Y allí viviste de… ¿qué?

—Fui de empleo en empleo. Cuidé ovejas. Serví pollo frito en restaurantes de poca monta. Todo lo que me salía al paso.

—¿No te dedicabas aún a la magia, pues? ¿No por aquellas fechas?

—No.

—Y cuando volviste, ¿cuánto tiempo hacía que no eras residente del Reino Unido a efectos tributarios?

«Vamos a borrarte del registro de contribuyentes —había dicho Brock—. Reaparecerás con el nombre de Hawthorne, residente de regreso tras una estancia en Australia.»

—Tres años. No, cuatro —respondió Oliver, rectificándose para acentuar su anodina naturaleza—. Más bien cuatro.

—Así pues, cuando acudiste a Arthur eras residente en el Reino Unido a efectos tributarios pero trabajabas por cuenta propia. Como mago. Casado.

—Sí.

—Y Arthur te ofreció una taza de té, cabe esperar, ¿o no, Arthur?

Un momento de hilaridad para recordarnos el gran interés de los banqueros en el toque humano por delicadas que sean las decisiones que se ven obligados a tomar.

—No tenía suficiente dinero en la cuenta para eso —repuso Toogood para demostrar que tampoco él se quedaba a la zaga en cuanto a humanidad.

—Son los antecedentes lo que quiero conocer, Ollie, ¿comprendes? —explicó Pode—. Dijiste a Arthur que deseabas poner algo de dinero en fideicomiso, ¿no? Para Carmen.

—Así es.

—Y Arthur aquí presente, dando por sentado que te referías a una suma modesta, te sugirió sensatamente que considerases la posibilidad de invertir ese dinero en bonos del Tesoro o en una sociedad de crédito hipotecario o un seguro-ahorro. ¿Para qué pasar por las interminables complicaciones de una cuenta fiduciaria en toda regla? ¿Correcto, Ollie?

Carmen cuenta seis horas de vida. Oliver se halla en una de las antiguas cabinas telefónicas rojas que los concejales de Abbots Quay insisten en conservar para deleite de los turistas extranjeros. Lágrimas de alegría y alivio bañan su rostro. «He cambiado de idea —dice a

Brock entre sollozos—. Acepto el dinero. Todo me parece poco para ella. La casa para Heather y lo que sobre para Carmen. Siempre y cuando no sea para mí, lo acepto. ¿Es eso corrupción, Nat?» Y Brock contesta: «Es la paternidad, Oliver.»

—Correcto —asintió Oliver.

—Pero te mantuviste firme en tu decisión de abrir una cuenta fiduciaria, por lo que veo. —Otra ojeada al bloc amarillo—. Una cuenta fiduciaria con todas sus implicaciones.

—Sí.

—Ése era tu planteamiento. Querías guardar el dinero en sitio seguro para Carmen y tirar la llave, dijiste a Arthur. Tomas nota de todo, Arthur. Hay que reconocer que no se te escapa una. Querías tener la absoluta certeza, Ollie, de que ocurriera lo que ocurriese en el futuro, a ti, a Heather o a cualquier otra persona, Carmen dispondría de sus ahorros.

—Sí.

—Metidos en una cuenta fiduciaria. Inaccesibles. Esperándola hasta que sea una mujer, se case o haga lo que sea que hagan las jóvenes cuando ella alcance la madura edad de veinticinco años.

—Sí.

Un remilgado reajuste de las bifocales. Labios apretados de beato en misa. Las yemas de dos dedos para volver a poner en su sitio con toda delicadeza una de las líneas paralelas de cabello negro. Reanudación.

—Y te habían informado, o eso dijiste a Arthur aquí presente, de que era posible abrir una cuenta fiduciaria con una cantidad simbólica y aumentarla siempre que a ti o a alguna otra persona os sobrase un poco de dinero.

Para aliviar un repentino picor en la punta de la nariz, Oliver se la frotó enérgicamente con la palma de la enorme mano, los dedos extendidos hacia arriba.

—Sí.

—¿Y quién te informó de eso, Ollie? ¿Quién o qué te incitó a acudir a Arthur aquel día, una semana después del nacimiento de Carmen, y decir «Quiero abrir una cuenta fiduciaria», concretamente una cuenta fiduciaria, hablando además del tema con pleno conocimiento, según las notas de Arthur?

—Crouch.

—¿El mismo señor Geoffrey Crouch, que reside en Antigua y con quien mantienes contacto a través de sus abogados de Londres? Fue Crouch, pues, quien primero te aconsejó abrir una auténtica y legítima cuenta fiduciaria para Carmen.

—Sí.

—¿Cómo?

—Por carta.

—¿Del propio Crouch?

—De sus abogados.

—¿Sus abogados de Londres o sus abogados de Antigua?

—No lo recuerdo. La carta también está incluida en el expediente, o debería. En su momento entregué toda la documentación pertinente a Arthur.

—Quien la archivó puntualmente —corroboró Toogood con satisfacción.

Pode consultaba su hoja amarilla.

—Dorkin & Woolley, un acreditado bufete con oficinas en la City. El señor Peter Dorkin es apoderado del señor Crouch.

Oliver decidió mostrar un poco de temperamento. Temperamento anodino.

—Y entonces ¿por qué lo preguntas?

—Una simple verificación de los antecedentes, Ollie. Para mayor certeza.

—¿Es ilegal o qué?

—Ilegal ¿qué? —repuso Pode.

—La cuenta de Carmen. Lo que se ha hecho. Los antecedentes. ¿Es ilegal?

—En absoluto, Ollie —ahora a la defensiva—, nada más lejos. No existe la menor ilegalidad ni irregularidad alguna. Salvo que, según parece, en Dorkin & Woolley tampoco conocen personalmente al señor Crouch, ¿comprendes? Bueno, eso no es algo nuevo, supongo. —Le preocupaba el rigor semántico—. Es irregular, quizá, pero no nuevo. En todo caso, tu señor Crouch lleva desde luego una vida muy recluida.

—No es *mi* señor Crouch; lo es de Carmen.

—Sin duda lo es. Y también es su fiduciario, según veo.

Toogood detectó otra afrenta en esa observación.

—¿Qué tiene de raro que Crouch sea fiduciario? —preguntó, muy ofendido, a los dos hombres de Londres simultáneamente—. Crouch aportó el dinero. Él dispuso la creación del fideicomiso. Un amigo de la familia, parte del entramado de los Hawthorne. ¿Qué tiene de raro que quiera asegurarse de que los ahorros de Carmen se administren como es debido? ¿Por qué no va a llevar una vida recluida si es ése su deseo? También yo llevaré una vida recluida algún día. Cuando me jubile.

Lanxon, el alto y robusto, decidió volver a la carga. Apoyando un abullonado codo en la mesa, inclinó su voluminosa humanidad, pipa en mano y estropajoso tupé al frente, un agente de seguridad de la cabeza a los pies.

—Así pues —dijo, entornando los ojos para añadir sagacidad a su expresión—, por consejo del señor Crouch, abriste la cuenta de Carmen Hawthorne, constando tú mismo, el señor Crouch y Arthur aquí presente como fiduciarios, con una aportación inicial de quinientas libras, cantidad que dos semanas después se vio incrementada con otras ciento cincuenta mil libras, gracias a la generosidad del señor Crouch. ¿Es eso? —Había acelerado el ritmo.

—Sí.

—¿Ha entregado el señor Crouch más dinero a tu familia, que tú sepas?

—No.

—¿No ha entregado más dinero o no sabes si lo ha hecho?

—No tengo familia. Mis padres murieron. No tengo hermanos. Por eso adoptó Crouch a Carmen, supongo. No había nadie más.

—Excepto tú.

—Sí.

—¿Y a ti personalmente no te ha dado nada? ¿Directa o indirectamente? ¿No obtienes ningún beneficio de Crouch?

—No.

—¿Ni ahora ni nunca?

—No.

—¿Tampoco en el futuro, según tus previsiones?

—No.

—¿Has hecho alguna vez tratos con él, has tenido relaciones comerciales con él, le has pedido dinero prestado, aunque sea de manera indirecta, por mediación de los abogados?

—No a todas las preguntas.

—¿Quién pagó, pues, la casa de Heather, Oliver?

—Yo.

—¿Con qué?

—Con dinero.

—¿Sacado de un maletín?

—Sacado de mi cuenta corriente.

—¿Y cómo reuniste ese dinero, si no es indiscreción? ¿A través de Crouch, quizá, a través de sus abogados, de sus oscuras actividades económicas?

—Lo ahorré en Australia —contestó Oliver con aspereza, y empezó a sonrojarse.

—¿Pagabas el impuesto sobre la renta al fisco australiano durante tu estancia allí?

—Todos mis ingresos eran eventuales. Puede que me aplicasen alguna retención. No lo sé.

—No lo sabes. ¿Y naturalmente no llevabas ninguna contabilidad? —dijo Lanxon, y miró a Pode de soslayo con expresión perspicaz.

—No.

—¿Por qué no?

—Porque no me apetecía recorrer quince mil kilómetros a dedo con los libros de contabilidad en la mochila, sencillamente por eso.

—No, ya, es de suponer —admitió Lanxon, dirigiendo otra mirada a Pode, esta vez mucho menos perspicaz—. ¿Con cuánto dinero, pues, volviste de Australia, Ollie? ¿Cuánto ahorraste, por así decirlo?

—Después de pagar la casa para Heather y los muebles y la furgoneta y el equipo lo había gastado prácticamente todo.

—¿Tuviste alguna *otra* ocupación en Australia? ¿Nunca te dedicaste a la compra y venta de algo, de lo que podríamos llamar *mercancías* o, digamos..., *sustancias...* ?

No pasó de ahí. Toogood se apresuró a atajarlo. Toogood cargó con todo el peso de la imputación. Levantándose parcialmente de la silla, apuntó su porcino dedo índice al corazón de Lanxon.

—¡Eso es un atropello, Walter! Ollie es mi estimado cliente. Retíralo ahora mismo.

Oliver fijó la mirada en un segundo plano mientras Pode y Toogood aguardaban en incómodo silencio a que Lanxon saliese por su cuenta del atolladero, cosa que hizo recurriendo a sus farragosas insidias.

—Entretanto, pues —recapituló Lanxon—, tenemos a Ollie y Arthur a cargo del fideicomiso; tenemos a un curioso abogado de Londres que estampa el sello en todo lo que decidís, y tenemos al *señor Crouch*, que vive recluido en su casa de la isla antillana de Antigua y, como de costumbre, nadie puede localizar, ni siquiera sus abogados.

Oliver permaneció callado, limitándose a observarlo dar palos de ciego, como era propio de esa clase de gente.

—¿Has estado alguna vez allí? —preguntó Lanxon, alzando aún más la voz.

—¿Dónde?

—En su casa. En Antigua. ¿Dónde va a ser?

—No.

—Imagino que poca gente ha puesto allí los pies, ¿verdad? Eso suponiendo, claro está, que exista dicha casa.

—¡Estás tomando el rábano por las hojas, Walter, ni más ni menos! —reprochó Toogood, indignado ya en grado sumo—. Crouch no es un simple sello en manos de un abogado; es un hombre con una mente privilegiada para las finanzas, comparable en cualquier momento a la de un agente de bolsa y a veces incluso superior. Oliver y yo nos ponemos de acuerdo sobre la estrategia, se la comunicamos a Crouch por mediación de sus abogados, recibimos su aprobación. Dime algo más en regla que eso. —Con un brusco giro en la silla, apeló a Pode, que tenía mucho peso en el banco—. La central fue informada en su día de todo esto, Reg. Lo revisó el Departamento Jurídico; lo enviamos por puro trámite al Departamento de Investigaciones Penales, y nadie dijo ni pío. Lo revisó el Departamento de Cuentas Fiduciarias. El Departamento de Ingresos ni se inmutó. La central nos felicitó y nos animó a seguir adelante. Y eso hicimos. Con gran acierto, aunque no esté bien que yo lo diga. En menos de dos años, las ciento cincuenta mil libras iniciales se han convertido en ciento noventa y ocho mil, y siguen en aumento. —Con igual vehemencia, se volvió hacia Lanxon—. No ha cambiado nada excepto las cifras. Esa cuenta es un asunto de la sucursal y debe administrarse a nivel local. Por Oliver y por mí como titulares locales, que es lo lógico y normal. Ha variado sólo la suma de dinero, no el acuerdo básico. El acuerdo básico se estableció hace dieciocho meses.

Oliver retrajo lentamente los miembros e irguió el tronco.

—¿Qué cifras? —preguntó—. ¿En qué han cambiado? ¿Qué me ocultáis? Soy el padre de Carmen, y no sólo un fiduciario de su cuenta.

Pode tardó una eternidad en responder. O quizá la demora existiese sólo en la mente de Oliver. Quizá Pode respondió en el acto, y la mente de Oliver, tras registrar las palabras de Pode, pasó la cinta a baja velocidad una y otra vez hasta asimilar la enormidad del mensaje.

—Ollie, en la cuenta de tu hija Carmen se ha ingresado una gran suma de dinero, tan exorbitante que en un principio el banco supuso que se trataba de un error. A veces se cometen errores. Por ejemplo, dinero institucional abonado en la cuenta equivocada. Un baile de dígitos. Millones de libras depositadas en una improbable cuenta personal hasta que nos ponemos en contacto con el banco de procedencia y aclaramos el asunto. Pero en este caso el banco de procedencia sostiene que la cantidad de dinero correcta ha sido transferida a la cuenta correcta. Sumándose al saldo acreedor de la cuenta fiduciaria de Carmen Hawthorne. El o la donante permanece en el anonimato por expresa voluntad. En cuestiones de confidencialidad bancaria, los suizos son inamovibles. Para ellos, la ley es la ley. El código ético es el código ético. «De un cliente», y lo demás podemos ya darlo por supuesto. Sólo están en situación de garantizarnos que el dinero procede de una cuenta legítima y operativa desde hace tiempo y que tienen sobrados motivos para confiar en la integridad del cliente. A partir de ahí, tropezamos con un muro infranqueable.

—¿Cuánto? —dijo Oliver.

—Cinco millones treinta libras —respondió Pode sin vacilar—. Y nos gustaría saber de dónde han salido. Nos hemos puesto en contacto con los abogados de Crouch. De él no, nos aseguran. Les hemos preguntado si acaso el señor Crouch podría arrojar alguna luz en cuanto a la identidad del benefactor de Carmen. En estos momentos el señor Crouch se encuentra de viaje, nos dicen. Nos avisarán a su debido tiempo. Hoy en día estar de viaje no es excusa, francamente. De manera que si Crouch no envió el dinero, ¿quién lo envió? ¿Y cómo llegó a sus manos, para empezar? ¿Quién quiere hacer una aportación de cinco millones treinta libras al fideicomiso de tu hija sin ser un fiduciario, ni informar previamente a los fiduciarios, ni revelar su identidad? Pensamos que quizá tú podrías sacarnos de dudas, ¿comprendes, Oliver? Por lo visto, nadie sabe nada. Tú eres nuestra única opción.

Pode calló para dejar hablar a Oliver, pero Oliver nada tenía que decir. Había vuelto a replegarse. Estaba encorvado dentro del abrigo, la larga cabellera negra hacia atrás, los ojos grandes y castaños con la mirada fija en un punto lejano, la yema de un ancho dedo sobre el labio inferior. En su memoria se proyectaron escenas sueltas de la pésima película que había sido su vida hasta aquel entonces: una villa de fachada lisa a orillas del Bósforo; colegios, y fracasos en todos ellos; una sala de interrogatorios de paredes blancas en el aeropuerto de Heathrow.

—Tómate el tiempo que necesites, Ollie —instó Pode con el tono de quien exhorta a otro al arrepentimiento—. Rememora. Alguien de Australia, quizá. Alguna persona que haya mantenido relación contigo o con tu familia en el pasado. Un filántropo. Un millonario excéntrico. Otro Crouch. ¿Has invertido alguna vez en una mina de oro u otro negocio? ¿Has participado en algo con un socio, alguien que pueda haber tenido un golpe de suerte?

Oliver no respondió, ni dio siquiera señales de estar escuchando.

—Porque esto requiere una explicación, Ollie, ¿comprendes? Y además convincente —prosiguió Pode—. Una transferencia anónima de cinco millones de libras procedente de un banco suizo..., en fin, supera con creces lo que ciertas autoridades de este país están dispuestas a tragarse sin una buena explicación.

—Cinco millones treinta —rectificó Oliver. Y rememoró, remontándose en el tiempo hasta que su semblante reflejó la soledad de un preso que ha cumplido una larga condena. Al cabo de un rato, preguntó—: ¿De qué banco?

—Uno de los más importantes. Eso da igual.

—¿Qué banco?

—El Cantonal & Federal de Zúrich. C & F.

Oliver movió la cabeza en un distante gesto de asentimiento, admitiendo la coherencia del dato.

—Es un fallecimiento —sugirió con voz remota—. Alguien ha dejado una herencia.

—Eso ya lo preguntamos, Ollie. Siento reconocerlo, pero teníamos la esperanza de que fuera ése el caso. Así, al menos existiría la posibilidad de ver algún documento. C & F asegura que el donante estaba vivo y en pleno uso de sus facultades mentales cuando ordenó la transferencia. Incluso dan a entender que han vuelto a ponerse en contacto con él y verificado sus instrucciones. No lo dicen así de claro, porque no es ése el estilo de los suizos, pero lo insinúan.

—No es un fallecimiento, pues —musitó Oliver, más para sí que para ellos.

Lanxon tomó una vez más el relevo.

—Muy bien. Supongamos que *fuese* un fallecimiento. ¿Quién es el muerto? ¿O quién no lo es? ¿Quién está aún vivo? ¿Quién podría dejar a Carmen cinco millones treinta libras en su testamento?

Mientras aguardaban, el ánimo de Oliver cambió gradualmente. Se dice que cuando un hombre es condenado a muerte, lo invade un estado de placidez y durante un tiempo realiza toda clase de tareas cotidianas con precisión y diligencia. Esa especie de cordial lucidez se apoderó entonces de Oliver. Se puso en pie, sonrió y se excusó cortésmente. Salió al pasillo y se dirigió al cuarto de baño que había visto antes camino del despacho de Toogood. Dentro, echó el seguro de la puerta y, mirándose en el espejo, evaluó la situación. Se inclinó sobre el lavabo, abrió el grifo del agua fría, ahuecó las manos bajo el chorro y se mojó la cara, imaginando que se desprendía así de una versión de sí mismo que no tenía ya vigencia. Como no había toalla, se secó las manos con el pañuelo, que tiró después al cubo de la basura. Regresó al despacho de Toogood y se quedó en el umbral de la puerta, llenando el vano con los pliegues del abrigo. Actuando como si Pode y Lanxon no estuviesen, se dirigió educadamente a Toogood.

—Por favor, Arthur, me gustaría hablar un momento a solas contigo. Fuera, si no hay inconveniente.

Dio un paso atrás para que Toogood lo precediese por el pasillo. Al cabo de unos instantes se hallaban de nuevo en el patio trasero, bajo las estrellas, rodeados por la tapia y el alambre de espino. La luna se había liberado de todas sus ataduras terrenas y se solazaba voluptuosamente sobre los sombreretes de las muchas chimeneas del banco, bañada por una neblina lechosa.

—No puedo aceptar los cinco millones —dijo—.

Es excesivo para una niña. Devuélvelos al sitio de donde han venido.

—Ni hablar —replicó Toogood con inesperado ímpetu—. Como fiduciario, no tengo autoridad para eso. Ni yo ni tú ni Crouch. No nos corresponde a nosotros demostrar que es dinero limpio. Les corresponde a ellos demostrar que no lo es. Si no lo consiguen, el dinero debe quedarse en la cuenta. Si lo rechazamos, dentro de unos veinte años más o menos Carmen puede demandar al banco, puede demandarnos a mí, a ti y a Crouch y meternos en un verdadero aprieto.

—Acude a los tribunales —sugirió Oliver—. Solicita una resolución judicial. Así estarás protegido.

Perplejo, Toogood empezó a decir algo, pero cambió de idea y adoptó otro enfoque.

—De acuerdo, acudimos a los tribunales. ¿En qué van a apoyarse? ¿En un presentimiento? Ya has oído a Pode: una cuenta legítima, un cliente de incuestionable integridad en pleno uso de sus facultades. Los tribunales dirán que no pueden hacer nada a menos que existan claros indicios de delito. —Retrocedió un paso—. No me mires con esa cara. Por cierto, ¿tú quién eres? ¿Qué sabes de tribunales?

Oliver no había movido los pies ni el cuerpo. Tenía las manos en los bolsillos del abrigo, y allí permanecieron. Por tanto, sólo su corpulencia y la expresión de su rostro enorme y mojado bajo la luz de la luna podían haber provocado el súbito salto atrás de Toogood: la mirada cada vez más tétrica de sus ojos hundidos en contraste con el resplandor de las estrellas, la ira de la desesperación en torno a la boca y la mandíbula.

—Diles que no quiero seguir hablando con ellos —anunció a Toogood mientras montaba en la furgoneta—. Y abre la verja, Arthur, o tendré que echarla abajo.

Toogood abrió la verja.

5

La casa se encontraba junto a un camino particular conocido como Avalon Way, enclavada bajo el pico del monte e inaccesible a la vista desde el pueblo. Para Oliver, ése había sido uno de sus mayores encantos: nadie nos ve, nadie piensa en nosotros, no estamos en la conciencia de nadie salvo en la nuestra. Se llamaba Bluebell Cottage, y Heather había propuesto cambiarle el nombre, pero Oliver, sin dar explicaciones, se había negado. Prefería reintegrarse en el mundo tal como era, ser absorbido, envuelto y olvidado. Le gustaba el verano, cuando la frondosidad de los árboles impedía ver la casa desde la carretera. Le gustaban los períodos invernales en que la escarcha cubría las laderas de Lookout Hill y no pasaba un alma por allí durante días. Le gustaban los vecinos sencillos y aburridos cuya previsible conversación nunca entrañaba una amenaza para él ni excedía los límites de lo soportable. Los Anderson, del chalet Windermere, tenían una confitería en Chapel Cross. Una semana después de Navidad regalaron a Heather una caja de bombones de licor con una ramita de acebo encima. Los Miller, que vivían en el Swallows' Nest, estaban jubilados. Martin, antes bombero, había empezado a pintar a la acuarela, cada hoja de árbol una obra maestra. Yvonne echaba las cartas del tarot a los amigos y auxiliaba a los coadjutores en las tareas de la parroquia. Saber que en las dos casas contiguas a la suya existía esa decente normalidad lo reconfortaba, y ese mismo sentimiento le habían despertado en un principio Heather y su conmovedora necesidad de complacer continuamente a todo el mundo. Los dos somos personas fragmentadas, había pensado Oliver. Si juntamos nuestros respectivos fragmentos y tenemos un hijo que nos una, nos irán bien las cosas. «¿No guardas alguna foto vieja de familia o algo?», había preguntado Heather con tristeza. «Resulta un poco desequilibrado, yo aquí con mi desastrosa parentela al completo y en cambio tú sin ninguno de los tuyos, aunque los tuyos estén muertos.»

Las había perdido, dijo Oliver. Se habían quedado en Australia dentro de su mochila junto con todo lo demás. Pero no entró en mayores detalles. A él le interesaba la vida de Heather, no la suya. La infancia, los parientes, los amigos de Heather. Su banalidad, su continuidad, su debilidad, y hasta sus infidelidades, que para él representaban una especie de absolución. Quería todo aquello que nunca había tenido, en el acto, ya listo para usar, con carácter retroactivo, defectos incluidos. Su pesimismo adoptaba la forma de una colosal impaciencia que exigía una vida ya preparada como una mesa para el té desde el día anterior: amigos anodinos con opiniones estúpidas, mal gusto y todas las circunstancias más comunes.

Avalon Way tenía unos cien metros de longitud y terminaba en una plazoleta circular con una boca de incendios. Apagando el motor, Oliver dejó rodar la furgoneta pendiente abajo hasta el final del oscuro camino y aparcó. Desde la plazoleta, retrocedió a pie silenciosamente por la hierba del margen, escudriñando los coches vacíos y las ventanas sin luz de las casas porque pesaba sobre él la maldición del sigilo, así como los recuerdos de tiempos pasados. Estaba en Swindon, donde Brock lo había adiestrado en actividades furtivas e inútiles. «Te falta concentración, hijo —le advirtió en una ocasión un instructor amable—. Tu problema es que no te empleas a fondo. Espero que seas de esos que se desenvuelven mejor a la hora de la verdad.» La luna pendía frente a él y su resplandor formaba una escalera en el mar. A veces, al pasar ante una casa, se encendía de pronto la luz de una alarma antirrobo, pero los vecinos de Avalon Way eran gente frugal y ninguna tardaba mucho en apagarse. A la entrada de la casa se dibujaba indistintamente la forma enorme e imponente del Ventura de Heather, desmesurada en el claro de luna. Su habitación tenía las cortinas echadas y detrás brillaba la luz de una lámpara. Está leyendo, se dijo Oliver. Novelones erótico-románticos o cualquier cosa que le envíe su club del libro. ¿En quién pensará cuando lee eso? O libros de autoayuda. Qué hacer cuando su pareja admite que no le ama y nunca le ha amado.

Las cortinas de la ventana de Carmen eran de gasa porque necesitaba ver las estrellas. A sus dieciocho meses había aprendido ya a expresar sus deseos. Tenía abierta la pequeña hoja basculante de la parte superior de la ventana, porque le gustaba el aire fresco pero no la corriente. La lamparilla en forma de Pato Donald sobre la mesa. La cinta de *Pedro y el lobo* para arrullarla. Oliver escuchó y oyó el mar pero no la cinta. Desde la oscuridad de una haya roja, contempló el jardín, sintiéndose acusado por todo cuanto veía. La nueva casita de juguete, o nueva el verano anterior cuando Oliver y Heather Hawthorne compraban sin ton ni son porque las compras eran ya su único lenguaje común. La nueva estructura de barras para trepar ya con varias piezas menos. El nuevo tobogán de plástico, combado. La nueva piscina hinchable, cuajada de hojas caídas, medio desinflada, olvidada en un rincón. El nuevo cobertizo para las nuevas bicicletas de montaña con las que habían jurado salir a pasear religiosamente cada mañana de su nueva vida, llevando a Carmen atrás de pasajera en cuanto creciese un poco. La barbacoa, para invitar a Toby y Maud: Toby, el jefe de Heather en la agencia inmobiliaria, con un BMW, una risa de maníaco y un guiño solidario para los maridos cornudos gracias a él; Maud, su esposa. Oliver desanduvo el camino por la hierba del margen y marcó el número desde el teléfono móvil instalado en la furgoneta. Primero oyó unos lánguidos acordes de Brahms y a continuación un estridente chirrido de música rock.

—Enhorabuena. Has llamado a la mansión ancestral de Heather y Carmen Hawthorne. Hola. Lo sentimos pero en este momento nos lo estamos pasando en grande y no podemos atenderte. Si quieres, deja tu mensaje al mayordomo...

—Estoy a un paso de ahí, en el camino; llamo desde la furgoneta —dijo Oliver—. ¿Tienes compañía?

—No, estoy sola, joder —replicó Heather.

—Entonces abre la puerta. He de hablar contigo.

Permanecieron de pie en el vestíbulo, cara a cara, bajo la araña que habían adquirido juntos en una subasta de antigüedades. La hostilidad entre ellos era como una calentura. Tiempo atrás Heather lo adoraba por actuar para los niños de la sala de pediatría del hospital en las Navidades, por su desgarbada destreza y su afectuosidad. Lo llamaba su tierno gigante, su señor y maestro. En el presente desdeñaba su corpulencia y fealdad y se mantenía a distancia para observarlo y descubrir en él nuevos rasgos que detestar. Tiempo atrás Oliver adoraba sus defectos como una preciosa carga que hubiese caído sobre él: ella es la realidad; yo soy el sueño. A la luz de la araña, el rostro de Heather se veía magullado y reluciente.

—Tengo que verla —dijo Oliver.

—Ya la verás el sábado.

—No la despertaré. Sólo necesito verla.

Heather movía la cabeza con una mueca de asco para demostrarle la aversión que sentía por él.

—No —contestó.

—Te lo prometo —insistió Oliver sin saber qué prometía exactamente.

Hablaban en susurros por consideración a Carmen. Heather se aferraba la tela del camisón a la altura del cuello para ocultarse los pechos. Oliver percibió olor a tabaco. Vuelve a fumar. Heather llevaba teñido de rubio el largo cabello, cuyo color natural era el castaño oscuro. Se había peinado antes de dejarlo entrar. «Voy a cortármelo; estoy harta de esta melena», decía ella cuando quería excitarlo. «Ni medio centímetro», respondía él, acariciándoselo, alisándoselo contra las sienes, notando crecer el deseo dentro de sí. «Ni medio centímetro. Me encanta así. Me encantas tú y me encanta tu pelo. Vámonos a la cama.»

—He recibido una amenaza —mintió Oliver tal como siempre le había mentido, con un tono que la disuadía de preguntar—. Una gente con la que anduve en tratos cuando estaba en Australia. Han averiguado dónde vivo.

—Tú no vives aquí, Oliver. Vienes de visita cuando yo salgo, no cuando estoy en casa —repuso Heather como si le hubiese hecho proposiciones deshonestas.

—Tengo que asegurarme de que Carmen está a salvo.

—Está a salvo, gracias. No podría estar más a salvo. Empieza a acostumbrarse a la idea. Tú vives en un sitio; yo vivo en otro; Jillie me ayuda a cuidarla. No es fácil para ella, pero va entendiéndolo poco a poco.

Jillie, la *au pair*.

—A salvo de esa gente, quiero decir.

—Oliver, desde que te conozco oigo hablar de marcianos que una noche vendrán a raptarnos. Eso tiene un nombre, ¿sabes? Paranoia. Quizá sea ya hora de que consultes con alguien al respecto.

—¿Ha aparecido por aquí algún individuo extraño? ¿Alguien pidiendo información poco corriente? ¿Ha llamado alguien a la puerta haciendo preguntas, vendiendo cosas raras?

—Esto no es una película, Oliver. Somos personas normales y llevamos vidas normales. Todos menos tú.

—¿Ha venido o telefoneado alguien? —insistió él—. ¿Ha preguntado alguien por mí?

Oliver captó una ligera vacilación en la mirada de Heather antes de contestar.

—Telefoneó un hombre. Tres veces. Se puso Jillie.

—¿Preguntando por mí?

—Por mí no, desde luego, o no te lo habría dicho.

—¿Qué quería? ¿Quién era?

—«Dígale a Oliver que llame a Jacob. Él ya sabe el número.» Así que había un Jacob en tu vida. ¡Qué callado te lo traías! Espero que seas muy feliz.

—¿Cuándo telefoneó?

—Ayer y anteayer. Tenía intención de decírtelo la próxima vez que hablásemos. Está bien, lo siento. Adelante, ve a verla.

Sin embargo Oliver no se movió más que para agarrarla por los brazos.

—¡Oliver! —protestó Heather, desprendiéndose de él con un furioso forcejeo.

—Un hombre te envió rosas la semana pasada —dijo Oliver—. Me lo contaste por teléfono.

—Sí, te llamé y te lo conté.

—Cuéntamelo otra vez.

Heather dejó escapar un teatral suspiro.

—Una limusina me trajo unas rosas con una simpática tarjeta. No sé quién las envió. ¿De acuerdo?

—Pero sabías que llegarían. La floristería avisó antes por teléfono.

—La floristería avisó antes. Exacto —confirmó Heather—. «Tenemos que entregar unas flores a los Hawthorne y desearíamos saber cuándo habrá alguien en casa.»

—No era una floristería de por aquí.

—No, era de Londres. No era Interflora; no eran los marcianos. Era un ramo de flores selectas traído desde Londres por una floristería especializada en flores selectas, y querían saber cuándo me venía bien recibirlas. «Es una broma —dije—. Se equivocan de Hawthorne.» Pero no, éramos nosotras. «Para la señora Heather y la señorita Carmen», dijeron. «¿Y qué tal mañana a las seis de la tarde?» Después de colgar seguía pensando que era una broma o un error o un truco de vendedores, pero al día siguiente, a las seis en punto, se presenta la limusina.

—¿Cómo era?

—Un Mercedes grande y resplandeciente, ya te lo expliqué, ¿no? Y el chófer llevaba un uniforme gris como en los anuncios. «Sólo le faltan las polainas», le dije. No sabía qué eran unas polainas. Eso también te lo conté.

—¿De qué color?

—¿El chófer?

—El Mercedes.

—Azul metálico, abrillantado como un coche nupcial. El chófer era blanco, el uniforme gris, y las flores de un rosa pálido. De tallo largo, fragantes, recién abiertas, y acompañadas de un jarrón de porcelana blanco y alto para ponerlas.

—Y una nota.

—Así es, Oliver, y una nota.

—Sin firmar, dijiste.

—No, Oliver, yo no dije eso. Dije que la firmaba

un admirador: «A dos bellas damas de un ferviente admirador.» Escrito en una tarjeta de la floristería: Marshall & Bernsteen, Jermyn Street, W1. Cuando telefoneé para preguntar quién era ese admirador, me contestaron que no estaban autorizados a revelar el nombre del cliente aunque lo supiesen. Repartían muchas flores de clientes anónimos, sobre todo en fechas próximas al día de San Valentín, que no era el caso, pero seguían esa misma norma todo el año. ¿De acuerdo? ¿Contento?

—¿Todavía las conservas?

—No, Oliver. No las conservo. Como sabes, pensé por un instante que podían ser tuyas. No porque sintiese especiales deseos, sino porque eres la única persona que conozco capaz de una locura como ésa. Me equivoqué. No eran tuyas, como tuviste la amabilidad de dejarme muy claro. Pensé en devolverlas o regalarlas al hospital, pero al final me dije, ni hablar, al menos *alguien* nos quiere, y en la vida había visto unas rosas como ésas y nos las habían enviado a nosotras, así que hice todo lo que se me ocurrió para que durasen. Machaqué las puntas de los tallos, eché en el agua los polvos de la bolsita y las mantuve en lugar fresco. Puse seis en la habitación de Carmen, y le encantaron. Y cuando conseguía quitarme de la cabeza el temor a un misterioso maníaco sexual, me sentía perdidamente enamorada de quienquiera que las mandase.

—¿Tiraste la nota?

—La nota no daba la menor pista, Oliver. La escribieron en la floristería a indicación del remitente. Lo confirmé. Así que no servía de nada tratar de adivinar de quién era la letra.

—¿Y dónde está?

—Eso es asunto mío.

—¿Cuántas rosas había?

—Más de las que nadie me había regalado antes.

—¿No las contaste?

—Las chicas contamos las rosas, Oliver. Siempre lo hacemos. No es por codicia; es por saber cuánto nos quieren.

—¿Cuántas había?

—Treinta.

Treinta rosas. Cinco millones treinta libras.

—¿Y no has vuelto a tener noticias desde entonces? —preguntó Oliver al cabo de un momento—. ¿Una llamada? ¿Una carta? ¿Algo que permita seguir el rastro?

—No, Oliver, no hay nada que permita seguir el rastro. He repasado de arriba abajo toda mi vida sentimental, que no es gran cosa, pensando cuál de mis hombres podría haberse hecho rico, y la única posibilidad que se me ha ocurrido es Gerald, que siempre iba a sacar un pleno en las apuestas hípicas pero entretanto estaba en el paro. Aun así, no pierdo la esperanza. Van pasando los días, pero todavía me asomo a la ventana de vez en cuando por si hay un Mercedes azul esperando para llevarnos a alguna parte, aunque por lo general llueve.

Oliver, de pie junto a la cama, contemplaba a Carmen. Se inclinó sobre ella hasta percibir su calor y oír su respiración. La niña sorbió por la nariz y pareció que iba a despertar. De inmediato Heather agarró a Oliver por la muñeca y lo obligó a volver al vestíbulo y abandonar la casa.

—Tienes que salir de aquí —dijo Oliver ante la entrada.

Heather interpretó mal sus palabras.

—No —respondió—. Eres tú quien ha de salir de aquí.

Oliver la miraba sin apenas verla. Temblaba. Heather notó su temblor antes de soltarle la muñeca.

—Marcharte lejos de aquí —aclaró—. Tú y Carmen, las dos. No vayas a casa de tu madre o tus hermanas; son sitios demasiado evidentes. Vete a casa de Norah. —Su amiga Norah, con quien hablaba por teléfono durante más de una hora en tiempo de tarifa máxima cada vez que Oliver y ella discutían—. Dile que has de poner distancia por unos días. Dile que estoy volviéndote loca.

—Tengo un trabajo, Oliver. ¿Qué voy a decirle a Toby?

—Ya se te ocurrirá algo.

Estaba asustada. La atemorizaba aquello que atemorizaba a Oliver, aun sin saber qué era.

—¡Por Dios, Oliver!

—Telefonea a Norah esta misma noche. Te enviaré dinero. Todo el que necesites. Irá alguien a verte para explicarte lo que pasa.

—¿Por qué no me lo explicas tú mismo? —preguntó Heather a voz en grito cuando Oliver ya se alejaba.

Su retiro secreto estaba a menos de diez minutos de la casa en coche, al final de un camino de tablas abierto en lo alto de un monte. Allí iba a ejercitarse en la escultura con globos, los platos giratorios y los juegos malabares que no acababa de dominar. Allí iba a esconderse cuando temía perder el control hasta el punto de pegar a Heather, destrozar la casa o quitarse la vida de pura rabia por el vacío que sentía en su alma. Sentado en la furgoneta, aguardaba a que su respiración recuperase un ritmo acompasado, escuchando el murmullo de los pinos, los quejumbrosos reclamos de las gaviotas nocturnas, y el rumor de las preocupaciones de otra gente ascendiendo desde el fondo del valle. A veces permanecía allí sentado toda la noche con la vista fija en la bahía. A veces se veía a sí mismo en equilibrio al borde del malecón durante la marea alta, hasta que finalmente se descalzaba para lanzarse a la espuma con los pies por delante. O el mar se convertía en el Bósforo, e imaginaba barcos pequeños y grandes que se entrecruzaban continuamente casi chocando. Tras estacionar la furgoneta en el rincón de costumbre, apagó el motor y marcó el número de Brock en los dígitos verdes del teléfono móvil. Oyó el cambio de tonos mientras se desviaba la llamada y supo que había marcado bien porque una voz femenina repitió el número, que era lo que siempre hacía y su única función. Era una voz grabada, una abstracción inaccesible.

—Soy Benjamin y quiero hablar con Jacob —dijo Oliver.

Más interferencias, seguidas de la voz de Tanby, la macilenta sombra de Brock. El cadavérico Tanby, natural de Cornualles, que conduce el coche de Brock por él cuando necesita dormir un rato; que va a buscarle comida china a Brock cuando no puede salir del despacho; que da la cara por él, miente por él, y me arrastra escaleras arriba cuando no me obedecen las piernas a causa de la bebida. Tanby, la voz serena en la tormenta, aquel que uno desea estrangular con sus manos sudorosas.

—Bueno, por fin se ha producido una agradable sorpresa, Benjamin —anunció Tanby con alegre despreocupación—. Más vale tarde que nunca, diría yo.

—Nos ha encontrado —repuso Oliver.

—Sí, Benjamin, me temo que así es. Y el jefe desearía tener un mano a mano contigo a ese respecto cuanto antes. Sale de ahí un tren expreso mañana por la mañana a las once treinta y cinco. Si no hay inconveniente en la hora, por lo demás es el mismo sitio y la misma rutina de siempre. Y dice el jefe que traigas un cepillo de dientes y un par de trajes formales con los complementos a juego, en especial los zapatos. Has leído ya los periódicos, supongo.

—¿Qué periódicos?

—No los has leído, veo. Mejor así. Lo decía sólo porque el jefe no quiere que te preocupes, ¿comprendes? Me ha encargado que te informe de que toda la gente importante para ti se encuentra perfectamente. No hay que lamentar pérdidas en la familia, por el momento. Quiere que estés tranquilo.

—¿Qué periódicos?

—Bueno, yo personalmente compro el *Express*.

Oliver condujo despacio de regreso al pueblo. Le dolían los músculos del cuello. Ocurría algo extraño en las grandes venas que ascendían a su cabeza. El quiosco de la estación estaba cerrado. Se acercó a un banco, no el suyo, y sacó doscientas libras del cajero automático. Se dirigió hacia los muelles en la furgoneta y encontró a Eric sentado en su mesa habitual en un rincón del restaurante situado al otro lado de la plaza, comiendo lo que comía siempre desde que se había retirado: hígado, patatas fritas y puré de guisantes, acompañado por un vaso de tinto chileno. Eric había sido ayudante de Max Miller en el escenario y actor suplente con la Crazy Gang. Había estrechado la mano a Bob Hope y se había acostado, contaba orgulloso, con todos los chicos guapos del coro. Cuando Oliver cogía una curda, Eric bebía con él, disculpándose por no poder seguir su ritmo de consumo a causa de la edad. Y si las circunstancias lo requerían, Eric se llevaba a Oliver a su apartamento, que compartía con un joven y enfermizo peluquero llamado Sandy, y extendía el sofá-cama de la sala de estar para que Oliver durmiese a gusto la borrachera y por la mañana, de desayuno, se encontrase unas judías con salsa de tomate esperándolo.

—¿Cómo andamos, Eric? —preguntó Oliver, y al instante Eric levantó más aún sus enarcadas cejas de payaso, teñidas con Fórmula Grecian.

—Más que andar renqueamos, hijo, por decirlo de algún modo. Hoy en día no hay mucha demanda de sarasas decrépitos especializados en origami e imitaciones de pájaros. Debe de ser la recesión.

En una página arrancada de la agenda, Oliver anotó sus compromisos de los días siguientes.

—Es por mi tutor de la infancia, Eric —explicó—. Ha sufrido un ataque al corazón y quiere verme. Y aquí tienes un poco más. —Le entregó las doscientas libras.

—No vayas a atormentarte demasiado, hijo —advirtió Eric, guardándose el dinero en el bolsillo interior de su lustrosa chaqueta ajedrezada—. La muerte no la inventaste tú. La inventó Dios. Dios es el culpable de muchos males, o si no, pregúntale a Sandy.

La señora Watmore estaba esperándolo, pálida y asustada, como cuando Cadgwith se presentó allí para echarle el guante a Sammy.

—Si no ha telefoneado una docena de veces, no ha telefoneado ninguna. «¿Dónde se ha metido ese Ollie? Dile que no tiene por qué huir de mí.» Y al rato se planta ante la puerta, llamando al timbre, aporreando el buzón y despertando a todo el mundo —protestó, y Oliver adivinó que se refería a Toogood—. No puedo permitirme complicaciones, Ollie, ni siquiera por ti. Estoy de deudas hasta el cuello. Tengo vecinos. Tengo huéspedes. Tengo a Sammy. Eres demasiado para mí, Oliver, y no sé por qué.

Elsie creyó que no la había oído, porque estaba inclinado sobre la consola del vestíbulo, leyendo el *Daily Telegraph,* cosa insólita en él. Oliver aborrecía los periódicos; de hecho, incluso llegaba a dar un rodeo para eludirlos. Pensó, pues, que se hacía el distraído y estuvo a punto de ordenarle que levantase la cabeza de aquel diario y le respondiese como era debido. Sin embargo lo observó con más calma y, por la actitud alerta que percibió en él y también por propia intuición, supo que había ocurrido lo que desde el principio temía que ocurriese, y que Oliver se había acabado para ella, y también para Sammy. Era el final. Y supo, aunque era incapaz de expresarlo con palabras, que durante todo aquel tiempo que había pasado allí se escondía de algo, no sólo de su hija o su matrimonio, sino también de sí mismo. Y que aquello de lo que huía era superior a su esposa y su hija, y por fin había dado con él.

MUERE DE UN DISPARO UN ABOGADO DE VACACIONES EN TURQUÍA, leyó Oliver. Fotografía de Alfred Winser, presentado como director en materia legal de la asesoría financiera Single & Single, sita en el West End, y ofreciendo un aspecto estrictamente legal con las gafas de concha que sólo se ponía cuando entrevistaba a una nueva secretaria. La identificación del cadáver aplazada mientras se lleva a cabo a nivel nacional la búsqueda de la viuda, quien, según la madre de ésta, necesitaba un respiro y ha aprovechado la ausencia de su esposo para tomarse ella misma unas vacaciones. Los motivos de la muerte aún sin determinar, todavía no descartada la posibilidad de que se trate de un asesinato, vagos rumores sobre el resurgimiento del terrorismo kurdo en la región.

Sammy bajó y se quedó plantado en la puerta, con un jersey de su difunto padre a modo de batín.

—¿Y nuestra partida de billar? —preguntó.

—Tengo que ir a Londres —respondió Oliver, sin apartar la vista del periódico.

—¿Estarás fuera mucho tiempo?

—Unos días.

Sammy desapareció. Al cabo de un momento llegó desde el hueco de la escalera la voz de Burl Ives cantando: «Nunca más vagaré sin rumbo.»

6

Para la reunión con Oliver tras varios años de se-
paración, Brock tomó todas las precauciones habituales y otras menos habituales pero exigidas por la discreta crisis desatada en su departamento, y por su
percepción casi religiosa de la singularidad de Oliver.
Uno de los preceptos básicos en la profesión de Brock
era que dos informadores nunca debían usar el mismo
piso franco, pero, en el caso de Oliver, Brock insistió
en que el lugar elegido no se hubiese utilizado en ninguna operación anterior. El resultado fue un chalet de
tres dormitorios con paredes de ladrillo visto en una
recóndita zona de Camden, situado entre una tienda de
ultramarinos abierta las veinticuatro horas y un concu-
rrido restaurante griego. Nadie prestaba atención a
quién entraba o salía por la deslucida puerta del número 7. Pero no acababan ahí las precauciones de Brock.
Quizá Oliver fuese una persona poco manejable, pero
era el ojo derecho de Brock, su adquisición más preciada y su benjamín, como se había dejado sobradamente
claro a todos los miembros del equipo. En la estación
de Waterloo, en lugar de confiar el traslado de Oliver a
una camioneta sin distintivos, Brock mandó a Tanby
para que lo recibiese en el andén y lo acompañase a un
servicial taxi londinense, se sentase a su lado en el

asiento trasero y pagase el trayecto en efectivo como cualquier buen ciudadano. Y en Camden apostó a Derek y Aggie y a otros dos miembros del equipo de aspecto tan poco sospechoso como ellos por si Oliver, consciente o inconscientemente, tenía a alguien siguiéndole los pasos. En nuestro medio, solía preconizar Brock, vale más prever lo peor y multiplicarlo por dos. Pero con Oliver, si uno sabía lo que le convenía, era mejor multiplicar por un número tan alto como se quisiese.

Era primera hora de la tarde. A su llegada al aeropuerto de Gatwick la noche anterior, Brock había ido en su propio coche a su anónimo despacho del Strand y telefoneado a Aiden Bell por la línea segura. Bell era el comandante del grupo operativo interdepartamental al que Brock estaba asignado en el presente.

—El pueblo es propiedad de la compañía —explicó después de exponer la teoría del suicidio del capitán Alí con el debido escepticismo—. La alternativa es te hacemos rico o te matamos. El pueblo ha optado por hacerse rico.

—Muy sensato de su parte —comentó Bell, un ex militar—. Mañana después de las plegarias reunión táctica. En la oficina.

A continuación Brock, como un pastor preocupado por su rebaño, estableció comunicación con sus destacamentos uno por uno, empezando por un piso cerrado a cal y canto en una esquina de Curzon Street, continuando con una furgoneta del servicio de averías de British Telecom estacionada junto al Hyde Park y terminando por el vehículo que servía de centro de operaciones a una brigada móvil destinada a un valle perdido en la parte más despoblada de Dorset. «¿Alguna novedad?», preguntaba a los jefes de unidad sin siquiera presentarse. «Nada de nada, señor», respondían decepcionados. «Ni señales, señor.» Brock respiró aliviado. Dame tiempo, pensó. Dame a Oliver. En un silencio monacal, empezó a consignar sus gastos operacionales del último viaje en una solicitud de reembolso. Rompió aquel silencio el zumbido del intercomunicador de Whitehall y la voz desparpajada de un funcionario de la policía londinense, calvo y de muy alto rango, llamado Porlock. Brock pulsó de inmediato el botón verde que ponía en marcha la grabadora.

—¿Dónde demonios has estado, si el señorito me permite la indiscreción? —dijo Porlock, muy bromista él, y Brock vio en su memoria la falsa sonrisa desplegada en toda la amplitud de su mandíbula picada de viruela, preguntándose cómo un personaje tan declaradamente corrupto podía andar por la vida con tanto descaro y durante tanto tiempo.

—En ningún sitio al que me apetezca volver, gracias, Bernard —respondió con afectada formalidad.

En ese tono hablaban siempre, como si sus agresiones mutuas fuesen un mero entrenamiento, cuando en realidad Brock las vivía como un duelo a muerte donde no podía haber más que un vencedor.

—Y bien, Bernard, ¿qué te ronda por la cabeza? —dijo Brock—. Hay gente que duerme por las noches, según he oído decir.

—¿Quién mató, pues, a Alfred Winser? —preguntó Porlock con voz persuasiva, a través aun de su amplia sonrisa.

Brock simuló un esfuerzo de memoria.

—Winser. Alfred. Ah, sí. Bueno, desde luego no murió de un resfriado común, al menos por lo que he leído en los periódicos. Ahora que lo dices, pensaba que vosotros estaríais ya allí, frustrando las indagaciones de los lugareños.

—Y entonces ¿por qué no estamos allí, Nat? ¿Por qué ya no nos quiere nadie?

—Bernard, no me pagan para buscar explicación a

las idas y venidas de los distinguidos caballeros de Scotland Yard. —Brock seguía viendo la insolente sonrisa, hablándole a ella. Algún día, pensó, si vivo lo bastante, le hablaré a través de los barrotes de una celda, lo juro.

—¿Por qué insisten esos maricas del Foreign Office en que espere a ver el informe de la policía turca antes de imponerles mis ingratas atenciones? —dijo Porlock—. Aquí interviene una mano oculta, y me da la impresión de que es la tuya… cuando no la tienes ocupada en otra cosa.

—Ahora sí que me has dejado de una pieza, Bernard. ¿Por qué iba a entorpecer la acción de la justicia un simple y baqueteado agente de aduanas a dos años de la jubilación?

—Persigues a los que blanquean el dinero, ¿no? Todo el mundo sabe que Single blanquea dinero para el Salvaje Este. Prácticamente se anuncian en las Páginas Amarillas.

—¿Y eso, Bernard, qué relación tiene con la fortuita muerte del señor Alfred Winser? No acabo de ver la causalidad, me temo.

—El caso Winser es afín, ¿o no? Si descubres quién mató a Alfred Winser, quizá consigas atrapar a Tiger. Me imagino a nuestros jefes de Whitehall encantados con la idea, sobre todo si de paso les lamen un poco el culo. —Remedó de manera insultante un habla de niño bien, unida a un homófobo ceceo—. «Deje que el bueno de Nat se encargue de esto. Este caso le viene que ni pintado al bueno de Nat.»

Brock se permitió una pausa para el rezo y la contemplación. Estoy presenciándolo en vivo, pensó. Está ocurriéndome a mí en este mismo momento. Porlock viene con el propósito de proteger a quien lo tiene a sueldo, y actúa a cara descubierta. Vuelve a ponerte la máscara, pensó. Si eres un sinvergüenza, obra como tal y no te sientes a mi lado en las reuniones semanales.

—Mira, Bernard, yo no persigo a quienes blanquean dinero —aclaró Brock—. Persigo su dinero. Una vez perseguí a uno, es cierto, hace mucho tiempo —recordó, caricaturizando su nasal acento de Liverpool—. Gasté una fortuna en abogados y contables para investigar sus actividades, no dejé piedra por mover. Al cabo de cinco años y varios millones de libras de las arcas del Estado, me hizo un corte de mangas en vista pública y se marchó libre de todo cargo. Según me han dicho, los miembros del jurado todavía tratan de leer las palabras largas. Así que buenas noches, Bernard, y por mucho tiempo.

Pero Porlock aún no había terminado.

—Oye, Nat.

—¿Qué?

—Suéltate la melena. Conozco un pequeño club nocturno en Pimlico. Va gente muy agradable, y no toda de sexo masculino. Invito yo.

Brock apenas pudo contener la risa.

—Andas un tanto equivocado, ¿no crees, Bernard?

—¿Y eso a qué viene?

—Se supone que los policías son sobornados por los sinvergüenzas. No van por ahí sobornándose mutuamente, al menos en mi tierra.

Tras zafarse de Porlock, Brock abrió una imponente caja fuerte empotrada en la pared y extrajo una agenda en cuarto, de tapa dura y papel pautado, con un marbete donde se leía la palabra HIDRA, escrita de su puño y letra. La abrió por el día de la fecha y, con su prolija caligrafía de juzgado, anotó lo siguiente:

01.22 h., llamada no solicitada del com. Bernard Porlock para pedir información respecto a la investigación del asesinato de A. Winser. La conversación grabada terminó a las 01.27 h.

Y al acabar de rellenar la solicitud de reembolso, telefoneó a su esposa Lily a su casa de Tonbridge, pese a que pasaba ya de las dos de la madrugada, y se dejó obsequiar con la narración de los escabrosos sucesos ocurridos en el Ateneo Femenino del pueblo, que le confió en un ininterrumpido torrente de palabras.

—Y la tal señora Simpson, Nat, va derecha a la mesa de las confituras y coge el tarro de mermelada de Mary Ryder y lo estampa contra el suelo. Luego mira a Mary y dice: «Mary Ryder, si vuelvo a ver a tu Herbert frente a la ventana de mi baño con su repugnante miembro en la mano a las once de la noche, le echaré el perro, y lo lamentaréis los dos.»

Brock no explicó dónde había estado aquellos últimos días, y Lily no preguntó. A veces el secretismo la entristecía, pero por lo general era como un compromiso mutuo y precioso de servicio. A la mañana siguiente a las ocho y media en punto, Brock y Aiden Bell cruzaron el río en dirección sur a bordo de un taxi. Bell era un hombre elegante, dotado de una aparente distinción que inspiraba confianza a las mujeres, inconscientes del peligro que corrían. Lucía un traje verde de tweed de aspecto militar.

—Anoche recibí una invitación de un san Bernardo calvo —informó Brock con el susurro de corto alcance que de mala gana empleaba para divulgar secretos—. Quería llevarme a un club de alterne de Pimlico que él conoce, para así poder tomarme unas fotografías comprometedoras.

—Un hombre de gran sutileza, nuestro Bernard —comentó Bell con severidad, y por un momento ambos hicieron un fondo común de su indignación. Bell añadió—: Algún día.

Ni Bell y Brock eran ya lo que parecían. Bell era un militar y Brock, como había recordado a Porlock, un modesto agente de aduanas. Sin embargo los dos habían sido asignados al grupo operativo mixto, y los dos sabían que el principal objetivo del grupo era salvar las diferencias artificiales entre los departamentos. El segundo sábado de cada mes, todos los miembros sin obligaciones en otra parte estaban invitados a asistir a aquellas informales sesiones de plegarias celebradas en un lúgubre edificio en forma de caja a orillas del Támesis. Aquel día la oradora era una mujer bien informada de Investigaciones que les ofreció el último y catastrófico recuento de las actividades delictivas internacionales:

— tantos kilos de material nuclear apto para la industria armamentista vendidos bajo mano a tal o cual disidente de Oriente Próximo;
— tantos miles de ametralladoras, fusiles automáticos, gafas de visión nocturna, minas de tierra, bombas dispersoras, misiles, tanques y piezas de artillería entregados mediante certificados de destinatario final falsos al último narcotirano o déspota africano proclive a los métodos terroristas;
— tantos billones de dinero procedente de la droga desaparecidos misteriosamente en la llamada economía blanca;
— tantas toneladas de heroína refinada enviadas por barco a los puertos europeos vía España y el norte de Chipre;
— tantas toneladas introducidas en el mercado británico en las últimas doce semanas, con un valor en la calle de tantos cientos de millones, tantos kilos incautados, equivalentes según un cálculo aproximado al 0,0001 por ciento del total bruto.

La venta de narcóticos ilegales, dijo la mujer con voz melodiosa, ascendía en la actualidad a una décima parte del comercio internacional.

Los norteamericanos gastaban setenta y ocho billones de dólares anuales en el consumo de drogas.

La producción mundial de cocaína se había duplicado en los últimos diez años y la de heroína se había triplicado. En su conjunto, el sector facturaba anualmente cuatrocientos billones de dólares.

La elite militar de Sudamérica había abandonado la guerra en favor de la producción de droga. Los países donde no era posible cultivarla ofrecían refinerías y complejos medios de transporte a fin de entrar en el negocio.

Los gobiernos no involucrados se hallaban en un dilema: ¿Debían frustrar el éxito de la economía sumergida —en el supuesto de que ello estuviese a su alcance— o participar de su prosperidad?

En las dictaduras, donde la opinión pública no contaba para nada, la respuesta era obvia.

En las democracias existía una doble actitud: los partidarios de la intolerancia absoluta daban patente de corso a la economía sumergida en tanto que los partidarios de la despenalización le daban carta blanca, comentario que la mujer bien informada utilizaba como indicación para penetrar a hurtadillas en la guarida de la Hidra.

—La delincuencia no es ya un hecho al margen del Estado si es que alguna vez lo ha sido —declaró con la firmeza de una directora de colegio en su alocución de despedida a los alumnos recién graduados—. Hoy en día la magnitud de las ganancias es demasiado grande para dejar la delincuencia en manos de los delincuentes. No nos enfrentamos ya con temerarios forajidos que tarde o temprano se delatarán ellos mismos por torpeza o reincidencia. Considerando que un alijo de heroína descargado sin percance en un puerto británico tiene un valor de cien millones de libras y un capitán de puerto disfruta de un salario de cuarenta mil, nos enfrentamos con *nosotros* mismos. Con la capacidad del capitán de puerto para resistirse a una tentación de un nivel sin precedentes. Con el superior del capitán de puerto. Con la policía portuaria. Con *sus* superiores. Con los agentes de aduanas. Con *sus* superiores. Con las autoridades, banqueros, abogados y administradores que vuelven la cabeza y miran en otra dirección. Es absurdo pensar que esa gente puede sincronizar sus esfuerzos conjuntos sin un mando central y un sistema de control, y la connivencia activa de personas situadas en altos cargos. Ahí es donde interviene la Hidra.

Se oyó un chasquido en algún lugar de la sala y detrás de la mujer apareció proyectado en una pantalla el inevitable soporte visual, mostrando la anatomía del cuerpo político británico como un árbol genealógico. Dispersas por todo él se hallaban las numerosas cabezas de la Hidra y, en color dorado, las hipotéticas líneas que las conectaban. Instintivamente Brock posó la mirada en la policía londinense, donde imperaba la silueta calva de Porlock como un arrogante medallón romano y surgían de él líneas doradas como manantiales de munificencia. Nacido en Cardiff en 1948, rememoró Brock. Incorporado en 1970 a la Brigada de Investigación Criminal de la región centrooccidental de Inglaterra, amonestado por exceso de celo en el cumplimiento del deber, es decir, por falsear pruebas. Baja por enfermedad, ascenso por traslado. Incorporado en 1978 a la policía portuaria de Liverpool, obtenida la espectacular condena de una banda de narcotraficantes ineptos que competía imprudentemente con un rival bien asentado. Tres días después de concluir el juicio, vacaciones en el sur de España con todos los gastos pagados en compañía de los jefes de la banda rival. Después de alegar que reunía información criminal de vital importancia, exonerado, traslado por ascenso. Investigado en 1985 por presunta aceptación de incentivos del jefe identificado de una organización mafiosa belga dedicada al narcotráfico. Exonerado, elogiado, ascenso por traslado. En 1992 descubierto por un periódico sensacionalista inglés mientras comía en un restaurante de alterne de Birmingham con dos miembros de un grupo serbio especializado en la adquisición ilegal de armas. Pie de foto: «EL PÍCARO PORLOCK. ¿De qué lado está, comisario?» Cincuenta mil libras de indemnización como resultado de una demanda por calumnia, exonerado tras una investigación interna, ascenso por traslado. ¿Cómo puedes mirarte a la cara en el espejo cada mañana al afeitarte?, se preguntó Brock. Respuesta: sin el menor problema. ¿Cómo duermes por las noches? Respuesta: a pierna suelta. Respuesta: tengo más conchas que un galápago y la conciencia de un cadáver. Respuesta: quemo informes, aterrorizo testigos, ando con la cabeza bien alta.

La reunión terminó, como era habitual, con un ánimo de jocosa desesperación. Por una parte, se alentó a la tropa: todo estaba permitido, todo era poco en la guerra contra la perversidad humana. Pero también sabían que, aun viviendo mil años y saliendo airosos en todos sus esfuerzos, como mucho causarían unas cuantas heridas superficiales al eterno enemigo.

Oliver y Brock se hallaban en el jardín trasero de la casa de Camden, sentados en sendas hamacas bajo una sombrilla de vivos colores. Enfrente, sobre una mesa, tenían una bandeja con té y pastas. Buena porcelana, té de verdad y no de bolsa, un suave sol de primavera.

—Las bolsas llevan té picado —comentó Brock, que se permitía sus pequeñas manías—. Para tomar una taza de té como es debido, hay que usar las hojas, no el té picado.

Oliver estaba a la sombra con las piernas encogidas. Llevaba la ropa con que había viajado: vaqueros, botas de media caña y un desastrado anorak azul. Brock lucía un ridículo sombrero de paja que esa mañana, a modo de broma, le habían comprado los miembros del equipo en el mercado de Camden Lock. Oliver no sentía la menor animadversión hacia Brock. Brock no lo había inventado ni seducido ni sobornado ni chantajeado. Brock no había cometido crimen alguno contra el alma de Oliver que no se hubiese cometido hacía ya mucho tiempo. Fue Oliver, y no Brock, quien frotó la lámpara, y fue Brock quien apareció obedeciendo el mandato de Oliver.

Es pleno invierno y Oliver no está del todo en sus cabales. Hasta ahí llega su conocimiento de sí mismo, pero no va más allá. Los orígenes, causas, duración y grado de su locura se le escapan, al menos en ese momento. No andan lejos, pero los reserva para otra ocasión, otra vida, otro par de coñacs. La tétrica penumbra creada por las luces de neón una noche de diciembre en Heathrow le recuerdan el vestuario de uno de los muchos internados donde había estado. Llamativos renos de cartulina y villancicos grabados agudizan su sensación de irrealidad. Un cartel nevado pende de una de las cuerdas de un tendedero, deseándole paz y alegría en la tierra. En breve va a ocurrirle algo asombroso, y lo devora la impaciencia por averiguar de qué se trata. No está ebrio pero en rigor tampoco está sereno. Unos cuantos vodkas en el vuelo, un botellín de vino tinto acompañando al pollo de plástico y un Rémy Martin o dos a continuación no han hecho más, piensa, que proporcionarle el estímulo necesario para seguirle el ritmo al tumulto desatado ya dentro de él. Lleva sólo equipaje de mano y nada que declarar, aparte de una irreflexiva agitación en el cerebro, una tormenta de indignación y exasperación que empezó hace tanto tiempo que es imposible remontarse a sus orígenes, que azota su mente como un huracán mientras los otros miembros de su congregación interna permanecen expectantes en tímidos grupos de dos y de tres y se preguntan mutuamente cómo demonios va a ponerle freno Oliver. Se aproxima a letreros de distintos colores y, en lugar de desearle paz y alegría en la tierra y buena voluntad entre los hombres, le exigen que se defina. ¿Es un extranjero en su propio país? Respuesta: sí, lo es. ¿Llega de otro planeta? Respuesta: sí, así es. ¿Es azul, rojo, verde? Su mirada vaga hasta posarse en un teléfono de color tomate. Le resulta familiar. Quizá se fijase en él a la ida tres días atrás e inconscientemente lo reclutase como aliado secreto. ¿Pesa mucho, ese teléfono? ¿Tiene vida propia? ¿Está caliente? A su lado se lee el aviso: «Si desea dirigirse a un agente de aduanas, utilice este teléfono.» Oliver lo utiliza. O mejor dicho, su brazo se extiende por propia iniciativa hacia el auricular, su mano lo coge y lo acerca a su oído, dejándole la responsabilidad de hablar. El teléfono lo habita una mujer, y Oliver no esperaba encontrarse con una mujer. Oye decir «¿Sí?» al menos dos veces y luego «¿Puedo ayudarle en algo, caballero?», lo cual lo induce a pensar que aunque no ve a la mujer, ella sí lo ve a él. ¿Es guapa, joven, vieja, adusta? Poco importa. Con su innata cortesía, contesta que, bueno, en realidad sí *podría* ayudarle; querría hablar en privado sobre un asunto confidencial con alguna persona en un puesto de autoridad. Al oír su propia voz por el auricular, le sorprende su serenidad. No he perdido el dominio de mí mismo, piensa. Y ya separado por completo de su yo terrestre, lo invade una abrumadora sensación de gratitud por hallarse en manos de alguien tan competente. El problema es que si no actúas ahora, nunca lo harás, le explica la aplomada voz de su yo terrestre. Te hundirás, te ahogarás. Es ahora o nunca. No me gusta dramatizar, pero ha llegado el momento. Y quizá su yo terrestre dice algo de esto en voz alta por el teléfono rojo, porque de pronto Oliver nota que la mujer desconocida se pone tensa y elige con cuidado las palabras.

—Quédese exactamente donde está, por favor, al lado del teléfono. No se mueva. Alguien irá a buscarlo en unos instantes.

Y en este punto acude a la memoria de Oliver un recuerdo superfluo de un bar de Varsovia con teléfonos en las mesas para ponerse en contacto con las chicas de las mesas vecinas, método por el cual acabó invitando a una cerveza a una maestra de un metro ochenta de estatura llamada Alicja que le advirtió que nunca se acostaba con alemanes. Esta noche, en cambio, se encuentra con una mujer menuda, de complexión atlética y corte de pelo masculino, que viste una camisa blanca con charreteras. ¿Es la sagaz mujer que lo ha llamado «caballero» antes de oír su voz? Oliver lo ignora, pero percibe que la intimida su corpulencia y que se pregunta si es un chiflado. Manteniéndose a distancia, la mujer repara en el traje caro, el maletín, los gemelos de oro, los zapatos hechos a mano, el rostro enrojecido. Se aventura a acercarse un paso más y, mirándolo a la cara con la barbilla levantada, le pregunta cómo se llama y de dónde llega, y mentalmente hace la prueba de alcoholemia a sus respuestas. Le pide el pasaporte. Oliver se palpa los bolsillos; como de costumbre no lo encuentra. Lo localiza por fin, sumerge una mano para rescatarlo, casi lo dobla en su afán de complacer, y se lo entrega.

—Tiene que ser algún alto cargo —advierte él, pero la mujer está demasiado ocupada pasando hojas.

—Éste es su único pasaporte, ¿no?

Sí, el único, replica con soberbia su yo terrestre, y casi añade «mi buena señora».

—No posee, pues, doble nacionalidad ni nada por el estilo, ¿verdad?

No.

—Éste es por tanto el único pasaporte con el que viaja, ¿no?

Sí.

—¿Georgia, Rusia?

Sí.

—Y acaba de llegar de allí, ¿no? ¿De Tiflis?

No. De Estambul.

—¿Y quería hablar de algo relacionado con Estambul? ¿O con Georgia?

Deseo hablar con un funcionario de alto rango, repite Oliver. Recorren un pasillo abarrotado de asiáticos temerosos sentados en sus maletas. Entran en una sala de interrogatorios sin ventanas, con una mesa atornillada al suelo y un espejo atornillado a la pared. En su estado de trance autoprovocado, Oliver se sienta a la mesa por propia voluntad y contempla maravillado su imagen en el espejo.

—Ahora iré a buscar a alguien, ¿de acuerdo? —dice la mujer con severidad—. Me quedo su pasaporte, y después ya se lo devolverán, ¿de acuerdo? Vendrá alguien lo antes posible. ¿De acuerdo?

De acuerdo. Absolutamente de acuerdo. Pasa media hora, se abre la puerta, y aparece, en lugar de todo un almirante cargado de galones dorados, un joven rubio y flaco con camisa blanca y pantalón de uniforme, que le ofrece una taza de té dulce y dos bizcochos azucarados.

—Disculpe el retraso. Es por las fechas, me temo. En Navidad todo el mundo se marcha. Viene ya de camino la persona indicada. Quería usted hablar con un superior, creo.

Sí, así es. El joven permanece de pie detrás de él, observándolo mientras toma el té.

—Nada como una buena taza de té cuando volvemos a casa, ¿verdad? —dice al reflejo de Oliver en el espejo—. ¿Tiene algún domicilio fijo?

Oliver deletrea su rutilante dirección de Chelsea mientras el joven la anota en una libreta.

—¿Cuánto tiempo ha estado en Estambul?

Un par de noches.

—¿Con eso ha tenido tiempo suficiente, supongo, para hacer lo que lo había llevado allí?

De sobra.

—¿Viaje de placer o de negocios?

Negocios.

—¿Había estado antes allí?

Con frecuencia.

—Su trabajo lo obliga a viajar mucho, ¿no?

A veces demasiado.

—Acaba siendo deprimente, ¿no?

Puede serlo. Depende. El aburrimiento y la aprensión empiezan a adueñarse del yo terrestre de Oliver. No era el momento ni el lugar, se dice. La idea era buena pero un poco extremada. Pide el pasaporte, coge un taxi, vuelve a casa, duerme bien, haz de tripas corazón, y sigue adelante con tu vida.

—¿A qué se dedica, pues?

Inversiones, responde Oliver. Gestión de activos. Carteras. Sobre todo en la industria del ocio.

—¿A qué otros sitios viaja, aparte de Estambul?

Moscú. San Petersburgo. Georgia. A donde el trabajo me lleve, de hecho.

—¿Le espera alguien en Chelsea? ¿Alguien a quien deba telefonear, avisar, decir que ha llegado bien?

En realidad, no.

—No quiere que se preocupen por usted, ¿eh?

¡No, por Dios! Una alegre risotada.

—¿Tiene a alguien, pues? ¿Esposa? ¿Hijos?

Ah, no, no, gracias a Dios. O al menos todavía no.

—Novia.

Esporádicamente.

—Ésas son las mejores, de hecho, ¿no? Las esporádicas.

Supongo que sí.

—Traen menos complicaciones.

Muchas menos. El joven se marcha. Oliver se queda otra vez solo, pero no por mucho tiempo. Se abre la puerta y entra Brock, con el pasaporte de Oliver en la mano. Y de uniforme, la única vez que Oliver lo vio vestido así y, como más tarde supo, la primera vez que se lo ponía en sus veinte y tantos años asignado a tareas menos reconocibles. Y sólo tras un largo aprendizaje logra Oliver representarse a Brock de pie al otro lado del espejo durante el informal interrogatorio del joven, incapaz de dar crédito a su suerte mientras se coloca con apuros el traje de gala.

—Buenas noches, señor Single —dice Brock, estrechando la mano pasiva de Oliver—. ¿O puedo llamarte Oliver para evitar confusiones con tu venerado padre?

La sombrilla se dividía en triángulos de colores verde y naranja. Oliver se hallaba bajo una porción verde, que confería a su amplio rostro un tono cetrino. El sombrero de Brock, en cambio, reflejaba un dorado resplandor y, bajo la desenfadada ala, sus vivos ojos despedían destellos de júbilo propios de un duende.

—Así pues, ¿quién reveló a Tiger tu paradero? —preguntó Brock con la actitud relajada de quien pretende sacar a relucir un tema más que obtener una respuesta—. No es vidente, ¿verdad? Ni omnisciente. Ni tiene ojos en todas partes. ¿O sí? ¿Quién se ha ido de la lengua?

—Tú, probablemente —repuso Oliver con brusquedad.

—¿Yo? ¿Por qué iba yo a hacer una cosa así?

—Por un cambio de planes, probablemente.

Brock mantuvo la sonrisa sin inmutarse. Evaluaba el estado de su bien más preciado, examinando su evolución en aquellos años de inactividad. Llevas ya a tus espaldas un matrimonio, una hija y un divorcio, pensaba. Y yo sigo tal como antes, gracias a Dios. Buscaba en Oliver indicios de desgaste y no veía ninguno. Eres un producto acabado y no lo sabes, pensó, recordando a otros informadores que había rehabilitado. Crees que un día el mundo vendrá a cambiarte, pero nunca viene. Eres quien eres hasta la muerte.

—Quizá *tú* has hecho otros planes —contraatacó Brock de buen talante.

—Sí, ya. Seguro. «Papá, te echo de menos. Vamos a hacer las paces. Lo pasado, pasado está.» Seguro.

—Conociéndote, no puede descartarse. Por nostalgia. Un poco de culpabilidad. Al fin y al cabo, cambiaste varias veces de idea en cuanto a tu gratificación, si no recuerdo mal. Primero vacilaste. Luego fue que no, Nat, ni en broma. Luego que sí, Nat, acepto el dinero. Creía que acaso hubiese ocurrido lo mismo respecto a Tiger.

—De sobra sabes que el dinero de la gratificación era para Carmen —replicó Oliver desde la sombra al otro lado de la mesa.

—También esto es para Carmen. O podría serlo. Cinco millones de libras. Tal vez tú y Tiger llegasteis a un acuerdo, pensé. Tiger pone el dinero, y Oliver, el afecto. Me imagino perfectamente una lealtad filial recobrada en virtud de un pago inicial de cinco millones a nombre de Carmen. ¿Qué lógica tiene, si no? Ninguna, que yo sepa, al menos desde el punto de vista de Tiger. No es lo mismo que si hubiese enterrado una bolsa de billetes en el huerto de la familia, ¿no te parece? —No hubo respuesta ni Brock la esperaba—. No puede regresar con una pala y una linterna a desenterrarlos dentro de un año cuando necesite el dinero, ¿no? —Tampoco hubo respuesta—. No es ni siquiera de Carmen hasta que pase un cuarto de siglo. ¿Qué ha comprado Tiger con esos cinco millones de libras? Su nieta ni sabe que tiene un abuelo. Si te sales con la tuya, nunca lo sabrá. Debe de haber comprado algo. Por eso me dije que quizá había comprado a nuestro Oliver. ¿Por qué no? Las personas cambian, pensé, el amor todo lo puede. Quizá realmente habéis hecho las paces. Con cinco millones de libras para endulzar la píldora, todo es posible.

Inesperadamente, Oliver alzó los brazos en un gesto de rendición, los estiró hasta que le crujieron y los dejó caer de nuevo a los lados.

—Eso es una sarta de estupideces, y tú bien lo sabes —dijo sin especial animosidad.

—Alguien ha tenido que informarle —insistió Brock—. No te ha encontrado por casualidad. Algún pajarito le ha susurrado al oído.

—¿Quién mató a Winser? —contraatacó Oliver.

—No sé si me importa demasiado, ¿y a ti? No si paso revista al extraordinario elenco de candidatos. Hoy por hoy Single & Single cuenta con más maleantes entre sus estimados clientes que los ficheros de Scotland Yard. Podría haber sido cualquiera de ellos; en lo que a mí respecta, da igual uno que otro. —Nunca le llevas la delantera, pensó Brock, soportando impasible la ceñuda expresión de Oliver: nunca lo engañas, nunca consigues desviar su atención; él mismo ha previsto las peores posibilidades hace mucho tiempo. Tú te limitas a confirmar cuáles de sus previsiones se han cumplido. Brock conocía algunos supervisores que se creían Dios con zapatos de tacón cuando trataban con informadores. No así Brock, con nadie y menos con Oliver. Con Oliver, Brock se veía a sí mismo como un invitado no grato, un invitado que en cualquier momento podían echar a la calle—. Lo mató tu amigo Alix Hoban de Trans-Finanz Viena, según cierto confidente, con la colaboración de un nutrido reparto de matones en los papeles secundarios. Además, hizo entretanto una llamada telefónica. Suponemos que informó a alguien sobre el desarrollo de los acontecimientos. Pero lo mantenemos en secreto, porque no nos conviene llamar demasiado la atención sobre la Casa Single.

Oliver aguardó la segunda parte de este anuncio pero, viendo que no llegaba, apoyó el mentón en la mano y el codo en la enorme rodilla y clavó en Brock una mirada estimativa.

—Trans-Finanz Viena, según recuerdo, pertenecía íntegramente a la empresa andorrana First Flag Construction Company —dijo a través de un ramillete de gruesos dedos.

—Pertenecía y pertenece, Oliver. Conservas la portentosa memoria de siempre.

—Al fin y al cabo, esa jodida empresa la monté yo, ¿no?

—Ahora que lo mencionas, creo que sí.

—Y First Flag es el feudo exclusivo de Yevgueni y Mijaíl Orlov, los principales clientes de la Casa Single, ¿o eso ha cambiado?

Oliver no había alterado el tono de voz. Aun así, Brock advirtió que le requería cierto esfuerzo pronunciar el nombre Orlov.

—No, Oliver, no lo creo. Existen tensiones, pero sospecho que formalmente tus buenos amigos los hermanos Orlov ocupan aún el primer lugar para Single.

—¿Y Alix Hoban sigue siendo su representante?

—Sí, Hoban es aún el representante de los Orlov.

—Todavía es de la familia.

—Todavía es de la familia, eso tampoco ha cambiado —confirmó Brock—. Está en nómina y cumple órdenes, sean cuales sean sus otras actividades.

—¿Y por qué, pues, mató Hoban a Winser? —Perdiendo el hilo de su propia argumentación, Oliver se contempló las anchas palmas de las manos como si buscase la respuesta en las líneas—. ¿Por qué el hombre de confianza de los Orlov mató al hombre de confianza de Tiger? Yevgueni apreciaba a Tiger. Más o menos. En la medida en que les permitiese hacerse de oro. Y también Mijaíl. Tiger devolvía el cumplido. ¿Qué ha cambiado, Nat? ¿Qué ocurre?

Brock no tenía previsto llegar tan pronto a ese punto. Ilusamente, había imaginado un proceso gradual del que surgiría la verdad. Pero con Oliver, para ahorrarse sorpresas, uno no debía dar nada por supuesto. Había que dejarlo a su aire y seguirle el ritmo, reajustando el paso sobre la marcha.

—Verás, Oliver, me temo que es uno de esos casos en que el amor degenera en rencor —explicó con cautela—. Un vaivén del péndulo, por así decirlo. Uno de esos cambios de tiempo que se producen incluso en las familias mejor organizadas, me temo. —Dado que Oliver no parecía dispuesto a echarle una mano, continuó—: A los hermanos se les han torcido las cosas.

—¿Cómo?

—Algunas de sus operaciones se fueron al traste. —Brock andaba con pies de plomo, y Oliver lo sabía. Brock estaba poniendo nombre a los peores temores de Oliver, movilizando los fantasmas siempre alertas de su pasado, añadiendo nuevos miedos a los ya existentes—. Una considerable suma de dinero caliente que pertenecía a Yevgueni y Mijaíl quedó bloqueada antes de pasar por el reciclaje de Single.

—¿Antes de llegar a First Flag, quieres decir?

—Quiero decir cuando estaban aún en circuito de espera.

—¿Dónde?

—Por todo el mundo. No todos los países cooperaron, pero sí la mayoría.

—¿Todas aquellas pequeñas cuentas que abrimos? —preguntó Oliver.

—Ya no tan pequeñas. Había alrededor de nueve millones de libras en la que menos. Los saldos de las cuentas de España ascendían ya a ochenta y cinco millones. En mi opinión, los Orlov empezaban a actuar de una manera un tanto descuidada, francamente. ¿Quién conservaría cantidades así en activos líquidos? Como mínimo podrían haber invertido en obligaciones a corto plazo durante la espera, pero no.

Oliver se había llevado las manos a la cara de nuevo, encerrándola en una prisión privada.

—Para colmo, uno de los barcos de los hermanos fue abordado cuando transportaba un cargamento embarazoso —añadió Brock.

—¿Rumbo adónde?

—A Europa. A cualquier parte. ¿Qué más da?

—¿A Liverpool?

—De acuerdo, a Liverpool. Directa o indirectamente, viajaba con rumbo a Liverpool... ¿Puedes bajar ya de las nubes, Oliver, por favor? *Tú* conoces el hampa rusa. Si te aprecian, todo lo ven bien. Si creen que juegas con dos barajas, te ponen una bomba en la oficina, te echan un misil por la ventana del dormitorio y tirotean a tu mujer en la cola de la pescadería. Así es esa gente.

—¿Qué barco era?

—El *Free Tallinn*.

—Procedente de Odessa.

—Exacto.

—¿Quién lo abordó?

—Ni más ni menos que los rusos, Oliver. Sus compatriotas. Las fuerzas especiales rusas, en aguas rusas. Rusos abordando a rusos, sin colaboración de nadie.

—Pero los informasteis vosotros.

—No, eso es precisamente lo que no hicimos —respondió Brock—. El soplo les llegó de otra parte. Tal vez los Orlov pensaron que los había delatado Alfie. Son sólo suposiciones.

Oliver hundió aún más la cara entre las manos y siguió en conferencia con sus demonios interiores.

—Winser no traicionó a los Orlov. Los traicioné yo —declaró con voz de ultratumba—. En Heathrow. Hoban mató al mensajero equivocado.

La ira de Brock, cuando se desataba, inspiraba miedo. Surgía de la nada, sin previo aviso, y cubría todo su rostro como una mascarilla mortuoria.

—Nadie los traicionó —dijo entre dientes—. A los delincuentes no se los traiciona, se los atrapa. Yevgueni Orlov es un vulgar matón georgiano, al igual que el retrasado mental de su hermano.

—No son georgianos; simplemente quieren serlo —masculló Oliver—. Y Mijaíl no es un retrasado mental; es diferente, sólo eso. —Pensaba en Sammy Watmore.

—Tiger blanqueaba el dinero de los Orlov y Winser era un cómplice muy dispuesto. Eso no es traición, Oliver. Es justicia. Por si no lo recuerdas, ése era tu deseo. Querías arreglar el mundo, y estamos en ello. Nada ha cambiado. Yo nunca te dije que fuésemos a hacerlo con polvos mágicos. La justicia no es eso.

—Prometiste que esperarías —reprochó Oliver, todavía desde detrás de las manos.

—Y esperé. Te prometí un año, y he tardado cuatro. Uno para garantizar tu seguridad. Otro para seguir el rastro de papeles. Otro para que las damas y caballeros de Whitehall se convenciesen de que había que mover el culo y el cuarto para hacerles que se diesen cuenta de que no todos los policías ingleses son maravillosos ni todos los funcionarios ingleses son unos santos. En ese tiempo podrías haberte ido a cualquier parte. Tuvo que ser Inglaterra. La elección fue tuya, no mía. Como huida escogiste tu matrimonio, tu hija, su cuenta fiduciaria, tu país. Durante esos cuatro años Yevgueni Orlov y su hermano Mijaíl han inundado lo que antes llamábamos el mundo libre de toda aquella inmundicia que cae en sus manos, desde heroína afgana para los adolescentes hasta semtex checo para los amantes de la paz irlandeses o detonadores nucleares rusos para los demócratas de Oriente Próximo. Y Tiger, tu padre, ha financiado sus operaciones, ha blanqueado sus ganancias y les ha allanado el camino. Por no hablar del dinero que él mismo se ha embolsado. Tendrás que perdonarme si después de cuatro años me he impacientado un poco.

—Prometiste que no lo pondrías en peligro.

—Si corre peligro, no es culpa mía. Eso es cosa de los Orlov. Y si unos maleantes deciden empezar a volarse mutuamente los sesos e informar acerca de sus respectivos envíos a Liverpool, de mí no oirán más que aplausos. No siento el menor cariño por tu padre, Oliver. Eso es tarea tuya. Soy quien soy. No he cambiado. Ni yo ni Tiger.

—¿Dónde está?

Brock prorrumpió en una carcajada de desdén.

—Al borde del colapso nervioso, ¿dónde si no? Con un dolor inconsolable, deshecho en lágrimas. Puedes leerlo en los comunicados de prensa. Alfie Winser era su amigo y compañero de armas de toda la vida, te complacerá saber. Superaron juntos los obstáculos del arduo camino, compartieron los mismo ideales. Amén —se burló. Oliver seguía esperando—. Ha desaparecido de nuestros radares. No ha sonado una sola campana en ninguna parte, y permanecemos alertas las veinticuatro horas del día. Media hora después de enterarse de la muerte de Winser se marchó de la oficina, pasó un momento por su piso, y ya no se ha sabido nada más de él desde entonces. Hoy hace seis días que no se pone en contacto con la oficina: ni una llamada de teléfono ni un fax ni un mensaje por el correo electrónico. Nada, ni siquiera una postal. Es un hecho sin precedentes en la vida de Tiger. Un día sin una llamada telefónica de él, es una emergencia nacional; seis, el apocalipsis. El personal da la cara por él en todo, telefonea discretamente a sus lugares de retiro conocidos, y de paso a las casas de alguna gente que podría haberle dado refugio, y hace lo imposible por no levantar revuelo.

—¿Dónde está Massingham? —preguntó Oliver. Massingham, el jefe de personal de Single.

Ni la expresión ni la voz de Brock se alteraron. Mantuvo el mismo tono de reprobación, de desprecio.

—Limando asperezas. Vagando por el mundo. Tranquilizando a los clientes.

—¿Y todo eso por Winser?

Brock hizo como si no lo oyese.

—Massingham telefonea de vez en cuando, básicamente para preguntar si hay novedades. Aparte de eso, no dice mucho más. Al menos por teléfono. Lo propio de Massingham. Lo propio de cualquiera de ellos, si nos paramos a pensar. —Cavilaron los dos en silencio hasta que Brock expresó en alto el temor que empezaba a arraigar en la mente de Oliver—. Tiger podría haber muerto, claro está, lo cual sería un feliz acontecimiento… no para ti, quizá, pero sí para la sociedad. —Brock esperaba arrancar a Oliver de su ensoñación. Sin embargo Oliver se negó a despertar—. La salida honrosa supondría todo un cambio en el caso de Tiger, debo decir. Aunque dudo que supiese dónde encontrar la puerta. —Nada—. Además, de pronto reaparece y ordena a su banco suizo una transferencia de cinco millones de libras a la cuenta de Carmen. Por norma, los muertos no hacen esas cosas, según tengo entendido.

—Más treinta.

—¿Cómo dices? Últimamente ando un poco duro de oído, Oliver.

—Cinco millones *treinta* —precisó Oliver con voz más alta e iracunda.

¿Y ahora dónde demonios tienes la cabeza?, deseó preguntar Brock observando a Oliver, que continuaba con la mirada perdida. Y si consigo hacerte salir de ahí, ¿adónde demonios te irás después?

—Les envió flores —explicó Oliver.

—¿A quién? ¿De qué estás hablando?

—Tiger envió flores a Carmen y Heather. La semana pasada, desde Londres, en un Mercedes con chófer. Sabe dónde viven y quiénes son. Las encargó por teléfono y dictó un mensaje extraño para la tarjeta, presentándose como un admirador. A una de las floristerías elegantes del West End. —Buscando a tientas en el anorak, palpándose los bolsillos, Oliver dio por fin con un papel y se lo tendió a Brock—. Ahí tienes. Marshall & Bernsteen. Treinta jodidas rosas. De color rosa claro. Cinco millones treinta libras. Treinta monedas de plata. Con eso, está diciendo: Gracias por volverme la espalda. Está diciendo que sabe dónde encontrarla siempre que le venga en gana. Está diciendo que es suya. Carmen. Está diciendo que Oliver puede escapar pero no esconderse. Quiero protección para ella, Nat. Quiero que alguien hable con Heather. Quiero que sea informada. No quiero que se contaminen. No quiero que Tiger ponga nunca los ojos en Carmen.

Si bien los inesperados silencios de Brock sacaban a Oliver de sus casillas, debía reconocer, a su pesar, que también le impresionaban. Brock no avisaba. No decía: «Un momento.» Sencillamente dejaba de hablar hasta que terminaba de examinar el asunto en cuestión y estaba en condiciones de emitir un juicio.

—*Podría* querer decir eso —concedió Brock por fin—. O podría querer decir alguna otra cosa, ¿no?

—¿Como qué? —preguntó Oliver con tono agresivo.

Brock se hizo esperar de nuevo.

—No sé, Oliver…, como por ejemplo que echa en falta un poco más de compañía en su vejez.

Refugiado en el cuello de su anorak, Oliver observó a Brock cruzar el jardín, golpear con los nudillos la cristalera y reclamar la presencia de Tanby. Vio aparecer a una muchacha de su misma estatura pero en buena forma. Pómulos pronunciados, larga coleta rubia, y esa costumbre que tienen las chicas altas de apoyar todo el peso del cuerpo en una pierna y levantar la cadera del lado opuesto. La oyó decir con acento escocés:

—Tanby ha salido a hacer un recado aquí cerca, Nat.

Oliver observó a Brock entregarle el papel con el nombre de la floristería. Sin dejar de escuchar, la muchacha leyó el nombre. Oyó el susurro de Brock y lo reprodujo verbalmente en su informada imaginación: Necesito localizar al empleado que tomó el encargo de enviar treinta rosas a Abbots Quay la semana pasada, a nombre de Hawthorne, y el Mercedes con chófer que las entregó —gestos de asentimiento de la muchacha acompasados al murmullo de Brock—; necesito saber cómo se pagaron el coche y las flores; necesito el origen, la hora, la fecha y la duración de la llamada, y una descripción de la voz del cliente en caso de que no la grabasen, aunque quizá la grabaron porque es una práctica frecuente. Oliver creyó que la muchacha lo miraba por encima del hombro de Brock y la saludó con la mano, pero ella entraba ya en la casa.

—¿Y qué has hecho con ellas, Oliver? —preguntó Brock con cálida cordialidad después de volver a tomar asiento.

—¿Con las flores?

—Déjate de tonterías.

—Las envié a Northampton, a casa de la mejor amiga de Heather. Si es que han ido. Norah, se llama. Una lesbiana soltera.

—¿De qué quieres que sea informada exactamente?

—De que estaba en el bando correcto. Puede que sea un traidor, pero no soy un delincuente. No debe avergonzarse de haber tenido una hija conmigo.

Brock percibió lejanía en la voz de Oliver, lo observó ponerse en pie, rascarse primero la cabeza y luego un hombro, echar un vistazo alrededor como si hasta ese momento no hubiese advertido dónde estaba: el pequeño jardín, los manzanos que empezaban a florecer, el rumor del tráfico al otro lado de la tapia, las fachadas posteriores de estilo victoriano —cada una en su rectángulo de jardín—, invernaderos, ropa tendida. Lo observó sentarse de nuevo. Esperó como un sacerdote aguardaría el regreso de su penitente.

—Debe de haber sido un trago amargo para Tiger, huyendo y escondiéndose a su edad —comentó con ánimo provocador, considerando que era ya el momento de interrumpir las divagaciones de Oliver—. Si es eso lo que está haciendo —añadió. No hubo respuesta—. Acostumbrado a comer bien, ir de un lado a otro en su Rolls-Royce con el chófer al volante, vivir con todos sus mecanismos de autoengaño en su sitio, sin asperezas, sin brusquedades, y de pronto le vuelan la cabeza a Alfie y Tiger se pregunta si es él el siguiente de la lista. Un panorama poco alentador, imagino. Con más de sesenta años y tan solo. No me gustaría tener sus sueños al acostarme. ¿Y a ti?

—Cállate —dijo Oliver.

Brock, impertérrito, movió la cabeza en un gesto de pesar.

—Por no hablar de mi propia situación.

—¿Tu situación?

—Me paso quince años persiguiendo a un hombre. Conspiro contra él, me salen canas, descuido a mi esposa. Me desvivo por pillarlo en falta. Y de la noche a la mañana me entero de que está escondido en una zanja con los perros tras sus pasos y mi único deseo es tenderle la mano, darle una taza de té caliente y ofrecerle una amnistía total.

—Gilipolleces —dijo Oliver mientras los ojos sagaces de Brock chispeaban y lo escrutaban bajo el ala del sombrero de paja.

—Y en cuanto a sentimientos nobles, Oliver, tú me aventajas con diferencia, he tenido ocasión de comprobarlo. En resumidas cuentas, pues, todo se reduce a ver quién lo encuentra primero, tú o los hermanos Orlov y sus alegres muchachos.

Oliver dirigió la mirada hacia el punto del jardín donde había estado la muchacha, pese a que se había ido hacía rato. Contrajo su amplio rostro, reflejando la irritación de un campesino en medio del bullicio de la capital. Luego habló con claridad y sumo cuidado, cada palabra sometida mucho antes a su propia aprobación.

—No cuentes conmigo para nada más. Todo lo que tenía que hacer por ti, está ya hecho. Quiero protección para Carmen y su madre. Ésa es mi única preocupación. Cambiaré de nombre y me iré a vivir a otra parte. No cuentes conmigo para nada más.

—¿Y quién lo encuentra?

—Vosotros.

—No tenemos medios suficientes. Somos pobres, insignificantes e ingleses.

—¡Y una mierda! —exclamó Oliver—. Sois un ejército secreto más que considerable. He colaborado con vosotros.

Pero Brock movió la cabeza en un gesto de negación no menos rotundo.

—No puedo mandar varias unidades a buscar a ciegas por todo el mundo, Oliver. No puedo anunciar mis intenciones a todos los políticos extranjeros de la guía telefónica. Si Tiger está en España, he de suplicar de rodillas a los españoles, y cuando por fin se dan cuenta de que existo, Tiger ha puesto ya tierra por medio y yo me encuentro leyendo sobre mí en los periódicos españoles, con la salvedad de que no sé español.

—Aprende —dijo Oliver con aspereza.

—Si está en Italia, son los italianos; en Alemania, los alemanes; en África, los africanos; en Pakistán, los paquistaníes; en Turquía, los turcos…, y cada vez la misma historia. Untando manos a mi paso, y sin saber si los hermanos las han untado antes y mejor. Si ha ido al Caribe, hay que buscar isla por isla y sobornar hasta a los postes telegráficos para conseguir un solo teléfono pinchado.

—Pues dale caza a otro. Tienes donde elegir.

—*Tú* en cambio… —Brock se reclinó en la hamaca y contempló a Oliver con una expresión que podía interpretarse como lastimera envidia—. A ti te basta con respirar para presentir sus reacciones, adivinar sus movimientos, ponerte en su papel. Lo conoces mejor que a ti mismo. Conoces sus casas, sus argucias, a sus mujeres y lo que va a desayunar incluso antes de que lo pida. Lo has tenido *aquí*. —Se dio unas palmadas en el pecho mientras Oliver se negaba entre dientes una y otra vez—. Aun antes de salir a por él, has recorrido ya tres cuartas partes del camino. ¿He dicho yo algo?

Oliver sacudía la cabeza como Sammy Watmore. Mataste ya una vez a tu padre, y con eso es más que suficiente, pensaba. No voy a hacerlo, ¿me oyes? Estoy harto. Estaba harto hace cuatro años. Estaba harto incluso antes de empezar.

—Búscate a otro pobre desgraciado —dijo con tono hosco.

—Vuelvo con la misma canción de siempre, Oliver. El amigo Brock se reunirá con él a cualquier hora y en cualquier lugar, sin nada en la manga. Ése es mi mensaje. Si no se acuerda de mí, refréscale la memoria. Brock, el joven funcionario de aduanas de Liverpool, el mismo al que aconsejó cambiar de empleo después del juicio por el lingote turco. Brock cooperará si él coopera, dile. La puerta de Brock está abierta las veinticuatro horas del día. Le doy mi palabra.

Cruzando los brazos ante el pecho, Oliver se abrazó a sí mismo en una especie de peculiar ritual de oración.

—Nunca —masculló.

—Nunca ¿qué?

—Tiger nunca haría una cosa así. Nunca traicionaría. Soy yo quien se dedica a eso, no él.

—Con toda sinceridad, eso es una tontería, y tú lo sabes. Dile que Brock cree en la negociación creativa, como él. Poseo amplias facultades, entre ellas el olvido. Se trata de un juego de memoria, dile. Yo olvido, él recuerda. Sin investigaciones públicas, sin juicios, sin cárcel, sin confiscación de activos…, siempre y cuando él recuerde correctamente. Todo en la máxima reserva y entre nosotros, y al final una garantía de inmunidad. Saluda a Aggie.

La muchacha alta les había llevado té recién hecho.

—Hola —dijo Oliver.

—Hola —contestó Aggie.

—¿Qué ha de recordar? —preguntó Oliver cuando la muchacha se alejó y no podía ya oírlos.

—Lo he olvidado —respondió Brock. Pero de inmediato añadió—: Él lo sabrá. Y tú también. Mi objetivo es la Hidra. Persigo a esos policías sin escrúpulos y a esos funcionarios con sueldos excesivos que han contratado con él sus planes de pensiones complementarios. Los elementos corruptos de Scotland Yard y los abogados con camisa de seda y los comerciantes desaprensivos que viven en barrios elegantes. No en otros países. Los otros países pueden cuidarse solos. En Inglaterra. A la vuelta de la esquina. En la casa de al lado.

Oliver se soltó las rodillas, pero al instante volvió a sujetárselas, entrecruzando los dedos alrededor, con la vista fija en el césped como si contemplase su tumba.

—Tiger es tu Everest, Oliver; apartándote de él, no alcanzarás la cima —prosiguió Brock con tono paternalista a la vez que extraía del bolsillo interior de la chaqueta una ajada cartera de piel que Lily, su esposa, le había regalado en su trigésimo cumpleaños—. ¿Has visto a este individuo en alguno de tus viajes? —preguntó con aparente despreocupación, entregando a Oliver una fotografía en blanco y negro de un hombre corpulento, sin un pelo en la cabeza, que salía de un club nocturno llevando del brazo a una joven ligera de ropa—. Un viejo amigo de tu padre, desde los tiempos de Liverpool. Un policía corrupto. Actualmente ocupa un alto cargo en Scotland Yard y tiene excelentes conexiones por todo el país.

—¿Por qué no se pone una peluca? —dijo Oliver con sorna.

—Porque es la desfachatez en persona —replicó Brock con vehemencia—. Porque hace en público lo que otros granujas no harían en privado. Es su manera de excitarse. ¿Cómo se llama, Oliver? Su cara te suena, estoy seguro.

—Bernard —contestó Oliver, devolviéndole la fotografía.

—Bernard, exacto. Bernard ¿qué más?

—No dio su apellido. Vino a Curzon Street un par de veces. Tiger nos lo trajo al Departamento Jurídico y le conseguimos una villa en el Algarve.

—¿Para unas vacaciones?

—En propiedad, como regalo —corrigió Oliver.

—Me tomas el pelo. ¿A cambio de qué?

—¿Cómo voy a saberlo? Yo me ocupaba de los trámites inmobiliarios. Al principio se presentó como una venta. Cuando estaba ya todo a punto para efectuar el cambio de divisas, Alfie dijo que había dinero de por medio, que cerrase la operación y firmase la escritura de traspaso. Y eso hice.

—Así que es Bernard a secas.

—Bernard el calvo —confirmó Oliver—. Luego, además, sacó un almuerzo gratis.

—¿En el Kat's Cradle?

—¿Cómo no?

—No es propio de ti olvidar un apellido, ¿verdad?

—No constaba. Es Bernard, una compañía *offshore*.

—¿Llamada?

—No era una compañía; era una fundación. La compañía pertenecía a la fundación. Guardando las distancias por duplicado.

—¿Cómo se llamaba la fundación? —insistió Brock.

—Derviche, domiciliada en Vaduz. La Fundación Derviche. Tiger hizo un chiste con eso: «Os presento a Bernard, nuestro derviche danzante.» Bernard es dueño de Derviche; Derviche es dueña de la compañía; la compañía es dueña de la casa.

—¿Y cuál era, pues, el nombre de la compañía propiedad de la Fundación Derviche?

—Sky… algo más. Skylight, Skylark, Skyflier.

—¿Skyblue?

—Skyblue Holdings, Antigua.

—¿Y por qué carajo no me lo dijiste en su momento?

—Porque no me lo preguntaste —repuso Oliver con tono igualmente airado—. Si me hubieses pedido que siguiese la pista a Bernard, habría seguido la pista a Bernard.

—¿Tenía Single por norma repartir villas gratuitamente?

—No que yo sepa.

—¿Recibió alguien más una villa en obsequio?

—No, pero Bernard consiguió también una motora. Una de esas lanchas puntiagudas y superligeras. Bromeamos comentando que no la balanceases demasiado si ofrecía sus atenciones a una dama en alta mar.

—¿De quién fue la gracia?

—De Winser. Y ahora, si me disculpas, tengo que ir a ensayar.

Observado por Brock, Oliver se desperezó, se alborotó el pelo con las dos manos como si le picase el cuero cabelludo y se encaminó tranquilamente hacia la casa.

7

—¡Oliver! Haz el favor de subir. Unos caballeros muy distinguidos desean conocerte. Nuevos clientes rebosantes de ideas nuevas. Ven volando, por favor.

No es Elsie Watmore llamando a Oliver a las armas, sino el mismísimo Tiger a través del intercomunicador de la oficina. No es Pam Hawsley, nuestra Doncella de Hielo por cinco mil dólares anuales, ni Randy Massingham, nuestro jefe de personal y demacrado Casio. Es el Hombre, en vivo, personificando la Voz del Destino. Es primavera, como ahora, cinco años atrás. Y es también la primavera de la vida de nuestro joven y único socio adjunto en ciernes, recién salido de la facultad de derecho, nuestro zarevitz, nuestro heredero forzoso al trono de la casa real de Single. Oliver lleva tres meses en Single. Es su tierra prometida, la meta alcanzada con no pocos esfuerzos después de los duros reveses de una educación inglesa privilegiada. Por más humillaciones y privaciones que haya padecido hasta la fecha, por más cicatrices que le haya dejado la aparentemente interminable sucesión de academias, profesores particulares e internados, ha llegado a la lejana orilla, titulado en derecho como su padre, destinado a mover los hilos de la sociedad en un futuro cerca-

139

no, pletórico de fervor juvenil, lloroso, enamorado de todo aquello.

Y son muchos los estímulos. La Single de principios de los noventa no es una sociedad de capital riesgo al uso, y prueba de ello son las páginas de economía de los periódicos. Single es el «caballero andante del nuevo Este de Gorbachov» —*Financial Times*—, «adentrándose con audacia allí donde vacilan otras firmas con menor empuje». Single es la «abanderada de las operaciones de riesgo» —*Telegraph*—, «rastreando las naciones del renovado bloque comunista en busca de oportunidades, desarrollo sólido y beneficio mutuo en armonía con el espíritu de la *perestroika*» —*Independent*—. La Casa Single, en palabras de su dinámico fundador —apodado con gran acierto Tiger, el Tigre—, está «dispuesta a escuchar a cualquiera, en cualquier momento y en cualquier lugar» en su firme determinación de afrontar el «mayor reto para el mundo de los negocios en la actualidad». Tiger hace referencia nada menos que a la «aparición de una Unión Soviética como mercado». Single utiliza «un juego de herramientas distinto, es una sociedad más ágil, más valiente, más pequeña, más joven, viaja más ligera de equipaje» que los vetustos gigantes de tiempos pasados —*Economist*—. Y si hay quienes opinan que Oliver, para curtirse, debería haber empezado trabajando para Kleinwort, Chase o Barings, también a ellos tiene Tiger algo que decirles: «Somos una empresa innovadora. Queremos lo mejor de él, y lo queremos ahora.»

Lo que Oliver quiere de Single no es menos de admirar. «Trabajar al lado de mi padre será para mí un beneficio adicional», explica a una comprensiva cronista del *Evening Standard* durante una recepción en Park Lane organizada para celebrar su incorporación a la firma. «Mi padre y yo siempre hemos sentido gran respeto el uno por el otro. Va a ser un extraordinario aprendizaje en todos los sentidos.» Ante la pregunta de cuál cree que será su aportación a la empresa, el joven vástago demuestra que tampoco él tiene pelos en la lengua. «Un descarado idealismo con la cabeza sobre los hombros», responde para deleite de la cronista. «Las emergentes naciones socialistas necesitan toda la ayuda, conocimientos y recursos financieros que podamos poner a su disposición.» En declaraciones a la revista *Tatler,* menciona otra de las verdades de Single: «Ofrecemos una participación estable a largo plazo sin ánimo de explotación. Todo aquel que espere llenarse los bolsillos de rublos de la noche a la mañana se verá decepcionado.»

Una reunión de urgencia, piensa Oliver, eufórico, mientras sale de su despacho. Su mayor deseo. Después de tres meses trabajando de pasante en el árido Departamento Jurídico de Alfred Winser, teme ya estancarse. Su expresa intención de «conocer hasta el último detalle el funcionamiento de todos los aspectos prácticos del negocio» lo ha llevado a un laberinto de compañías *offshore* del que parece imposible escapar en toda una vida de joven entusiasta. Pero hoy Winser ha ido a Bedfordshire para comprar una fábrica de guantes malaisia, y Oliver no tiene que rendir cuentas a nadie. Una lóbrega escalera situada en la parte de atrás del edificio comunica el Departamento Jurídico con el piso superior. Comparándola en su imaginación a un pasadizo secreto de la época de los Médicis, Oliver sube los peldaños de tres en tres. Ingrávido, ciego a todo salvo su objetivo, se desliza a través de sucesivas secciones de la oficina y salas de espera forradas de madera hasta llegar a la famosa puerta azul de dos hojas. La abre y por un segundo el divino resplandor es demasiado intenso para él.

—Me has llamado, padre —susurra, viendo sólo su propia sonrisa reflejada misteriosamente en el fulgor frente a él.

La luz remite. Seis hombres lo esperan y están de pie, cosa que no es del agrado de Tiger, dado que creció veinte centímetros menos que la mayoría de sus adversarios. Se hallan preparados para una fotografía de grupo y Oliver es el fotógrafo, y podría pensarse que están diciendo «patata» a indicación suya porque todos sonríen simultáneamente, recién levantados por lo visto de la mesa de reuniones. Sin embargo la sonrisa de Tiger es como de costumbre la más radiante y enérgica. Envuelve en una aureola de santidad a todos los presentes. Oliver adora esa sonrisa. Es el sol del que obtiene la fuerza para desarrollarse. A lo largo de toda su infancia ha creído que si alguna vez logra abrirse paso entre sus rayos y echar una ojeada detrás de esos afectuosos ojos, alcanzará el reino mágico del que su padre es benévolo y absoluto soberano. ¡Son los hermanos Orlov!, exclama en silencio, desbordado por el entusiasmo y la expectación. ¡En carne y hueso! ¡Randy Massingham los ha pescado por fin! Tiger llevaba ya unos día advirtiendo a Oliver que permaneciese alerta, que esperase órdenes, que mantuviese despejada su agenda, que procurase ponerse trajes presentables. Pero sólo ahora ha desvelado el motivo.

Tiger, como capitán del equipo, se halla en primer plano y en el centro. Con su último traje azul de raya diplomática y chaqueta cruzada cosida por Hayward de Mount Street, sus zapatos negros con alzas confeccionados por Lobb de St. James, y su corte de pelo hecho en Trumper, a la vuelta de la esquina, es el perfecto caballero del West End reproducido en exquisita miniatura, una joya, un diamante en el escaparate atrayendo las miradas de cuantos pasan junto a él. Erguido como siempre en su esfuerzo por ganar estatura, Tiger rodea con un brazo los hombros de un sesentón de complexión recia y aspecto marcial con largas pestañas de querubín, el pelo a cepillo y el cutis como la piedra pómez. Y si bien Oliver no lo había visto en su vida, reconoce de inmediato al legendario Yevgueni Orlov de Moscú, negociante patriarcal, traficante de influencias, viajante plenipotenciario y copero mayor de la mismísima Corte del Poder.

Al otro lado de Tiger, pero libre de su abrazo, se encuentra un individuo de poblado bigote, piernas arqueadas y mirada furibunda, con un traje de color negro Biblia que no le pega ni con cola y unos zapatos anaranjados con orificios de ventilación. Con su mudo ceño tribal, los hombros encorvados y las manos yertas colgando frente a él, semeja un cosaco exánime a lomos de un caballo desbocado. Dejándose guiar de nuevo por la intuición, Oliver reconoce en ese insólito personaje al hermano menor de Yevgueni, Mijaíl, descrito por Massingham mediante términos tan diversos como «el guardabosque de Yevgueni», «el leñador» o «Mycroft, el hermano tonto».

Y detrás de este trío, en actitud posesiva, con la misma expresión que si acabase de unirlos en santo matrimonio —como de hecho así ha sido—, asoma el infatigable asesor de Tiger en asuntos relacionados con el bloque soviético y jefe de personal, el honorable Ranulf, alias Randy Massingham, hasta fecha reciente en el Foreign Office, ex miembro de la Guardia Real, ex cabildero y genio de las relaciones públicas, hablante de ruso, hablante de árabe, consejero por un tiempo de los gobiernos de Kuwait y Bahrein, cuya principal labor en su última encarnación al servicio de Single consiste en captar nuevos clientes a cambio de una comisión. Cómo es posible que un hombre haya emprendido tantas carreras a la edad de cuarenta años es un enigma que Oliver aún no ha conseguido resolver. No obstante envidia el pirático pasado de Massingham y hoy en particular envidia también su éxito, ya que desde hacía meses Tiger tenía una fijación irracional y obsesiva con los hermanos Orlov. Tanto en las reuniones para fijar las líneas generales de la empresa como en las sesiones para abordar temas concretos, Tiger ha alternado los desplantes, las pullas y las lisonjas en su trato con Massingham. «Válgame Dios, Randy, ¿dónde están mis Orlov? ¿Por qué he de conformarme con elementos de segunda fila?», refiriéndose a rusos inferiores y más asequibles que han sido declarados poco aptos y desechados sin contemplaciones. «Si los Orlov son los que cuentan, ¿por qué no están hablando conmigo sentados a esta mesa?» Y a continuación el látigo, porque cuando Tiger se ve privado de algo, todos deben compartir su malestar: «Te noto viejo, Randy. Tómate el día libre. Vuelve el lunes cuando te hayas rejuvenecido.»

Pero hoy, como Oliver ve a simple vista, sentarse a la mesa de Tiger es precisamente lo que han hecho los Orlov. Ya no hay necesidad de que Massingham salga a toda prisa, «sin más equipaje que el cepillo de dientes», para tomar un vuelo a Leningrado, Moscú, Tiflis, Odessa o dondequiera que los Orlov hayan trasladado su nómada existencia. Hoy las Montañas Gemelas han venido a Mahoma, acompañadas —Oliver ha advertido de inmediato su presencia a ambos lados de la fotografía de grupo— por dos hombres a quienes acertadamente asigna el papel de porteadores: el rubio, fornido y blanco como la leche, de la edad de Oliver a lo sumo; el otro, un cincuentón rechoncho, con los tres botones de la chaqueta abrochados.

¡Y humo de tabaco, una verdadera cortina! ¡Improbable, imposible humo de tabaco! ¡Y ceniceros nunca vistos en la mesa de reuniones, entre los papeles extendidos! Para Oliver, nada en el despacho, ni siquiera los hermanos Orlov, resulta tan memorable como ese humo abominable y prohibido por los siglos de los siglos, ascendiendo en volutas a través del aire enrarecido del sanctasanctórum y concentrándose en una nube en forma de hongo sobre la repeinada cabeza del «más acérrimo enemigo del tabaco» —*Vogue*—. Tiger aborrece más el vicio de fumar que el fracaso o la contradicción. Todos los años, antes del cierre del ejercicio, retira una ostentosa suma de los ingresos gravables y la dona para organizar campañas a favor de la prohibición. Sin embargo hoy descansa sobre el aparador un flamante humectador revestido de plata, comprado en Asprey, de New Bond Street, que contiene los cigarros más caros del universo. Yevgueni está fumándose uno, al igual que el porteador de los tres botones. Ninguna otra cosa habría revelado a Oliver de manera tan convincente la extraordinaria trascendencia de la ocasión.

Tiger inicia la conversación con un comentario burlón, pero Oliver ve las burlas como una parte inseparable de la relación con su padre. Si uno llega escasamente al metro sesenta con ayuda de unas alzas en los tacones y su hijo mide metro noventa, es natural que quiera reducirlo a escala delante de los demás… y la obligación moral de Oliver, lo correcto y apropiado, es colaborar en su mengua.

—Válgame Dios, hijo, ¿qué te ha entretenido tanto? —protesta Tiger con fingida seriedad para diversión de los presentes—. Alguna juerga nocturna, supongo. ¿Quién es ella esta vez? ¡Espero que no vaya a costarme una fortuna!

Oliver sigue la broma como buen chico que es.

—En realidad es bastante rica, padre; astronómicamente rica, de hecho.

—¿De verdad es rica? ¿De verdad? No está mal, para variar. Quizá esta vez el viejo recupere su dinero. ¿Qué?

Y ese «qué» acompañado de una mirada vivaz a Yevgueni Orlov —a la vez que levanta y reasienta el pequeño puño osadamente apoyado en el enorme hombro de Yevgueni— y el comentario, con la connivencia de Oliver, de que el caballerete aquí presente lleva últimamente una vida de zángano gracias a la generosidad de su indulgente padre. Pero Oliver está ya acostumbrado a todo eso. Tiene ya mucha práctica en esa clase de escenas. Si Tiger se lo hubiese pedido, habría hecho su aceptable imitación de Margaret Thatcher o de Humphrey Bogart en *Casablanca*, o contado el chiste de los dos rusos meando en la nieve. Pero Tiger no se lo pide, al menos esa mañana, así que Oliver se limita a sonreír y apartarse el pelo de la frente mientras Tiger lo presenta con retraso a sus invitados.

—Oliver, quiero que conozcas a uno de los pioneros más sagaces, intrépidos y clarividentes de la nueva Rusia, un caballero que, como yo mismo, ha luchado a brazo partido con la vida y ha ganado. Ahora ya no fabrican a muchos como nosotros, me temo. —Guarda silencio mientras Massingham, detrás de ellos, vierte esas palabras a su ruso de ex miembro del Foreign Office—. Oliver, ante ti el señor Yevgueni Ivánovich Orlov y su distinguido hermano Mijaíl. Yevgueni, éste es mi hijo, Oliver, de quien estoy muy contento, un hombre de leyes, un hombre de gran talla, como puede verse, un hombre instruido e inteligente, un hombre del futuro. Un pésimo atleta, es cierto. Un jinete desastroso, baila como un buey —las cejas de actor de cine enarcadas anunciando la habitual agudeza—, pero, según los rumores, fornica como un guerrero. —Por las alegres risas de Massingham y los porteadores, Oliver deduce que el tema ha salido ya a relucir antes de su llegada—. Le falta un poco de experiencia en otras áreas, quizá; le sobran inquietudes éticas… como nos ha pasado a todos a su edad. Pero posee una excelente formación académica en derecho; representa sin el menor problema al Departamento Jurídico durante la ausencia de nuestro venerado colega el doctor Alfred Winser, de viaje en el extranjero. —¿Bedfordshire está en el *extranjero*?, se pregunta Oliver, como siempre encontrando graciosas las pequeñas licencias de Tiger. ¿Y Winser *doctor*, ahora de pronto?—. Oliver, quiero que escuches con total atención un resumen de nuestro trabajo de esta mañana. Yevgueni nos ha planteado tres propuestas cruciales, muy originales y creativas, que reflejan, en mi opinión de una manera muy precisa y concluyente, el cambio de dirección en la nueva Rusia del señor Gorbachov.

Pero antes los apretones de manos, con un variado surtido de rellenos. El mullido puño de Yevgueni forcejea con la palma no probada de Oliver a la vez que una pícara sonrisa asoma a sus largas pestañas de querubín. Le siguen los cinco curtidos dedos de su hermano Mijaíl. Luego un contacto breve y esponjoso del sacerdotal fumador de puros con tres botones de la chaqueta abrochados. Resulta llamarse Shalva, natural de Tiflis, Georgia, y de profesión abogado, como Oliver. Es la primera vez que se ha pronunciado la palabra «Georgia», pero Oliver, cuyos ojos y oídos hoy permanecen atentos a los más leves detalles, capta de inmediato su importancia: Georgia, y los hombres se yerguen perceptiblemente; Georgia, y se cruzan miradas alertas mientras las tropas leales vuelven a formar.

—¿Ha estado alguna vez en Georgia, señor Oliver? —pregunta Shalva con el tono expectante de un auténtico creyente.

—Por desgracia, no —admite Oliver—. Me han dicho que es un sitio precioso.

—Georgia es un sitio precioso —confirma Shalva con la autoridad del púlpito.

Pero es Yevgueni quien se hace eco de esa afirmación, en inglés, moviendo la cabeza en prolongados gestos de asentimiento como un caballo.

—Georgia un sitio precioso —brama, y el egregio Mijaíl asiente también en sagrada confirmación de su fe.

Y por último un toque de guantes previo al combate, éste con el pálido coetáneo de Oliver, el señor Alix Hoban, de quien no se ofrece descripción alguna, sea o no georgiano. Y algo en Hoban causa inquietud a Oliver y le obliga a alojarlo en un compartimiento aparte de su mente. Algo que hace presentir frialdad, deslealtad, impaciencia, represalias violentas. Algo que dice: Si vuelves a pisarme el pie una sola vez más… Pero estas reflexiones quedan para más tarde. Con Oliver incorporado ya a la reunión, las manos pequeñas y vivaces de Tiger indican a los presentes que tomen asiento, ya no alrededor de la mesa sino en los sillones verdes de piel estilo Regencia reservados para las deliberaciones sobre lo que antes ha llamado las tres propuestas muy originales y creativas de Yevgueni, reflejo del cambio de dirección soviético. Y puesto que los Orlov no hablan inglés —al menos hoy no— y Massingham no pertenece a su equipo sino al de Tiger, son expuestas por el indefinido señor Alix Hoban. Su voz no cumple en absoluto las previsiones de Oliver. No es propiamente ni de Moscú ni de Filadelfia, sino más bien un refrito de ambas culturas. Su filo dentado es tan penetrante que parece surgir de un amplificador. Habla, cabe suponer, a instancias de alguien poderoso, empleando —de eso no hay duda— frases bruscas y mondas sin espacio para opciones intermedias, siempre son lo tomas o lo dejas. Sólo muy de vez en cuando algo de sí mismo destella como una daga extraída de la funda.

—Los señores Yevgueni y Mijaíl Orlov cuentan con muchos y excelentes contactos en la Unión Soviética, ¿vale? —empieza, dirigiéndose con desdén a Oliver por ser el recién llegado. El «vale» no requiere respuesta. Continúa sin pausa—. Gracias a sus experiencias en el ejército y la administración, gracias también a sus conexiones con Georgia... y otras ciertas conexiones..., el señor Yevgueni goza de la confianza de las más altas esferas del país. Está, pues, en una posición única para facilitar la realización de tres propuestas específicas, sujetas a las correspondientes comisiones pagaderas fuera de la Unión Soviética. ¿Entendido? —pregunta de pronto. Oliver ha entendido—. Estas comisiones son resultado de negociaciones previas en las más altas esferas del país. No hay vuelta de hoja. ¿Captas la onda?

Oliver capta la onda. Después de tres meses en la Casa Single sabe de sobra que las más altas esferas del país no salen baratas.

—¿Y cuáles son exactamente las condiciones de pago de dichas comisiones? —pregunta Oliver con una delicadeza que no siente.

Hoban tiene la respuesta en la punta de los dedos de la mano izquierda, que se agarra una por una.

—Debe pagarse la mitad antes de la realización de cada propuesta. El resto a intervalos acordados, dependiendo del posterior resultado de cada propuesta. Como base del cálculo, el cinco por ciento del primer billón, el tres por ciento a partir de esa cifra, no negociable.

—Y hablamos de dólares —dice Oliver, resuelto a aparentar que los billones no le impresionan.

—¿En qué vamos a hablar, si no? ¿En liras?

Una ráfaga de sonoras risas por parte de los hermanos Orlov y Shalva el abogado cuando Massingham se interpone para traducir el gracioso comentario al ruso en atención a ellos, y Hoban centra su inglés seudonorteamericano en lo que llama la Propuesta Específica Número Uno.

—Las propiedades del Estado soviético sólo puede venderlas el Estado, ¿conforme? Es axiomático. Pregunta: ¿A quién *pertenecen* hoy día las propiedades de la Unión Soviética?

—Al Estado soviético, obviamente —responde Oliver, el alumno aventajado.

—Segunda pregunta: ¿Quién puede vender hoy día las propiedades del Estado soviético con arreglo a la nueva política económica?

—El Estado soviético —contesta Oliver, que a estas alturas siente ya una profunda aversión hacia Hoban.

—Tercera pregunta: ¿Quién *autoriza* hoy día la venta de propiedades del Estado? Sí, de acuerdo, el nuevo Estado soviético. Sólo el nuevo Estado puede vender las propiedades del viejo Estado. Es axiomático —repite, gustándole por lo visto la palabra—. ¿Entendido?

Y en este punto, para desconcierto de Oliver, Hoban saca una pitillera de platino y un encendedor, extrae un grueso cigarrillo amarillento que parece guardar desde su infancia no muy lejana, cierra la pitillera y golpea ligeramente el cigarrillo contra la tapa para apaciguarlo antes de añadir nubes de humo tóxico a la cortina ya existente.

—La economía soviética de las últimas décadas era una economía planificada, ¿vale? —resume Hoban—. Toda la maquinaria, el armamento, las centrales eléctricas, los gasoductos, las vías férreas, el equipo móvil, las locomotoras, las turbinas, los generadores, las imprentas, todo pertenece al Estado. Pueden ser materiales *viejos* del Estado, pueden ser *muy* viejos; a nadie le importan en absoluto. La Unión Soviética de las décadas pasadas no tenía interés en reciclar. Yevgueni Ivánovich dispone de valoraciones muy fiables de esos materiales, elaboradas en las más altas esferas del país. Según esas valoraciones, calcula que actualmente tienen en existencias un billón de toneladas de metales ferrosos desechados de buena calidad que podrían recogerse y vender a los posibles clientes interesados. En todo el mundo hay una gran demanda de esa clase de metales. ¿Me sigues?

—Especialmente en el Sudeste asiático —apunta Oliver, ufano, porque en un número reciente de una revista técnica ha leído un artículo sobre ese tema.

Y mientras lo dice, su mirada se cruza con la de Yevgueni, como ha ocurrido ya varias veces durante la perorata de Hoban, y le sorprende la expresión de dependencia que advierte en sus ojos. Es como si ese hombre de avanzada edad se sintiese allí intranquilo y transmitiese mensajes de complicidad a Oliver, el amigo recién llegado.

—En el Sudeste asiático existe una considerable demanda de metales desechados de calidad —asiente Hoban—. Quizá vendamos en el Sudeste asiático. Quizá sea una buena idea. Ahora mismo, a nadie le importa un carajo. —Con un alarmante resoplido, Hoban se aclara la nariz y la garganta simultáneamente para después recitar una interminable frase prefabricada—. La inversión inicial para la propuesta específica referente a los metales de desecho será de veinte millones de dólares en efectivo, pagaderos a la firma del contrato con el Estado por el que se otorga a la persona nombrada por Yevgueni Ivánovich un permiso en exclusiva para recoger y vender todos los metales de desecho de la Unión Soviética, sea cual sea su ubicación o estado de conservación. Eso es inamovible. No hay vuelta de hoja.

A Oliver le da vueltas la cabeza. Ha oído hablar antes de tales comisiones, pero no dispone de información directa.

—Pero ¿quién es la persona nombrada? —pregunta.

—Eso está por decidir. Ahora no viene al caso. Yevgueni Ivánovich la elegirá. Será la persona nombrada por *nosotros*.

Desde su trono, Tiger hace una severa advertencia:

—Oliver, no seas obtuso.

—Los veinte millones de dólares en efectivo —prosigue Hoban— se ingresarán en un banco occidental previamente acordado, mediante transferencia telefónica, en el momento mismo de la firma. La persona nombrada debe correr también con los costes de recogida y montaje de metales de desecho. Será necesario asimismo el arrendamiento o compra de espacio de almacenaje en puerto, cuarenta hectáreas como mínimo. Eso se cargará también a la cuenta de gastos de estructura de la persona nombrada. Deberá adquirir ese almacén a título privado. La organización de Yevgueni Ivánovich posee contactos que pueden ofrecer ayuda a la persona nombrada en la compra de un almacén —añade, y Oliver sospecha que esa organización es el propio Hoban—. El Estado soviético no puede proporcionar el equipo de corte y desguace. Eso recaerá igualmente sobre la persona nombrada. Aun si el Estado posee equipo de esas características, será sin duda inservible, para tirarlo al mismo montón de chatarra.

Hoban separa los labios en una sonrisa forzada mientras deja un papel y coge otro. El silencio da pie a otra suave interpolación de Tiger.

—Si tenemos que comprar *nosotros* un almacén, habrá que contar con unas cuantas propinas a los caciques del lugar, claro está. Creo que Randy ha mencionado ya antes ese punto, ¿no, Randy? Nunca conviene tener en contra a los lugareños.

—Está ya incluido —responde Hoban con indiferencia—. Es un gasto insignificante. Esos detalles los resolverá la Casa Single sobre el terreno, de común acuerdo con Yevgueni Ivánovich y su organización.

—¡La persona nombrada somos *nosotros*, pues! —exclama Oliver, cayendo sagazmente en la cuenta.

—¡Qué inteligente eres, Oliver! —mascula Tiger.

La Propuesta Específica Número Dos de Hoban atañe al petróleo. Petróleo de Azerbaiyán, petróleo del Cáucaso, petróleo del mar Caspio, petróleo de Kazajstán. Más petróleo, comenta Hoban despreocupadamente, del que se encontraría en todo Kuwait e Irán juntos.

—Un nuevo El Dorado —susurra Massingham entre bastidores en una muestra de apoyo.

—Ese petróleo pertenece también al Estado, ¿vale? —explica Hoban—. Muchos pretendientes se han acercado a las más altas esferas del país solicitando concesiones y ha habido interesantes propuestas en lo concerniente a refinado, oleoductos, instalaciones portuarias, transporte, venta a países no socialistas, y comisiones. No se ha tomado ninguna decisión. Las altas esferas del país no gastan la pólvora en salvas. ¿Entiendes?

—Entendido —informa Oliver al estilo militar.

—En la zona de Bakú se emplean aún los antiguos métodos soviéticos de extracción y refinado —anuncia Hoban, leyendo sus notas—. Dichos métodos están completamente desfasados. En las altas esferas se ha decidido, por tanto, que para los intereses de la nueva economía de mercado soviética es preferible que la responsabilidad de la extracción se ceda a una compañía internacional. —Levanta el dedo índice de la mano izquierda por si Oliver no sabe contar—. Una sola. ¿Vale?

—Claro. Genial. Vale. Una sola.

—En exclusiva. La identidad de esta compañía internacional es una cuestión delicada, muy condicionada políticamente. Dicha compañía debe ser una *buena* compañía, receptiva respecto a las necesidades de toda

Rusia, también del Cáucaso. Debe ser una compañía *experta*. Debe ser una compañía —pronuncia las palabras como si fuesen una sola— de-probada-eficacia, y no un tenderete de tres al cuarto en manos de un grupo de pipiolos.

—Los gigantes del sector *aúllan* literalmente por llevarse el gato al agua, Oliver —explica Massingham con tono insinuante—. Los chinos, los indios, las multinacionales, los norteamericanos, los holandeses, los ingleses…, todos. Gastando suelas por los pasillos, enseñando los talonarios, repartiendo billetes de cien dólares como si fuesen confeti. Es un zoo.

—Eso parece —coincide Oliver con entusiasmo.

—En la selección de esa compañía internacional, se tendrá muy en cuenta el respeto a los diversos intereses particulares de todos y cada uno de los pueblos que habitan en la región del Cáucaso. Esa compañía internacional debe gozar de la confianza de dichos pueblos. Debe cooperar. Debe enriquecerlos a ellos, y no sólo a sí misma. Debe acomodarse a las exigencias de los *apparatchiks* de Azerbaiyán, Daguestán, Chechenia, Ingushia, Armenia —una mirada a Yevgueni—; debe complacer a la *nomenklatura* de Georgia. Las altas esferas del país tienen una relación muy especial con Georgia, una especial consideración. En Moscú se da máxima prioridad a la buena voluntad de la República de Georgia, por delante de las otras repúblicas. Eso es un hecho histórico. Es axiomático. —Consulta de nuevo sus notas antes de recurrir al resonante lugar común—. Georgia es la joya más preciada de la corona en la Unión Soviética. No hay vuelta de hoja.

Para sorpresa de Oliver, Tiger se apresura a corroborar esa afirmación.

—Perdona, Alix, en la corona de todo el mundo —asevera—. Un pequeño país *maravilloso*. ¿Me equivoco, Randy? Una comida, un vino, una fruta, una lengua maravillosos, bellas mujeres, un increíble paisaje, una literatura que se remonta a los tiempos del Diluvio. No hay otra tierra igual en el planeta.

Hoban no le presta la menor atención.

—Yevgueni Ivánovich ha vivido muchos años en Georgia. Yevgueni y Mijaíl Ivánovich estuvieron de niños en Georgia cuando su padre era comandante del Ejército Rojo en Senaki. Conservan muchos amigos en Georgia desde entonces. Ahora esos amigos son personas muy influyentes. Los hermanos pasan mucho tiempo en Georgia. Tienen una *dacha* en Georgia. Desde Moscú, Yevgueni ha desviado muchos favores hacia su querida Georgia. Yevgueni reúne por tanto todos los requisitos para reconciliar las necesidades de la nueva Unión Soviética con las necesidades y las tradiciones de la comunidad georgiana. Su presencia es una garantía de que los intereses del Cáucaso serán respetados. ¿Vale?

El haz de luz se posa nuevamente en Oliver. El auditorio entero se inclina hacia él, observando con atención sus reacciones.

—Vale —confirma con la debida diligencia.

—Por eso mismo, Moscú ha dictado unas disposiciones informales. Disposición A. En Moscú se otorgará una sola licencia para todo el petróleo del Cáucaso. Disposición B. Yevgueni Ivánovich designará personalmente al titular de dicha licencia. Disposición C. La licencia se sacará a licitación pública y formal entre varias compañías petrolíferas. *Sin embargo.* —Se interrumpe. Oliver respira hondo y el humo de tabaco lo coge desprevenido, pero se recupera—. Sin embargo, que se jodan. De manera informal y en privado, Moscú seleccionará al consorcio designado por Yevgueni Ivánovich y los suyos. Disposición D. Las condiciones impuestas al consorcio designado se calcularán en concepto de regalías sobre los yacimientos petrolíferos existentes en Azerbaiyán, tomando como referencia el rendimiento medio anual en los últimos cinco años. ¿Me sigues?

—Te sigo.

—Es muy importante recordar esto: los métodos de extracción soviéticos son una mierda. Tecnología deficiente, infraestructura deficiente, transporte deficiente, gerentes de pacotilla. Por lo tanto, la suma calculada será muy modesta en comparación con el resultado de una extracción eficaz mediante modernos métodos occidentales. Se basará en los rendimientos históricos, no en los futuros. Será una mínima parte de la producción futura. Dicha suma será aceptada por las altas esferas de Moscú en cuanto se efectúe el pago de los derechos de licencia. Disposición E. El total de los ingresos excedentes derivados de la futura extracción de petróleo serán propiedad de un consorcio del Cáucaso nombrado por Yevgueni Ivánovich y su organización. Se establecerá un contrato formal y privado en el momento de recibirse un pago al contado de treinta millones de dólares como anticipo. El resto de la comisión original estará en función de las futuras ganancias reales por acuerdo informal. Se negociará a su debido tiempo.

—Afortunadas las altas esferas del país —dice Massingham arrastrando las palabras y con voz permanentemente ronca, como si también él andase escaso de combustible—. Cincuenta millones por escribir su nombre un par de veces y luego a esperar las suculentas comisiones, no es mal negocio, diría yo.

La pregunta de Oliver surge espontáneamente. Ni el tono hosco ni la formulación agresiva son elección suya. Si pudiese retirarla, lo haría; pero ya es demasiado tarde. Un fantasma vagamente conocido se ha apoderado de él. Es lo que queda de su sentido de la legalidad después de tres meses enrolado en Casa Single.

—¿Puedo interrumpirte un segundo, Alix? ¿Dónde interviene Single exactamente? ¿Nos estáis pidiendo que paguemos cincuenta millones de dólares en sobornos?

Oliver tiene la sensación de que se le ha escapado un sonoro pedo en la iglesia mientras se desvanecen los últimos acordes del órgano. En el amplio despacho se produce un silencio de incredulidad. El ruido del tráfico de Curzon Street, seis pisos más abajo, ha cesado. Es Tiger quien, como padre suyo y socio principal de la firma, acude en su rescate. Emplea un afectuoso tono de enhorabuena.

—Una buena observación, Oliver, y valientemente planteada, si se me permite decirlo. Me siento impulsado, y no por vez primera, a admirar tu integridad. La Casa Single no soborna, claro está. No es eso lo que hacemos ni mucho menos. Si deben pagarse comisiones legítimas, se pagarán a criterio de nuestro socio en la zona, en este caso nuestro buen amigo Yevgueni, y con el debido respeto a las leyes y tradiciones del país en que opera dicho socio. Los detalles serán asunto suyo, no nuestro. Obviamente, si un socio anda escaso de fondos, ya que no todo el mundo puede echar mano a cincuenta millones de dólares de la noche a la mañana, Single estudiará la concesión de un préstamo para permitirle ejercer sus facultades discrecionales. Considero de vital importancia dejar claro este punto. Y has hecho bien en sacarlo a relucir, Oliver, en tu actual función de asesor jurídico. Te lo agradecemos, yo y todos los demás.

Massingham asesta el golpe mortal con una ronca aprobación:

—¡Bien dicho!

Entretanto Tiger inicia una suave transición que terminará en propagandística apología de la gran Casa Single.

—La misión de Single es decir sí donde otros dicen no, Oliver. Aportamos visión. Experiencia. Energía. Recursos. Allí donde impera el verdadero espíritu emprendedor. Yevgueni no está hipnotizado por el viejo Telón de Acero, nunca lo ha estado, ¿a que no, Yevgueni? —pregunta. A través del brumoso ambiente, con el rabillo del ojo, Oliver ve moverse en un gesto de negación la cabeza casi rapada de Yevgueni Orlov—. Actúa en nombre de Georgia. Ama la belleza y la cultura de Georgia. Georgia cuenta con algunas de las iglesias cristianas más antiguas del mundo. Probablemente no lo sabías, ¿verdad?

—Lo cierto es que no.

—Sueña con un Mercado Común del Cáucaso. También yo. Una nueva entidad comercial de grandes proporciones, basada en sus ingentes recursos naturales. Es un pionero, ¿no es así, Yevgueni? Como nosotros. Claro que lo es. Por favor, Randy, traduce. Bien hecho, Oliver. Estoy orgulloso de ti. Todos lo estamos.

—¿Tiene un nombre el consorcio? ¿Existe ya realmente? —pregunta Oliver mientras Massingham traduce.

—No, Oliver, todavía no —responde Tiger a través de su impermeable sonrisa—. Pero estoy seguro de que pronto existirá. Ten un poco de paciencia.

Sin embargo, aun mientras se desarrolla este inquietante diálogo —inquietante al menos para Oliver—, se siente atraído casi por gravitación en una dirección inesperada. Todos observan a Oliver, pero la mirada veterana y astuta de Yevgueni permanece fija en él como el cabo de un barco, tirando de él, tanteando su peso, formándose una opinión sobre él, y sin duda una opinión certera, de eso Oliver está convencido. Sin saber por qué, la buena voluntad de Yevgueni le resulta evidente. Más raro aún, Oliver tiene la sensación de estar reanudando una vieja y natural amistad. Ve a un niño en Georgia entusiasmado con todo aquello que lo rodea, y el niño es él mismo. Siente una gratitud incondicional por los favores que ni siquiera es consciente de haber recibido. Entretanto, Hoban habla de sangre.

Sangre de todos los grupos. Sangre común, sangre poco común, sangre en extremo infrecuente. El desequilibrio entre la demanda y la oferta mundiales. La sangre de todas las naciones. El valor monetario de la sangre, al por mayor y al detalle, por categorías, en los mercados médicos de Tokio, París, Berlín, Londres y Nueva York. Cómo analizar la sangre, cómo separar la sangre buena de la mala. Cómo enfriarla, embotellarla, congelarla, transportarla, almacenarla, conservarla. Los reglamentos referentes a su importación en los principales países industrializados de Occidente. Las normas de sanidad e higiene. Aduanas. ¿Por qué explica todo eso? ¿Por qué de pronto le atrae tanto la sangre? Tiger detesta la sangre en igual medida que el tabaco. Atenta contra sus principios de inmoralidad y contradice su pasión por el orden. Oliver conoce desde siempre esa aversión de su padre, viéndola unas veces como indicio de una sensibilidad oculta y otras como una debilidad despreciable. Al menor corte, la visión de una sola gota o su olor, la mera mención de la palabra «sangre», bastan para que sucumba al pánico. Gasson, su chófer, estuvo a punto de ser despedido por ofrecer ayuda en un sangriento accidente mientras su patrón, lívido, permanecía en el asiento trasero del Rolls-Royce ordenándole a gritos que siguiese adelante, adelante, adelante. Sin embargo hoy, a juzgar por su exultante expresión mientras escucha la monótona exposición de la Propuesta Específica Número Tres, no hay nada en el mundo que le guste tanto como la sangre. Y aquí se trata de sangre a chorros: sangre gratis del grifo gracias a los donantes rusos de corazón generoso, vendida al por menor a un precio de noventa y nueve dólares con noventa y cinco centavos el medio litro para los pacientes necesitados de Estados Unidos... y hablamos de una cantidad mínima de doscientos cincuenta mil litros semanales, ¿queda claro, Oliver? Hoban se vuelve humanitario. Lo demuestra adoptando un reverencial tono monocorde, pero también apretando los labios en una mueca de mojigatería y entornando los párpados. Los conflictos de Karabaj, Abkahzia y Tiflis, recita, han proporcionado a los hermanos Orlov una trágica percepción de las deficiencias de los deteriorados servicios médicos rusos. No dudan que la situación empeorará aún más. Por desgracia, la Unión Soviética no posee un servicio nacional de transfusiones, ni un programa de captación y distribución de sangre para nuestras muchas capitales asediadas, ni para su almacenaje. La mera idea de vender o comprar sangre es ajena a los más nobles sentimientos soviéticos. Los ciudadanos soviéticos están acostumbrados a donar sangre gratuita y voluntariamente, en momentos de especial empatía o patriotismo, no —Dios nos libre— con fines comerciales, dice Hoban, con una voz tan anémica que Oliver se pregunta si no le vendría bien a él mismo una transfusión.

—Por ejemplo, cuando el Ejército Rojo combate en un determinado frente, se solicitan donantes por la radio. Por ejemplo, en caso de una catástrofe natural, todos los vecinos de una aldea se ponen en fila para someterse a ese sacrificio. Si la crisis es de gran magnitud, el pueblo ruso suministrará mucha sangre. En la nueva Rusia se producirán numerosas crisis, y además las crisis pueden provocarse. Es axiomático.

¿Adónde quiere ir a parar con esta sarta de disparates?, piensa Oliver, pero le basta con echar un vistazo alrededor para darse cuenta de que nadie comparte su escepticismo. Tiger exhibe una amenazadora sonrisa como diciendo: Atrévete a hacerme una sola pregunta.

Yevgueni y Mijaíl están unidos en la oración, las manos cruzadas sobre el regazo, la cabeza gacha. Shalva escucha con un soñador aire de evocación, y Massingham con los ojos casi cerrados y las piernas extendidas hacia el fuego apagado.

—Por lo tanto, en las altas esferas se ha tomado la decisión política de crear bancos de sangre en las principales ciudades de la Unión Soviética —informa Hoban, que ya no habla como un pastor evangelista sino como un locutor gangoso de Radio Moscú dando las noticias una fría mañana.

Y Oliver sigue sin entender nada, pese a que alrededor suyo todos parecen saber exactamente adónde lleva aquello.

—Estupendo —musita a la defensiva, consciente de que es el blanco de la atención colectiva. Pero al cabo de unos segundos se sorprende cruzando de nuevo una mirada con Yevgueni, que ha ladeado y echado atrás la cabeza y, con el pétreo mentón en alto, lo escruta desde entre los flecos de sus largas pestañas.

—De acuerdo con este objetivo nacional, se recomendará a todas las repúblicas de la Unión Soviética que creen una unidad de almacenamiento de sangre en cada una de las ciudades designadas. Dicha unidad contendrá como mínimo… —el estado de confusión de Oliver respecto al proyecto le impide escuchar la cifra exacta— … litros de sangre de cada categoría. El Estado prevé ayudas para la financiación de este proyecto, sujetas a ciertos requisitos. El Estado también declarará la situación de crisis. En este mismo espíritu de reciprocidad —levanta un dedo blanco, reclamando atención—, cada república se verá obligada a enviar una cantidad estipulada de sangre para la reserva central de Moscú. Esto es axiomático. Las repúblicas que no aporten la cantidad estipulada de sangre a la reserva central no recibirán financiación. —Hoban adopta un tono trascendente, tan trascendente al menos como le permite su desafortunada voz—. Dicha reserva central se conocerá como Reserva de Sangre para Situaciones de Crisis. Será un banco de sangre modélico. En un edificio imponente. Nosotros elegiremos el edificio. Quizá con el tejado plano para permitir el aterrizaje de helicópteros. En este edificio habrá personal de guardia a todas horas para satisfacer cualquier demanda repentina que exceda los recursos de los servicios regionales, en cualquier lugar de la Unión Soviética. Por ejemplo, en caso de terremoto. Por ejemplo, en caso de un accidente industrial grave. Por ejemplo, en caso de un choque de trenes o una guerra menor. Por ejemplo, en caso de un atentado terrorista en Chechenia. La televisión emitirá un programa sobre este edificio. Aparecerán artículos en los periódicos. Este edificio será el orgullo de toda la Unión Soviética. Nadie se negará a donar sangre para este edificio, ni siquiera cuando se trate de pequeñas crisis, siempre que la crisis sea declarada por las altas esferas. ¿Me sigues, Oliver?

—Claro que te sigo. Hasta un niño lo entendería —prorrumpe Oliver. Pero, salvo él mismo, nadie ha notado su confusión. Ni tan sólo el viejo Yevgueni, la granítica cabeza apoyada en el granítico puño, ha oído su grito.

—Ahora bien —dice Hoban, salvo que, bajando por un instante la guardia lingüística, pronuncia la H como G, desliz que en cualquier otro momento hubiese arrancado a Oliver una discreta sonrisa—. Agora bien. Es ya obvio que los costes de explotación de la Reserva de Sangre para Situaciones de Crisis son prohibitivos para el Estado. El Estado soviético no tiene dinero. El Estado soviético debe aceptar los principios de la economía de mercado. Tengo, pues, una pregunta para ti, Oliver. ¿Cómo puede autofinanciarse la Reserva de Sangre para Situaciones de Crisis? ¿Cómo se conseguiría? ¿Cuál es tu particular propuesta específica a las altas esferas del país, por favor?

Las feroces miradas de los presentes se dirigen a él, la de Tiger la más feroz de todas. Exigiendo su aprobación, su beneplácito, su complicidad. Queriéndolo a bordo con su ética y sus ideales incluidos. Bajo esa presión colectiva, el rostro de Oliver se ensombrece. Se encoge de hombros, frunce el entrecejo en un gesto de obstinación, pero de nada le sirve.

—Vendiendo el excedente de sangre a los países occidentales, supongo.

—¡Sube un poco más el volumen, Oliver! —ordena Tiger.

—Digo que vendiendo la sangre sobrante a los países occidentales —repite, molesto—. ¿Por qué no? Al fin y al cabo, es una mercancía como cualquier otra. Sangre, petróleo, hierro viejo. ¿Qué diferencia hay?

Oliver se escucha y tiene la impresión de oír a alguien liberándose de sus cadenas. Sin embargo Hoban asiente ya con la cabeza, Massingham sonríe como un idiota, y Tiger luce su sonrisa más amplia y paternal del día.

—Una *perspicaz* sugerencia —declara Hoban, satisfecho de su elección de adjetivo—. Venderemos esa sangre. Oficialmente pero también en secreto. La venta será un secreto de Estado, autorizada por escrito en las más altas esferas de Moscú. El excedente de sangre será transportado a diario en un Boeing 747 con cámara frigorífica desde el aeropuerto de Sheremetyevo, en Moscú, hasta la costa Este de Estados Unidos. Los portes serán por cuenta de la compañía contratante. —Lleva anotadas las condiciones y las consulta a la vez que habla—. El transporte se llevará a cabo con la máxima reserva, eliminando cualquier publicidad negativa. En Rusia no debe oírse: «Vendemos nuestra sangre rusa a los vencedores imperialistas.» En Estados Unidos no es conveniente que se diga que los capitalistas norteamericanos están desangrando literalmente a las naciones pobres. Sería contraproducente. —Se humedece la yema blanca de un dedo con la lengua y pasa la hoja—. Suponiendo que sea posible mantener la mutua confidencialidad, este contrato será también suscrito por las altas esferas del país. Las condiciones serán las siguientes. Primera condición: el señor Yevgueni será representado por una persona nombrada por él mismo; ésa será su prerrogativa. La persona nombrada puede ser extranjera, puede ser occidental, puede ser norteamericana, eso a nadie le importa un carajo. La compañía de la persona nombrada no tendrá su sede en Moscú. Será una compañía *extranjera*. A ser posible, suiza. Inmediatamente después de la firma del contrato, se depositarán treinta millones de dólares en títulos al portador en un banco extranjero; los detalles serán acordados. ¿Quizá podáis sugerirnos un banco?

—Sin duda —susurra Tiger.

—Estos treinta millones de dólares se considerarán un anticipo sobre los beneficios futuros calculado al quince por ciento del beneficio bruto acumulado en favor de las personas nombradas por el señor Yevgueni Orlov. ¿Te gusta, Oliver? Te parece buen negocio, imagino.

A Oliver le gusta, lo detesta, le parece buen negocio, un negocio asqueroso, no un negocio sino un robo. Pero no tiene tiempo de expresar en palabras su repugnancia. Le falta edad, aplomo, rango, espacio.

—Como bien has dicho, Oliver, es una mercancía como otra cualquiera —afirma Tiger.

—Supongo.

—Te noto preocupado. No hay razón para ello. Aquí estás entre amigos. Formas parte del equipo. Manifiesta tus dudas.

—Pensaba en el análisis de la sangre y esas cosas —masculla Oliver.

—Buena observación. Bien está que lo tengas en cuenta. No nos interesa en absoluto que unos cuantos santurrones de la prensa nos acusen de traficar con sangre contaminada. De modo que me complace aclararte que las pruebas, la clasificación, la selección…, todos esos problemas, no representan un obstáculo en estos tiempos. A lo sumo atrasan unas horas el envío. Aumentan los gastos generales, pero lógicamente el coste está incluido en el cálculo del precio final. Probablemente la mejor solución sería realizar esas pruebas durante el vuelo. Se ahorraría tiempo y se evitarían más manipulaciones de las necesarias. Lo estamos estudiando. ¿Te preocupa algún otro detalle?

—Bueno, está el… en fin…, la visión más amplia, supongo.

—¿De qué?

—Bueno…, ya sabes…, como ha dicho Alix, la venta de sangre rusa a los países ricos de Occidente, los capitalistas viviendo de la sangre de los campesinos.

—Una vez más debo darte la razón, y en efecto tomaremos todas las precauciones. La parte buena es que Yevgueni y sus amigos están tan resueltos como nosotros a mantener la operación en secreto. La parte mala es que tarde o temprano todo se sabe. Adopta una actitud positiva, ésa es la clave. Contraataca. Ten preparadas las respuestas y expónlas de manera convincente. —Extiende el brazo como un predicador callejero y añade un temblor a la voz—. «¡Vale más comerciar con la sangre que derramarla! ¿Qué mejor símbolo podría haber de reconciliación y coexistencia que una nación donando sangre a su antiguo enemigo?» ¿Qué tal suena?

—Pero no la *donan*, ¿no? Bueno, los donantes sí, pero eso es distinto.

—¿Preferirías, pues, que nos llevásemos su sangre de balde?

—No, claro que no.

—¿Preferirías que la Unión Soviética no dispusiese de un servicio nacional de transfusiones?

—No.

—No sabemos qué hacen los amigos de Yevgueni con su comisión… ni nos interesa. Podrían dedicarla a construir hospitales, a mejorar los servicios sanitarios para los enfermos. ¿Qué podría ser más ético que eso?

Massingham plantea lo que él llama el quid.

—Haz la suma, Ollie, muchacho. Estamos hablando de una propina inicial de ochenta millones por las tres propuestas específicas —calcula con elegante despreocupación—. Supongo… son puras cábalas, no estoy seguro… que alguien que pide ochenta millones estará dispuesto a redondearlos en setenta y cinco. Aun tratándose de las altas esferas del país, setenta y cinco millones es una suma considerable. Otra cuestión es a quién invitaremos a sentarse a la mesa. Visto desde este lado, será como repartir lingotes de oro.

Almuerzo en el Kat's Cradle de South Audley Street, presentado en las crónicas de sociedad como el club privado que ni siquiera tú te puedes permitir. Pero Tiger sí puede permitírselo. Tiger es el dueño, y es dueño también de Kat, la gerente, y es dueño de ella desde hace más tiempo del que se permite creer a Oliver. Luce el sol, y el paseo hasta la esquina se prolonga tres minutos completos, con Tiger y Yevgueni a la cabeza, Oliver y Mijaíl en segunda posición, el resto detrás y Alix Hoban cerrando la marcha, hablando quedamente en ruso por un teléfono móvil, cosa que, como Oliver empieza a observar, complace mucho a Hoban. Doblan la esquina. Rolls-Royces con sus respectivos chóferes aguardan como un cortejo de la mafia junto a la acera. Una puerta pintada de negro, cerrada, sin rótulo alguno, se abre cuando Tiger hace ademán de llamar al timbre. La famosa mesa redonda situada en el saliente del balcón acristalado está ya preparada para ellos; los camareros, con chaquetas de color cereza pálido, empujan carritos de plata; halagos y susurros; unas cuantas parejas, hombres con sus queridas, observan desde la seguridad de sus rincones. Katrina, cuyo nombre lleva el establecimiento, es pícara, elegante y eternamente joven, como corresponde a una buena querida. Se coloca junto a Tiger, rozándole el hombro con la cadera.

—No, Yevgueni, hoy no tomarás vodka —dice Tiger hacia la mesa—; tomará un Château Yquem con el foie-gras, Kat, y un Château Palmer con el cordero, y una copa de Armagnac de hace mil años acompañando el café, y ni una gota de vodka. Amaestraré al Oso aunque sea lo último que haga. Y unos cócteles de champán mientras esperamos.

—¿Y qué para el pobre Mijaíl? —protesta Katrina, quien, con ayuda de Massingham, se ha aprendido de memoria los nombres de todos ellos antes de su llegada—. Parece que lleva años sin probar una comida como Dios manda, ¿verdad, cariño?

—A Mijaíl le gusta la carne de vaca, me juego algo —insiste Tiger mientras Massingham traduce todo aquello que considera oportuno—. Pregúntale si quiere ternera, Randy, y dile que no se crea una sola palabra de lo que cuentan los periódicos. La carne de las vacas inglesas sigue siendo la mejor del mundo. Lo mismo para Shalva, ya es hora de que disfrute un poco de la vida. Y Alix, por favor, guarda ya ese teléfono; es norma de la casa. A él sírvele una langosta. ¿Te gusta la langosta, Alix? ¿Qué tal está hoy la langosta, Kat?

—¿Y qué comerá *Oliver*? —pregunta Kat, volviendo hacia él su mirada alegre y eternamente joven y dejándola ahí como un regalo para que Oliver juegue con ella a su antojo—. Sea lo que sea, no habrá suficiente —contesta por él para hacerle subir los colores.

Kat nunca ha escondido el placer que le causa la presencia del joven y viril hijo de Tiger. Cada vez que Oliver entra en el Cradle, lo contempla como a un cuadro de valor incalculable que desease poseer.

Cuando Oliver se dispone a responder, se desata una repentina agitación en el restaurante. Sentándose al piano blanco, Yevgueni ha acometido un desenfrenado preludio que evoca montañas, ríos, danzas y —si Oliver no se equivoca— cargas de caballería. Al instante Mijaíl se planta en el centro de la pequeña pista de baile con la mística mirada de sus ojos hundidos fija en las puertas de la cocina. Yevgueni empieza a cantar una lamentación campesina mientras Mijaíl mueve lentamente los brazos y añade el estribillo de fondo. De manera espontánea, Kat enlaza el brazo al de Mijaíl e imita sus movimientos. Su canto galopa montaña arriba, alcanza la cima y desciende lánguidamente. Ajenos a los murmullos de estupefacción, los hermanos vuelven a sentarse a la mesa y Kat comienza a aplaudir.

—¿Era eso música de Georgia? —pregunta Oliver a Yevgueni tímidamente, por mediación de Massingham, cuando remiten las palmas.

Pero Yevgueni, resulta, tiene menos necesidad de intérprete de lo que aparenta.

—De Georgia no, Oliver, de Mingrelia —dice con un potente gruñido ruso que resuena en todo el comedor—. El pueblo de Mingrelia conserva la pureza. Otros pueblos georgianos han padecido tantas invasiones que no saben si sus abuelas fueron violadas por turcos, daguestaníes o persas. Los mingrelianos son un pueblo inteligente. Protegen sus valles. Encierran bajo llave a sus mujeres. Las dejan antes embarazadas. Tienen el pelo castaño, no negro.

Vuelve a su ritmo normal el majestuoso bullicio del

restaurante. Con su habitual locuacidad, Tiger propone un primer brindis.

—Por nuestros valles, Yevgueni. Los vuestros y los nuestros. Prosperidad para todos ellos, por separado pero unidos. Y que esa prosperidad os beneficie a ti y a tu familia. Te lo deseo como socio, de buena fe.

Son las cuatro de la tarde. Padre e hijo caminan del brazo tranquilamente por la soleada acera, sumidos en la somnolencia posterior al almuerzo, mientras Massingham acompaña al grupo al Savoy para descansar un rato antes de las celebraciones de la noche.

—Para Yevgueni la familia es lo más importante —musita Tiger—. Como para mí. Como para ti. —Apretón en el brazo—. En Moscú, los georgianos forman una piña. Yevgueni les da apoyo, se le abren todas las puertas. Es un hombre encantador. No tiene un solo enemigo en el mundo. —No es corriente que padre e hijo permanezcan tanto rato en contacto físico. Dada la notable diferencia de estaturas, es difícil encontrar una manera de cogerse cómoda para ambos, pero esta vez la han encontrado—. Es bastante desconfiado con la gente. Y ya somos dos. Desconfía también de los objetos: los ordenadores, el teléfono, el fax. Dice que confía sólo en lo que tiene en la cabeza. Y en ti.

—¿En *mí*?

—Los Orlov valoran mucho los lazos familiares. Todo el mundo lo sabe. Les gustan los padres, los hermanos, los hijos. Si uno le envía a su hijo, lo interpreta como garantía de buena fe. Por eso me he librado hoy de Winser. Es ya hora de que ocupes el lugar que te corresponde.

—Pero ¿y Massingham? Él los ha conseguido, ¿no?

—Es mejor el hijo. Randy no sale perjudicado, y todos preferimos tenerlo de nuestro lado a tenerlo en contra —responde Tiger. Oliver hace ademán de retirar el brazo, pero su padre lo mantiene atrapado—. Considerando en qué mundo se han criado, es comprensible esa desconfianza. Un Estado policial, todos delatándose entre sí, pelotones de fusilamiento..., un ambiente así hace reservada a la gente. Los propios hermanos pasaron un tiempo en la cárcel, me ha contado Randy. Al salir, conocían a la mitad de los futuros altos cargos de Rusia. Mejor que Eton, por lo que se ve. Habrá que redactar contratos, claro está. Acuerdos secundarios. Simplifica al máximo, ése es el mensaje. Un inglés jurídico básico para extranjeros. A Yevgueni le gusta entender lo que firma. ¿Podrás encargarte de eso?

—Eso creo.

—Está muy verde respecto a muchas cosas, como no podría ser de otro modo. Tendrás que dárselo todo mascado, enseñarle las pautas occidentales. Detesta a los abogados y no sabe nada de bancos. ¿Cómo iba a saber si allí no hay bancos?

—Imposible, claro —responde Oliver con actitud obsecuente.

—Esa pobre gente tiene aún que aprender el valor del dinero. Allí los privilegios eran hasta la fecha la moneda corriente. Si jugaban bien sus cartas, conseguían todo lo que querían: casas, comida, colegios, vacaciones, hospitales, coches..., todos los privilegios. Ahora, para darse esos mismos gustos, han de pagarlos en metálico. Las reglas de juego son distintas. Se requiere otra clase de jugadores.

Oliver sonríe y oye música en su corazón.

—¿Trato hecho, pues? —propone Tiger—. Tú te ocupas de los detalles prácticos, y yo llevo el peso de la negociación. A lo sumo nos llevará un año.

—¿Y qué ocurrirá pasado ese año?

Tiger se echa a reír. Es una risa sincera, ufana, amoral e infrecuente del West End, que Tiger deja escapar a la vez que suelta el brazo de Oliver y le da unas afectuosas palmadas en el hombro.

—¿Dado el veinte por ciento del beneficio bruto? —pregunta todavía entre risas—. ¿Qué crees tú que ocurrirá? Dentro de un año habremos acabado con todos los problemas de ese viejo diablo.

8

Oliver se halla en vuelo cautivo.

Si alguna duda albergaba sobre la conveniencia de incorporarse al negocio de su padre, los dorados meses del verano de 1991 le dan la respuesta. Esto es vida. Esto es estar bien conectado. Esto es formar parte del equipo a un nivel que hasta entonces no era más que un sueño. Cuando el Tigre salta —como les gusta decir a los articulistas de las páginas de economía, jugando con el apodo de su padre—, los hombres de menor valía le abren paso. Ahora el Tigre salta como nunca. Dividiendo a su personal directivo en unidades operativas, asigna a Massingham, su mariscal de campo, la sección Petróleo & Acero, lo cual no satisface en absoluto a Massingham, que preferiría la secundaria sección Sangre. Al igual que Tiger, ha visto dónde residen las ganancias más suculentas, que es el motivo por el que Tiger se ha reservado la sangre para él. Dos o tres veces al mes se lo encuentra en Washington, Filadelfia o Nueva York, a menudo acompañado de Oliver. Con un respeto rayano en temor, Oliver observa a su padre mientras éste encandila con sus dotes de persuasión a senadores, representantes de los grupos de presión y funcionarios de sanidad. Escuchando sus argumentos de venta, uno casi no cae en la cuenta de que la sangre procede de

Rusia. Es *europea* —¿o acaso no se extiende Europa desde la península Ibérica hasta los Urales?—; es *caucásica*; es —más embarazoso aún para las susceptibilidades de Oliver que a duras penas sobreviven— *caucásica blanca*; es el *excedente una vez cubiertas las necesidades europeas*. Por lo demás, se limita arteramente a cuestiones tan poco controvertidas como los permisos de desembarque, la clasificación, el almacenaje, las exenciones aduaneras, los futuros envíos y la implantación de personal móvil para supervisar la operación. Pero si en el punto de llegada la sangre rusa cuenta con todas las garantías, ¿qué ocurre en el punto de salida?

—Es hora de hacer una visita a Yevgueni —ordena Tiger, y Oliver emprende viaje en busca de su nuevo héroe.

Aeropuerto de Sheremetyevo, Moscú, 1991, en una espléndida tarde de verano, la primera de Oliver en la Madre Rusia. En la terminal de llegadas, al verse ante las sombrías colas y los ceñudos policías de aduanas, sucumbe a una momentánea inquietud, hasta que localiza a Yevgueni en persona, caminando hacia él con gritos de alegría seguido de una cuadrilla de dóciles agentes. Rodea completamente a Oliver con sus enormes brazos, aprieta su rasposa mejilla contra la de él. Un olor a ajo e instantes después también el sabor, cuando el viejo planta un tercer beso tradicional ruso en la boca atónita de Oliver. En un abrir y cerrar de ojos le sellan el pasaporte, sacan su equipaje por una puerta lateral, y Oliver y Yevgueni se hallan reclinados en el asiento trasero de un Zil negro conducido ni más ni menos que por el hermano de Yevgueni, Mijaíl, que hoy no viste un traje negro arrugado, sino unas botas de caña alta, pantalón militar y una cazadora de cuero bajo la cual Oliver alcanza a ver la empuñadura negra de una pistola automática de tamaño familiar. Los precede una moto de la policía y los siguen un Volga con dos hombres de cabello oscuro.

—Mis hijos —explica Yevgueni, guiñando un ojo.

Pero Oliver sabe que no lo dice en sentido literal, porque Yevgueni, para su pesar, tiene sólo hijas. El hotel de Oliver es un pastel nupcial blanco en el centro de la ciudad. Se registra, y continúan el viaje en coche por calles anchas y llenas de baches, entre gigantescos bloques de apartamentos, hasta una zona arbolada de las afueras con casas individuales medio ocultas y vigiladas por cámaras de seguridad y policías de uniforme. Una verja de hierro se abre ante ellos, la escolta desaparece, y entran en el patio de grava de una mansión cubierta de hiedra en la que se congregan niños ruidosos, *babushkas,* humo de tabaco, teléfonos sonando, televisores enormes, una mesa de pimpón, todo en movimiento. Shalva, el abogado, lo saluda en el vestíbulo. Está allí una prima ruborosa llamada Olga que es «ayudante particular del señor Yevgueni»; está un sobrino llamado Igor que es gordo y jovial; están la esposa georgiana de Yevgueni, Tinatin, benévola y mayestática, y tres —no, cuatro— hijas, todas crecidas, casadas y un poco fatigadas, y la más bella y malhadada es Zoya, a quien Oliver, con dolorosa conciencia de ello, toma cariño en el acto. La neurosis femenina es su perdición. Y si a eso añadimos una fina cintura, caderas anchas y maternales, y unos ojos castaños y grandes de mirada inconsolable, Oliver no tiene ya escapatoria. Tiene en brazos a un bebé llamado Paul tan circunspecto como ella. Sus cuatro ojos examinan a Oliver en melancólica complicidad.

—Eres muy atractivo —declara Zoya con igual tristeza que si anunciase una defunción—. Posees la belleza de la irregularidad. ¿Eres poeta?

—Sólo abogado, lamentablemente.

—La ley es también un sueño. ¿Has venido a comprar nuestra sangre?

—He venido a haceros ricos.

—Bienvenido seas —declama con la intensidad de una gran actriz trágica.

Oliver ha traído unos documentos para que Yevgueni los firme y una carta personal cerrada de Tiger, pero... «¡Todavía no, todavía no, primero te enseñaré mi caballo!» ¡Y claro que quiere verlo! El caballo de Yevgueni es una flamante motocicleta BMW que se yergue, mimada y lustrosa, sobre una alfombra oriental rosa en medio de un salón. Con toda la familia apiñada en la puerta —si bien Oliver ve principalmente a Zoya—, Yevgueni se descalza, se encarama a lomos de la bestia, apoya el trasero en el sillín, arquea los pies en torno a los pedales y revoluciona el motor al máximo. Luego desmonta y despide destellos de placer por entre las pestañas pegoteadas.

—¡Ahora tú, Oliver! ¡Tú! ¡Tú!

Observado por un clamoroso público, el heredero forzoso de la Casa Single entrega a Shalva su chaqueta a medida y su corbata de seda y salta sobre el sillín en relevo de Yevgueni. Acto seguido, para demostrar lo buen chico que es, hace temblar el edificio hasta los cimientos. Zoya es la única que no disfruta con el espectáculo. Mirando con malos ojos esa encarnación del desastre ecológico, estrecha a Paul contra su pecho y le tapa el oído. Lleva el pelo alborotado, viste con desaliño y tiene los hombros sólidos y bien torneados de una madre cortesana. Está sola y perdida en la gran ciudad de la vida, y Oliver ya se ha proclamado su policía, protector y compañero espiritual.

—En Rusia tenemos que cabalgar deprisa para quedarnos en el mismo sitio —informa Zoya a Oliver mientras se hace el nudo de la corbata—. Así que es normal.

—¿Y en Inglaterra? —pregunta él, y deja escapar una carcajada.

—Tú no eres inglés. Naciste en Siberia. No vendas tu sangre.

El despacho de Yevgueni es un remanso de paz. Es un anexo a la mansión con las paredes forradas de acogedora madera y el techo alto, quizá un establo en otro tiempo. No penetra el menor sonido del exterior. Los suntuosos muebles antiguos de abedul resplandecen con una intensidad entre marrón y dorada.

—Del museo de San Petersburgo —explica Yevgueni, acariciando un enorme escritorio con la palma de la mano. Al estallar la revolución, el museo fue saqueado y la colección se dispersó por toda la Unión Soviética. Yevgueni le siguió la pista a esos muebles durante años, cuenta. Luego, para restaurarlos, buscó a un ex recluso octogenario que había cumplido condena en Siberia—. Los llamamos *Karelka* —dice con orgullo—. Eran los preferidos de Catalina la Grande.

En las paredes cuelgan fotografías de hombres que Oliver por algún motivo sabe que están muertos y diplomas enmarcados e ilustrados con dibujos de barcos en alta mar. Oliver y Yevgueni se sientan en las butacas de Catalina la Grande bajo una araña de hierro artúrica. Con su viejo rostro tallado en roca, sus gafas con montura de oro y su habano, Yevgueni es el buen consejero y poderoso amigo que todos desean. Shalva, el sacerdotal abogado, sonríe y fuma sus cigarrillos. Oliver ha traído acuerdos redactados por Winser y reescritos por Oliver en un inglés asequible. Massingham los ha traducido al ruso. Desde un extremo de la mesa Mijaíl observa con la atención de los sordos, devorando con sus ojos abisales palabras que no oye. Shalva se dirige a Yevgueni en georgiano. Mientras habla, la puerta se cierra, lo cual sorprende a Oliver, ya que no estaba abierta. Vuelve la cabeza y ve a Alix Hoban plantado junto a la puerta como un esbirro que tiene prohibido avanzar a menos que se le ordene. Yevgueni hace callar a Shalva, se quita las gafas y se dirige a Oliver.

—¿Confías en mí? —pregunta.

—Sí.

—¿Y tu padre? ¿Confía en mí?

—Por supuesto.

—Entonces nosotros también confiamos en vosotros —declara Yevgueni y, desestimando las objeciones de Shalva con un gesto, firma los documentos y los desliza sobre la mesa para que Mijaíl firme también. Shalva se pone en pie y, colocándose al lado de Mijaíl, le indica dónde. Despacio, realizando un supremo esfuerzo en cada letra, Mijaíl graba trabajosamente su nombre. Hoban se acerca, ofreciéndose como testigo. Firman con tinta mientras Oliver piensa en sangre.

En una bodega con el suelo de piedra, se asan brochetas de cerdo y cordero en el fuego de leña de la chimenea abierta. Unas setas con ajo crepitan sobre ladrillos huecos. Hay hogazas de pan de queso georgiano amontonadas en platos de madera. Oliver debe llamarlas *khachapuri,* dice Tinatin, la esposa de Yevgueni. Para beber, sacan un tinto dulce que, según proclama Yevgueni misteriosamente, es vino casero de Belén. En la mesa de abedul, van apilándose precariamente bandejas de caviar, embutidos ahumados, patas de pollo picantes, trucha marina ahumada, aceitunas y tarta de almendras hasta que no queda a la vista un solo centímetro cuadrado de su superficie primorosamente abrillantada. Yevgueni y Oliver ocupan los extremos de la mesa. Entre ellos están sentadas las hijas de opulentos pechos, todas con sus taciturnos maridos menos Zoya, que languidece en un favorecedor aislamiento con el pequeño Paul sobre una rodilla, dándole de comer como si fuese un enfermo y desviando la cuchara sólo alguna que otra vez hacia sus propios labios, carnosos y sin pintar. Pero en la imaginación de Oliver sus ojos oscuros permanecen fijos en él eternamente, como lo están los de él en ella, y el niño es una mera prolongación de su etérea soledad. Habiéndosela representado primero como modelo de Rembrandt y luego como heroína de Chéjov, se indigna al verla levantar la cabeza y fruncir el entrecejo en conyugal desaprobación cuando entra Alix Hoban con su teléfono móvil entre dos jóvenes trajeados de rostro pétreo, la besa de manera rutinaria en el mismo hombro en que Oliver, imaginariamente, había plantado hacía unos instantes sus apasionados besos, pellizca la mejilla de Paul de modo tal que el niño da un respingo de dolor, y se sienta junto a ella sin interrumpir su conversación telefónica.

—¿Habías coincidido ya antes con mi marido, Oliver? —pregunta Zoya.

—Sí, claro, varias veces.

—Yo también —dice ella enigmáticamente.

Separados por la larga mesa, Oliver y Yevgueni brindan repetidamente. Han brindado por Tiger, han bebido por sus respectivas familias, por su salud, por su prosperidad y, pese a ser aún los tiempos del comunismo, también por los muertos que Dios ha acogido en su gloria.

—¡Me llamarás Yevgueni, y yo te llamaré Cartero! —brama Yevgueni—. ¿Te molesta que te llame Cartero?

—¡Llámame como quieras, Yevgueni!

—Soy tu amigo. Soy Yevgueni. ¿Sabes qué significa Yevgueni?

—No.

—Significa «noble». Quiere decir que soy una persona especial. ¿Tú también eres una persona especial?

—Me gustaría creerlo.

Otro bramido. Se traen copas de plata labrada y se llenan hasta el borde de vino casero de Belén.

—¡Por la gente especial! ¡Por Tiger y su hijo! ¡Os queremos! ¿Vosotros también nos queréis?

—Mucho.

Oliver y los hermanos brindan por su amistad apurando las copas de un trago y volviéndolas luego boca abajo para demostrar que están vacías.

—¡Ahora eres un verdadero mingrelio! —anuncia Yevgueni, y Oliver percibe una vez más la mirada de reproche de Zoya.

Pero en esta ocasión Hoban también la advierte, que quizá es lo que Zoya quiere, porque él suelta una ronca carcajada y le dice algo entre dientes, a lo que ella responde con una risa cáustica.

—Mi marido está muy contento de que hayas venido a Moscú para ayudarnos —explica Zoya—. Le gusta mucho la sangre. Es su *métier*. ¿Decís *métier*?

—Pues no.

A altas horas de la noche, partida de billar en el sótano bajo los efectos del alcohol. Mijaíl es director técnico y árbitro, el cerebro que planea las tacadas de Yevgueni. Shalva observa desde un rincón; desde otro, Hoban, con altiva mirada, sigue el juego sin perderse detalle mientras parlotea por el teléfono móvil. ¿Con quién habla en tono tan almibarado? ¿Con su querida? ¿Su agente de bolsa? Oliver no lo cree. Se imagina a hombres ocultos en las sombras como el propio Hoban, en portales oscuros y con ropa oscura, esperando a oír la voz de su jefe. Los tacos revestidos de latón no tienen suela. Las bolas amarillentas apenas caben en las troneras demasiado sesgadas. La mesa está inclinada; el tapete muestra los rotos y bolsas de anteriores juergas, y las bandas suenan a lata cada vez que golpea una bola. Cuando un jugador acierta a meter una bola, cosa infrecuente, Mijaíl da el tanteo vociferando en georgiano y Hoban, con desdén, lo traduce al inglés. Cuando Yevgueni falla un tiro, cosa frecuente, Mijaíl profiere un inflamado juramento caucasiano contra la bola, la mesa o la banda, pero nunca contra el hermano que adora. En cambio, el desprecio de Hoban aumenta con cada nueva demostración de incompetencia por parte de su suegro: la profunda inhalación de aire como un gesto de dolor contenido, la fantasmal mueca de sorna en los finos labios que continúan hablando por el teléfono móvil. Aparece Tinatin y, con una delicadeza que conmueve a Oliver, obliga a Yevgueni a acostarse. Un chófer espera para llevar a Oliver al hotel. Shalva lo acompaña hasta el Zil. Antes de entrar, Oliver se vuelve para echar una mirada afectuosa a la casa y ve a Zoya, sin niño y sin sujetador, que lo observa desde una ventana del piso superior.

A la mañana siguiente, bajo un cielo parcialmente nublado, Yevgueni lleva a Oliver a conocer a algunos buenos georgianos. Con Mijaíl al volante, visitan un edificio gris tras otro. En el primero, los guían por un pasadizo medieval que huele a hierro viejo, ¿o es quizá sangre? En el siguiente los abraza y les ofrece café dulce una vieja reliquia de los tiempos de Bréznev, de setenta años y ojos de lagarto, que guarda su gran escritorio negro como si fuese un monumento a los caídos.

—¿Eres el hijo de Tiger?

—Sí.

—¿Cómo es posible que un tipo tan pequeño dé hijos tan grandes?

—Según he oído decir, tiene una receta.

Una carcajada estentórea.

—¿Cuál es su hándicap últimamente?

—Doce, me han dicho —contesta Oliver, aunque nadie le ha dicho tal cosa.

—Hazle saber que Dato tiene el once. Se pondrá como una fiera.

—Se lo diré.

—¡Una receta! ¡Ésa sí que es buena!

Y el sobre que nunca se menciona: el sobre azul grisáceo, grande, resistente que Yevgueni saca como por arte de magia de su maletín y desliza sobre el escritorio mientras la conversación versa acerca de asuntos más alegres. Y el untuoso vistazo de Dato al registrar el paso del sobre y negarse a la vez a admitir su existencia. ¿Qué contiene? ¿Copias del acuerdo que Yevgueni firmó ayer? Es demasiado grueso. ¿Un fajo de billetes? Es demasiado delgado. ¿Y qué es este edificio? ¿El Ministerio de la Sangre? ¿Y quién es Dato?

—Dato es de Mingrelia —declara Yevgueni con satisfacción.

En el coche, Mijaíl pasa lentamente las hojas de un cómic norteamericano pirateado. Una duda asalta la mente de Oliver y su rostro no la disimula a tiempo: ¿Sabe leer Mijaíl?

—Mijaíl es un genio —gruñe Yevgueni tal como si Oliver hubiese formulado la pregunta en voz alta.

Entran en un ático repleto de acicaladas secretarias, como las de Tiger pero de mejor ver, e hileras de ordenadores que muestran la información bursátil de todo el mundo. Los recibe un joven esbelto que se llama Iván y viste un traje italiano. Yevgueni entrega a Iván un sobre idéntico al anterior.

—¿Y cómo va la vida en la vieja Inglaterra? —pregunta Iván en una versión apática del inglés de Oxford de los años treinta.

Una bonita muchacha coloca una bandeja con camparis en un aparador de palo de rosa que parece haber residido también en el museo de San Petersburgo en el pasado.

—Chin-chin —dice Iván.

Llegan a un hotel de estilo occidental a un paso de la Plaza Roja. Policías de paisano montan guardia ante las puertas de vaivén, fuentes rosadas adornan el vestíbulo, el ascensor está iluminado por una araña de cristal. En la segunda planta, unas crupiers con escotados vestidos los observan desde las ruletas vacías. Deteniéndose frente a una puerta marcada con el número 222, Yevgueni toca el timbre. Abre Hoban. En una sala circular llena de humo de tabaco, aguarda sentado en una butaca dorada un hombre de unos treinta años, barbudo y adusto, llamado Stepan. Ante él hay una mesita de centro dorada. Yevgueni deja el maletín sobre ella. Como siempre, Hoban observa.

—¿Ha conseguido ya Massingham esos Jumbos de mierda? —pregunta Stepan a Oliver.

—Mis noticias al salir de Londres eran que está todo listo para empezar en cuanto concluyan aquí los preparativos —contesta Oliver con distante formalidad.

—¿Eres hijo de un embajador inglés o qué carajo eres?

Yevgueni se dirige a Stepan en georgiano. Emplea un tono admonitorio y firme. Stepan se levanta a regañadientes y tiende la mano.

—Encantado de conocerte, Oliver. Somos hermanos de sangre, ¿de acuerdo?

—De acuerdo —asiente Oliver.

Una risa estridente y siniestra que a Oliver no le gusta en absoluto resuena en sus oídos durante todo el camino de regreso a su hotel.

—La próxima vez que vengas, te llevaremos a Belén —promete Yevgueni a Oliver cuando se abrazan una vez más.

Oliver sube a su habitación para preparar las maletas. Sobre la almohada, encuentra un paquete envuelto en papel de tela marrón, junto con un sobre. Abre el sobre. La carta está escrita con el mismo esmero que si fuese una prueba de caligrafía, y Oliver tiene la sensación de que se han redactado varios borradores antes de llegar a una versión aceptable.

Oliver, tienes un corazón puro. Lamentablemente, finges todo lo que haces. Por lo tanto, no eres nada. Te quiero.

ZOYA.

Abre el paquete. Contiene una caja negra lacada de las que venden en cualquier tienda de recuerdos. Dentro hay un corazón, recortado en papel de seda de color albaricoque. No está manchado de sangre.

Para ir a Belén, uno se ve obligado a abandonar su avión de British Airways en cuanto se detiene en la pista de estacionamiento del aeropuerto de Sheremetyevo, cumplimentar a toda prisa los trámites de aduana con la colaboración de otra cuadrilla de serviciales agentes de inmigración, y transbordar a un bimotor Ilyushin, con emblemas de Aeroflot pero sin pasajeros desconocidos, que aguarda impaciente para emprender el vuelo hacia Tiflis, en Georgia. A bordo se halla el clan familiar de Yevgueni, y Oliver los saluda en bloque, con abrazos a los más próximos y gestos a los más alejados, y en el caso de Zoya —que es la más alejada de todos, sentada con Paul en un rincón de la cola, mientras su marido y Shalva ocupan los asientos delanteros— con un insulso gesto de relativa familiaridad dando a entender que bueno, sí, ahora que lo piensa, cómo no, claro que la reconoce.

En Tiflis existen muchas probabilidades de llegar en medio de un violento vendaval que hace oscilar las alas y arroja contra el pasaje arenilla e inmundicias mientras corre hacia la terminal en busca de refugio. Por lo demás, se prescinde de toda formalidad, a no ser que se considere como tal la presencia de la mitad de los hombres respetables de la ciudad vestidos con sus mejores trajes y un pequeño mediador llamado Temur quien, como todos en Georgia, es primo, sobrino, o ahijado de Tinatin, o como mínimo hijo de su más íntima amiga del colegio. Café y coñac y una pirámide de comida lo esperan a uno en la sala de VIPS, brindis y más brindis antes de seguir camino. Un convoy de Zils negros, una escolta de motoristas y un camión en retaguardia con soldados de las fuerzas especiales uniformados de negro lo hacen desaparecer a uno a velocidad de vértigo, sin la protección de los cinturones de seguridad, rumbo al oeste a través de un imponente macizo montañoso, hacia la tierra prometida de Mingrelia, cuyos habitantes tienen la inteligencia de dejar embarazadas a sus mujeres antes que los invasores para poder así jactarse de poseer la sangre más pura de Georgia, un legítimo derecho que Yevgueni le recuerda alegremente mientras el Zil avanza por tortuosas carreteras esquivando perros vagabundos, ovejas, cerdos pintos con collares triangulares de madera, mulas de carga, camiones en sentido contrario y enormes socavones. Todo ello con un ánimo de euforia infantil avivado por frecuentes tragos de vino y del whisky de malta libre de impuestos que ha comprado Oliver, pero también por la certidumbre de que, tras meses de estratagemas, las tres Propuestas Específicas quedarán firmadas, pagadas y servidas en cualquier momento de los próximos días. ¿Y no es éste acaso el protectorado personal de Yevgueni, el hogar de su juventud? ¿No exige cada mojón de la peligrosa carretera que las perfecciones de la región sean señaladas, compartidas y admiradas por la esposa de Yevgueni, Tinatin, y por su hermano, al volante, y en especial por el propio Oliver, el sagrado huésped para quien todo aquello es nuevo?

Detrás de ellos, en otro coche, viajan dos de las hijas de Yevgueni, y una de ellas es Zoya, que lleva a Paul sentado en el regazo, sujeto por la cintura, y sus mejillas se rozan a cada bache y cada curva. E incluso con la nuca percibe Oliver que la melancolía de Zoya es sólo por él y sabe que no debería haber venido, que debería haber dejado ese trabajo, que finge todo lo que hace y por lo tanto no es nada. Pero ni siquiera el ojo omnipresente de Zoya puede empañar el placer que le produce a Oliver la jubilosa alquimia de Yevgueni. Rusia nunca ha merecido a Georgia, insiste Yevgueni, expresándose en parte con su peculiar inglés, en parte por mediación de Hoban, que viaja encogido y malhumorado en el asiento trasero entre Oliver y Tinatin: cada vez que la Georgia cristiana ha solicitado a Rusia protección contra las hordas musulmanas, Rusia le ha arrebatado sus riquezas y la ha dejado en la miseria...

Pero esta homilía se ve interrumpida por otra cuando Yevgueni tiene que señalar unos fortines en lo alto de las montañas y la carretera a Gori, donde se hallan la maldita casucha en la que Iósif Stalin llegó al mundo y la catedral que, si damos crédito a Yevgueni, es tan antigua como el propio Cristo, donde fueron coronados los primeros reyes de Georgia. Dejan atrás un grupo de casas con celosías en los balcones colgadas precariamente al borde de un profundo precipicio, y una armazón de hierro como un campanario para indicar el lugar donde yace enterrado el hijo de una familia rica. El muchacho rico era alcohólico, cuenta Yevgueni con toda seriedad a través de Hoban, embarcándose por lo visto en una especie de fábula moral. Cuando su madre acudió a reprocharle su conducta, se voló los sesos con un revólver delante de ella, y Yevgueni se lleva los dedos a la sien para ilustrarlo. El padre, un hombre de negocios, quedó tan afligido que hizo sepultar al hijo dentro de una cuba de miel de cuatro toneladas para que el cuerpo no se descompusiese.

—¿Miel? —repite Oliver con incredulidad.

—Para conservar los cadáveres, la miel da un muy buen resultado —responde Hoban con tono irónico—.

Pregúntale a Zoya, estudió química. Si se lo pides, quizá se preste a conservar tu cadáver.

Guardan silencio hasta que la armazón de hierro se pierde de vista. Hoban hace una llamada con el teléfono portátil. Éste es distinto, observa Oliver, del que utiliza en Moscú o Londres. Va conectado mediante un cable a una caja mágica negra. Con una sola gota de sangre de una persona, descifra todos sus secretos. Pulsa tres botones y está ya susurrando. El convoy se detiene en una gasolinera solitaria para llenar depósitos. Encerrado en una jaula improvisada junto al pestilente retrete, un oso pardo examina sin especial cariño a la comitiva.

—Mijaíl Ivánovich dice que es importante saber de qué lado duerme un oso —traduce Hoban con manifiesta sorna, apartando los labios del teléfono pero sin cortar la comunicación—. Si el oso duerme del lado izquierdo, hay que comerse el lado derecho. La carne del lado izquierdo será demasiado dura para comerla. Si el oso se hace las pajas con la garra izquierda, se come la garra derecha. ¿Te apetece un poco de oso?

—No, gracias.

—Deberías haberle escrito. Se volvió loca esperando tu regreso. —Hoban reanuda la conversación telefónica. Sobre el firme de la carretera cae un sol de justicia, formando charcos de alquitrán. Las fragancias del pinar inundan el interior del coche. Pasan ante una casa enclavada entre unos castaños. La puerta está abierta—. Puerta cerrada, el marido está en casa —declama Hoban, traduciendo nuevamente a Yevgueni—. Puerta abierta, el marido se ha ido al trabajo, así que puedes entrar y tirarte a la mujer. —Ascienden, y a ambos lados el paisaje se allana bajo ellos. Montes de cumbres nevadas resplandecen bajo un cielo infinito. Enfrente, casi ahogado en su propia bruma, se extiende el mar Negro. Una ermita a un lado del camino advierte de la inminencia de una curva peligrosa. Bajando la ventanilla, Mijaíl lanza un puñado de monedas a la falda de un anciano sentado en el portal—. Ese tipo está podrido de dinero —comenta Hoban, anhelante. Yevgueni ordena parar junto a un sauce con cintas de colores atadas a sus viejas ramas. Es un árbol de la esperanza, explica Hoban, actuando una vez más de intérprete para Yevgueni—. Sólo pueden pedírsele buenos deseos. Los deseos perversos se cumplen contra quien los formula. ¿Tú tienes deseos perversos?

—Ni uno solo —responde Oliver.

—Yo en particular tengo deseos perversos a todas horas. Sobre todo por la noche y al despertarme por la mañana. Yevgueni Ivánovich nació en la ciudad a la que los soviéticos dieron el nuevo nombre de Senaki —continúa Hoban mientras Yevgueni vocifera y extiende un recio brazo hacia el valle—. Mijaíl Ivánovich nació también en Senaki. «Nuestro padre era comandante de la base militar de Senaki. Teníamos una casa en una colonia militar a las afueras de Senaki. Esa casa era una muy buena casa. Mi padre era un buen hombre. Todos los mingrelios querían a mi padre. Mi padre fue feliz aquí.» —Yevgueni alza más aún la voz y dirige el brazo hacia la costa—. «Yo fui a un colegio de Batumi. Estudié en la Academia Naval de Batumi.» ¿Te interesa seguir oyendo estas gilipolleces?

—Sí, por favor.

—«Antes de trasladarme a Leningrado, estuve en la Universidad de Odessa. Aprendo sobre barcos, construcción naval, navegación. Mi alma está en las aguas del mar Negro. Está en las montañas de Mingrelia. Moriré en esta tierra.» ¿Quieres que deje abierta mi puerta para que te tires a mi mujer?

—No.

Otro alto en el camino. Mijaíl y Yevgueni salen del coche resueltamente y cruzan la carretera. Llevado por un impulso, Oliver va tras ellos. Unos hombres altos y flacos que se acercan por el arcén arreando a dos asnos cargados de repollos y naranjas se detienen a observar. Unos gitanillos harapientos se apoyan en sus bastones y contemplan a los hermanos que, seguidos de Oliver, pasan entre ellos y ascienden por una estrecha escalera negra invadida por la maleza. Los hermanos llegan a una gruta con el suelo pavimentado de piedra negra. La escalera es de mármol. Un pasamanos de mármol negro corre paralelo a ella. Alojada en una concavidad del muro, se alza una estatua de un oficial vendado del Ejército Rojo exhortando a sus tropas al combate. Tras el cristal deslucido de una urna empotrada en la roca hay una fotografía manchada y desvaída de un joven soldado ruso con gorra de visera. Mijaíl y Yevgueni permanecen de pie ante ella, hombro con hombro, las cabezas gachas, las manos cruzadas en oración. Cada uno a su tiempo, retroceden y se santiguan varias veces.

—Nuestro padre —explica Yevgueni lacónicamente.

Regresan al Zil. Al salir de una curva muy cerrada, Mijaíl se encuentra frente a un control militar. Bajando el cristal de la ventanilla pero sin parar, se golpea el hombro izquierdo con la mano derecha, indicando alto rango, pero los centinelas no se dejan impresionar. Lanzando un juramento, Mijaíl se detiene, y Temur, el mediador, salta del coche de atrás y besa a uno de los soldados, que a su vez le devuelve el beso y lo abraza. El convoy puede continuar. Alcanzan la cima. Un exuberante paisaje se abre ante ellos.

—Dice que nos queda una hora más de viaje —traduce Hoban—. A caballo, dice, se tardarían dos días. Ahí es donde estaría en su ambiente, en los tiempos de los jodidos caballos.

Un llano en un valle, centinelas, un helicóptero con las aspas en rotación, un muro de montañas. Yevgueni,

Hoban, Tinatin, Mijaíl y Oliver montan en el primer helicóptero con una caja de vodka y un retrato de una anciana triste con un cuello de encaje blanco que ha viajado con ellos desde Moscú, perdiendo algún que otro pedazo del marco de yeso. El helicóptero remonta una cascada, sigue un camino de caballos, escala por el muro de montañas y desciende entre picos blancos hasta posarse en un valle verde con forma de cruz. En cada brazo de la cruz se asienta una aldea, y un viejo monasterio de piedra se alza en el centro, entre viñedos, establos, ganado pastando, bosques y un lago. El grupo se apea torpemente, Oliver el último. Los montañeses, hombres y niños, se aproximan hacia ellos, y Oliver sonríe al comprobar que los niños son en efecto castaños. El helicóptero despega de nuevo y se lleva consigo el atronador ruido de los motores al otro lado de la cima. Oliver percibe olor a pinos y a miel y oye el susurro de la hierba y el borboteo de un arroyo. Una oveja desollada pende de un árbol. De un hoyo sale humo de leña. Sobre la hierba se han extendido vistosas alfombras tejidas a mano. Numerosas cuernas y calabazas huecas llenas de vino esperan amontonadas en una mesa. Los aldeanos se congregan alrededor. Yevgueni y Tinatin los abrazan. Hoban se sienta en una roca, el teléfono al oído y la caja negra a sus pies, sin abrazar a nadie. El helicóptero regresa con Zoya y Paul y otras dos hijas con sus maridos, y vuelve a marcharse. Mijaíl y un gigante barbudo, provistos de sendas escopetas de caza, se adentran en el bosque. Oliver se deja llevar por el grupo hacia una granja de un solo piso construida de madera que se halla en el centro de un prado en pendiente. Dentro, en un primer momento reina una total oscuridad. Gradualmente ve una chimenea de ladrillo, una estufa metálica. Huele a alcanfor, espliego y ajo. En los dormitorios, los suelos están sin alfombrar y de las paredes cuelgan charros iconos con los marcos desportillados: el santificado Jesús de niño, mamando del pecho cubierto de su madre; Jesús clavado a la Cruz, pero estirando tan alegremente sus miembros que de hecho emprende ya el vuelo hacia lo alto, y ahí lo tenemos, Jesús recién llegado a casa sano y salvo, sentado a la diestra de Dios Padre.

—Lo que Moscú prohíbe, los mingrelios lo quieren —dice Hoban en nombre de Yevgueni, y bosteza. Añade—: Faltaría más.

Aparece un gato, y todos le hacen alharacas. La anciana triste enmarcada en yeso desmenuzable debe ocupar su lugar sobre la chimenea. Los niños esperan a la entrada para ver las maravillas que Tinatin ha traído de la ciudad. En el pueblo, alguien ha puesto música. En la cocina, alguien canta, y es Zoya.

—¿Estarás de acuerdo conmigo en que canta como un ganso? —pregunta Hoban.

—No —responde Oliver.

—Entonces te has enamorado de ella —constata Hoban con satisfacción.

El festejo se prolonga durante dos días, pero Oliver no descubre hasta el final del primero que asiste a una reunión de negocios de alto nivel entre los ancianos del valle. Antes aprende otras muchas cosas. Que cuando se caza un oso, conviene disparar a los ojos, porque un blindaje de barro seco les protege el resto del cuerpo. Que en las celebraciones es costumbre derramar vino en la tierra para alimentar los espíritus de nuestros antepasados. Que los vinos mingrelios proceden de muchas clases distintas de uva, con nombres como Koloshi, Paneshi, Chodi y Kamuri. Que brindar con cerveza equivale a echarle una maldición a la persona por la que se brinda. Que los antepasados de los mingrelios no son otros que los legendarios argonautas que, bajo el mando de Jasón, construyeron una gran fortaleza a menos de veinte kilómetros de allí con el objeto de albergar el Vellocino de Oro. Y hablando con un sacerdote de mirada vesánica que no parece saber siquiera que ha existido la Revolución Rusa, Oliver averigua que, para santiguarse, debe primero juntar el pulgar y otros dos dedos —o quizá eran sólo el pulgar y el meñique, ya que su mano tenía los dedos demasiado torpes para verlo claramente— y apuntarlos hacia arriba para indicar la Santísima Trinidad, y entonces tocarse la frente y a continuación los lados derecho e izquierdo del vientre, de modo que no vea la cruz del diablo al mirar hacia abajo.

—Otra solución es meterse un trébol por el culo —aconseja Hoban en voz baja, y luego repite el chiste en ruso para instruir a su interlocutor telefónico.

La reunión de negocios, a la que Oliver asiste, resulta ser una consecuencia del Gran Sueño de Yevgueni, y ese Gran Sueño consiste en unir las cuatro aldeas del valle cruciforme en una sola cooperativa vinícola que, aunando las tierras, el trabajo y los recursos, y reconduciendo los cauces de agua, y empleando las técnicas de países como España, produzca el mejor vino no sólo de Mingrelia, no sólo de Georgia, sino del mundo entero.

—Costará muchos millones —informa Hoban lacónicamente—. Quizá billones. No tienen la más repajolera idea. «Debemos construir carreteras. Debemos construir presas. Debemos comprar maquinaria y levantar un almacén en el valle.» ¿Y quién pagará toda esa mierda? —La respuesta es, como se sabrá, Mijaíl y Yevgueni Ivánovich Orlov. Yevgueni ha hecho venir ya a vinicultores de Burdeos, La Rioja y el valle de Napa. Han opinado unánimemente que las vides son magníficas. Sus espías han registrado las temperaturas y precipitaciones, medido los ángulos de las laderas, tomado muestras de tierra y analizado el índice de concentración de polen en el aire. Expertos en irrigación, ingenieros de caminos, exportadores e importadores han confirmado la viabilidad del plan. Yevgueni conseguirá el dinero, anuncia a los aldeanos, a ese respecto pueden estar tranquilos—. Dará a estos gilipollas hasta el último rublo que ganemos —corrobora Hoban.

Anochece deprisa. Por encima de las cumbres, el cielo adquiere un intenso color rojo sanguíneo y momentos después se oscurece. Farolillos encendidos penden de los árboles, suena la música, la oveja desollada gira sobre el fuego. Unos cuantos hombres empiezan a cantar, otros forman un círculo y baten palmas, un grupo de muchachas ejecuta una danza. Fuera del círculo, los ancianos conversan entre sí, aunque Oliver ya no los oye y Hoban ha dejado de traducir. Se desata un altercado. Un anciano amenaza a otro con su escopeta. Las miradas se centran en Yevgueni, que bromea, consigue unas risas aisladas y avanza un paso hacia quienes lo escuchan. Abre los brazos. Primero reprende, luego promete. A juzgar por los aplausos, debe de haber sido una promesa sustancial. Los ancianos se apaciguan. Hoban, agrandándose con la oscuridad, se apoya contra un cedro mientras musita tiernamente por su teléfono mágico.

En Casa Single la tensión es audible. Las mecanógrafas de remilgada indumentaria procuraban no hacer ruido. La Sala de Transacciones, barómetro de la moral de la empresa, es un hervidero de rumores. ¡Tiger va fuerte esta vez! ¡Single se juega aquí el todo por el todo! El Tigre se apresta a caer sobre la presa del siglo.

—¿Dices, pues, que Yevgueni está animado? Excelente —comenta Tiger con tono enérgico en una de las improvisadas reuniones informativas posteriores a las escapadas de Oliver al Salvaje Este.

—Yevgueni es un tipo fuera de lo común —responde Oliver con lealtad—. Y Mijaíl lo apoya en todo.

—Bien, bien —dice Tiger, y se sumerge de inmediato en la espesura de los costes operacionales y las salidas a Bolsa.

En una carta, Tinatin insta a Oliver a ponerse en contacto con aún otra pariente lejana más, esta vez una muchacha llamada Nina, profesora en la Escuela de Estudios Orientales y Africanos e hija de un violinista mingrelio ya fallecido. Interpretándolo como una indirecta de la madre de Zoya para que Oliver desvíe en otra dirección su impresionable mirada, Oliver manda en el acto una carta a la viuda del violinista y es invitado a tomar el té en Bayswater. La viuda es una actriz retirada con un amplio vestido, que tiene por costumbre echarse atrás el pelo con el dorso de la mano; su hija Nina, en cambio, es una joven de cabello negro y ojos abrasadores. Nina accede a dar clases de lengua georgiana a Oliver, empezando por su hermoso pero desalentador alfabeto, pero le advierte que tardará años en aprender a hablar.

—¡Cuantos más años, mejor! —exclama Oliver con galantería.

Nina es una persona altruista por naturaleza, y sus lazos con Georgia y Mingrelia se han fortalecido con el exilio. La conmueve la incondicional admiración de Oliver por todo aquello que es más querido para ella, aunque providencialmente nada sabe de petróleo, chatarra, sangre o sobornos por valor de setenta y cinco millones de dólares. Oliver la mantiene en la ignorancia. Pronto Nina comparte su cama. Y si Oliver es consciente de que en un tortuoso sentido Zoya ha servido de estímulo a esa unión, no se siente culpable, ¿qué razón habría para ello? Lo alegra pensar que, acostándose con Nina, se distancia de la depredadora esposa de un importante asociado, la mujer cuyo cuerpo desnudo aún se muestra provocadoramente ante él desde una ventana del piso superior de la casa de Moscú. Orientado por Nina, Oliver se rodea de obras de la literatura y el folklore georgianos. Escucha música georgiana y engancha un mapa del Cáucaso en una pared de su postinero y vergonzosamente desordenado piso de un bloque de apartamentos construido en Chelsea Harbour con recursos financieros gestionados por Single.

Y el Cartero es feliz. No feliz feliz, ya que Oliver no ve la felicidad absoluta como un ideal alcanzable. Pero sí activamente feliz. Creativamente feliz. Feliz en su cauto enamoramiento, si es amor lo que siente por Nina. Feliz también en su trabajo, en la medida en que el trabajo consista en visitar a Yevgueni y Mijaíl y Tinatin, y siempre y cuando la insidiosa sombra de Hoban no ande demasiado cerca y Zoya continúe actuando como si él no existiese. Puesto que si antes la triste mirada de Zoya lo devoraba sin cesar, ahora parece no advertir siquiera su presencia. Sale de la cocina cuando Oliver trocea verduras con Tinatin. En los pasillos y escaleras, yendo de habitación en habitación con Paul a remolque, utiliza el cabello a modo de cortina para ocultar el rostro.

—Dile a tu padre que dentro de una semana firmarán todos los documentos —anuncia Yevgueni junto a la mesa de billar paleolítica tras cerciorarse de que no lo oye nadie salvo Hoban, Mijaíl y Shalva—. Dile que cuando todo esté firmado, tiene que venir a Mingrelia a cazar un oso.

—En ese caso, tú tienes que venir a Dorset a cazar un faisán —contraataca Oliver, y se abrazan.

Esta vez no hay correspondencia en mano. Oliver lleva los dos mensajes en la cabeza. En el vuelo de regreso su entusiasmo es tal que medio decide proponer el matrimonio a Nina. Es el 18 de agosto de 1991.

De eso hace ya dos noches, y Nina solloza en georgiano. Solloza por el teléfono, solloza cuando llega al piso de Oliver, solloza mientras permanecen sentados en el sofá uno junto al otro como una anciana pareja, contemplando horrorizados cómo se tambalea la nueva Rusia al borde de la anarquía, su líder aprehendido por la vieja guardia, surgida audazmente de la tumba, los periódicos cerrados, los tanques en las calles de la ciudad, y los personajes de las altas esferas del poder defenestrados en masa de sus puestos, llevándose consigo sus bien urdidas Propuestas Específicas respecto al metal de desecho, el petróleo y la sangre.

En Curzon Street aún es verano pero no trinan los pájaros. Es como si el petróleo, la chatarra y la sangre nunca hubiesen existido. Admitir su existencia es admitir su pérdida. Los libros de la historia reciente se han reescrito de manera tácita; los jóvenes hombres y mujeres de la Sala de Transacciones han sido enviados en busca de otro botín. Por lo demás, no ha ocurrido nada, absolutamente nada. No se ha ido por el desagüe la inversión de decenas de millones; no se han prodigado anticipos a cuenta de las futuras comisiones; no se ha untado la mano a mediadores y funcionarios norteamericanos; no se han abonado las cuotas iniciales del contrato de arrendamiento de los Jumbos con cámara frigorífica. La calefacción, la luz, el alquiler, los coches, los salarios, las gratificaciones, los seguros de enfermedad, los seguros de enseñanza, el teléfono y los gastos de representación de las cinco elegantes plantas de Curzon Street y sus despilfarradores inquilinos no corren peligro. Y Tiger es el menos afectado de todos. Su andar es más ligero, su porte más orgulloso que nunca, su visión más amplia, su traje de Hayward más impecable. Sólo Oliver —y quizá Gupta, el factótum indio de Tiger— conoce el dolor oculto bajo la armadura, sabe lo cerca que está de quebrarse el frágil héroe. Pero cuando Oliver, movido por su incurable compasión, busca un momento para acompañar a su padre en el sentimiento, Tiger responde con una ferocidad que deja a Oliver temblando de muda ira.

—No hace ninguna falta que me compadezcas, gracias. No necesito tus ternuras ni tus cómodas preocupaciones éticas. Sólo quiero tu respeto, tu lealtad, tu inteligencia aunque no sea gran cosa, tu compromiso y, mientras yo sea el socio principal, tu obediencia.

—Ah, bueno, perdona —balbucea Oliver, y viendo que Tiger permanece firme en su actitud, vuelve a su despacho y telefonea a Nina sin encontrarla.

¿Qué ha sido de ella? Su última cita no fue muy afortunada. Al principio se convence de que Zoya ha iniciado una campaña contra él. Finalmente recuerda de mala gana que estaba borracho y, en su embriaguez, dio a conocer a Nina —inducido por la pura bondad de su corazón solitario, sin más propósito— un par de detalles reveladores acerca de sus transacciones con el tío Yevgueni, como ella lo llama. Recuerda vagamente que, en un momento de frivolidad, comentó que Rusia quizá había perdido el rumbo, pero Single había perdido hasta la camisa. Ante la insistencia de Nina, Oliver consideró que era su responsabilidad ofrecerle una versión esquemática de cómo Single, con la ayuda e inspiración de su tío Yevgueni, había planeado hacer un negocio redondo a costa de ciertos fluidos vitales rusos, tales como, bueno, sí, hablando claro, sangre. Al oírlo, Nina palideció, y se enfureció, le golpeó el pecho con los puños y salió atropelladamente del piso jurando —no por primera vez, pues poseía su buena cuota de volubilidad mingrelia— no volver a poner los pies allí.

—Por despecho, se ha buscado otro amante, Oliver —admite su trastornada madre por teléfono—. Dice que eres demasiado decadente, querido, peor que un condenado ruso.

Pero ¿qué se sabe de los hermanos? ¿De Tinatin y las hijas? ¿De Belén? ¿De Zoya?

—Los hermanos han sido depuestos —responde Massingham, que se consume de envidia desde que se vio despojado del papel de mediador en favor del detestado socio adjunto—. Desterrados. Exiliados. Enviados a Siberia. Avisados de que no quieren ver sus horribles caras en Moscú o Georgia nunca más.

—¿Y Hoban y sus amigos?

—Ah, mi apreciado muchacho, ésos son de los que siempre caen de pie.

¿Ésos? ¿Quiénes son ésos? Massingham no da más explicaciones.

—Yevgueni ha acabado en el montón de chatarra, y no hablemos ya del petróleo y la sangre —concluye con saña.

Las comunicaciones con Rusia, sumida en los conflictos internos, son caóticas, y se prohíbe a Oliver de manera permanente telefonear a Yevgueni o cualquiera de sus subordinados. Aun así, pasa una tarde entera en cuclillas dentro de una insalubre cabina telefónica de Chelsea engatusando y suplicando a la operadora del servicio de llamadas al extranjero. Imagina a Yevgueni en pijama sobre su motocicleta revolucionando el motor al máximo y el teléfono sonando inaudiblemente a unos pasos de él. La operadora, una señora de Acton, ha oído decir que una muchedumbre ha irrumpido en la central telefónica de Moscú.

—Espera unos días, cariño, es lo mejor —aconseja, como la enfermera del colegio cuando Oliver se quejaba de un dolor.

Es como si la última ventana a la esperanza acabase de cerrarse en la cara de Oliver. Zoya tenía razón. Nina tenía razón. Debería haberme negado. Si me presto a vender la sangre de los pobres rusos, ¿dónde pondré el límite, si es que lo pongo? Yevgueni, Mijaíl, Tinatin,

Zoya, las montañas blancas y los festejos lo atormentan como promesas incumplidas. En su piso de Chelsea Harbour, arranca de la pared el mapa del Cáucaso y lo tira al cubo de la basura de la cocina blanca y vacía. La madre de Nina le recomienda otro profesor para sustituir a su hija, un anciano oficial de caballería que fue su amante en otro tiempo, hasta que perdió sus facultades. Oliver resiste un par de clases con él y cancela el resto. En Single, trabaja en silencio, manteniendo cerrada la puerta del despacho y encargando sándwiches para el almuerzo. Le llegan rumores como confusos partes de guerra. Massingham ha oído que hay un depósito de desechos militares enterrado en las afueras de Budapest. Tiger lo envía a inspeccionarlo. Después de una semana perdida vuelve de vacío. En Praga, un grupo de matemáticos adolescentes se ofrece para reparar ordenadores industriales por una tarifa mucho menor que la de los fabricantes, pero necesitan equipo por valor de un millón de dólares para empezar. Massingham, nuestro embajador itinerante, vuela a Praga, se entrevista con un par de genios barbudos de diecinueve años y a su regreso declara que la propuesta es un timo. Pero con Randy —como Tiger insiste en recordar a Oliver— uno nunca puede fiarse. En Kazajstán existe una fábrica textil capaz de producir kilómetros de alfombras de Wilton, el doble de magníficas que las auténticas, y venderlas a una cuarta parte del precio. Tras inspeccionar supuestamente un edificio en construcción inundado y con las vigas de hierro oxidadas, afirma que están aún muy lejos de su nivel óptimo de producción. Tiger se muestra escéptico pero sigue su consejo. Ha llegado noticia del hallazgo de un extraordinario filón de oro en los Urales, no se lo digas a nadie. En esta ocasión es Oliver quien pasa tres días apostado en una granja de las montañas de Mugodzhar, acosado por las imperiosas llamadas telefónicas de su padre, en espera de un intermediario de confianza que finalmente no se presenta.

Tiger, por su parte, ha elegido el camino de la soledad y la contemplación. Mantiene una mirada distante. Dos veces, según rumores, ha sido emplazado en la City para rendir cuentas. En la Sala de Transacciones se oyen en susurros ingratas palabras como «inhabilitación». Misteriosamente, Tiger empieza a viajar. En una visita al Departamento de Contabilidad, Oliver encuentra por azar una nota de gastos donde consta que unos tales «señor y señora Single» se alojaron durante tres días en la suite real de un lujoso hotel de Liverpool y ofrecieron espléndidas recepciones. En cuanto a la señora Single, Oliver supone que se trata de Katrina, la gerente del Kat's Cradle. Los justificantes del consumo de gasolina entregados por Gasson, el chófer, revelan que el señor y la señora Single se trasladaron en el Rolls-Royce. Liverpool es un territorio que Tiger conoce bien desde hace años. Allí demostró su valía como abogado defensor de las clases criminales oprimidas. Dos semanas después de ese viaje aparecen en Curzon Street tres caballeros turcos de anchas espaldas y resplandecientes trajes que, al dejar sus datos en el libro de visitas de la conserjería, dan como dirección «Estambul» y anuncian que tienen una entrevista con Tiger en persona. Más alarmante aún, Oliver juraría que ha oído la voz nasal de Hoban, junto con la de Massingham, a través de la puerta azul de dos hojas cuando sube a ver a Pam Hawsley con un pretexto, pero Pam es impenetrable como de costumbre:

—Es una reunión, señor Oliver. Sintiéndolo mucho, no puedo decirle nada más.

A lo largo de toda la mañana Oliver aguarda en tensión la convocatoria que no se produce. A la hora del almuerzo, Tiger se marcha al Kat's Cradle con sus fornidos invitados, pero salen del ascensor y el edificio antes de que Oliver alcance a verlos. Unos días después, cuando lleva a cabo una segunda inspección de los gastos de Tiger, advierte una serie de entradas con una sola palabra: «Estambul.» También Massingham ha reanudado sus viajes. Sus destinos más frecuentes son Bruselas, el norte de Chipre y el sur de España, donde una compañía *offshore* de Single ha inaugurado recientemente una cadena de bares discoteca, casinos y urbanizaciones de chalets en propiedad compartida. Y dado que en la Sala de Transacciones se tiene a Randy Massingham por una especie de dinámico Pimpinela, se especula sobre por qué se lo ve tan radiante y qué secretos puede esconder en su maletín negro de ex miembro del Foreign Office.

Hasta que una tarde, cuando Oliver echa la llave a los cajones de su escritorio, Tiger en persona aparece en la puerta y le propone ir a cenar algo al Cradle, ellos dos solos, como en los viejos tiempos. Kat no está a la vista, Oliver sospecha que por indicación de Tiger. Los atiende en su lugar Álvaro, el maître. La mesa del rincón, reservada permanentemente para Tiger, es un nido de terciopelo rojo poco iluminado. Cenará pato, acompañado de un burdeos. Oliver elige lo mismo. Tiger pide dos ensaladas de la casa, olvidando que a Oliver no le gusta la ensalada. Empiezan como siempre hablando de la vida amorosa de Oliver. Reacio a admitir la ruptura con Nina, Oliver opta por adornarla.

—¿Quiere eso decir que por fin vas a sentar la cabeza? —exclama Tiger, encontrando la idea muy graciosa—. ¡Dios santo! Yo te imaginaba a los cuarenta como un apuesto solterón.

—Supongo que hay cosas que uno no puede planear —dice Oliver con los ojos húmedos.

—¿Le has dado la buena noticia a Yevgueni?

—¿Cómo? ¿Está localizable?

Tiger se interrumpe a medio masticar, induciendo a

pensar que acaso el pato no está a su gusto. Sus cejas se acercan entre sí, formando un frontispicio truncado. Para alivio de Oliver, al cabo de un instante la mandíbula reanuda su rotación. Por lo visto, pues, el pato sí le satisface.

—Estuviste en esa residencia campestre suya, creo recordar —dice Tiger—. Donde se propone criar vinos de calidad. ¿No?

—No es una *residencia*, padre. Es un puñado de aldeas en las montañas.

—Pero habrá una casa aceptable, supongo.

—Pues no. O no, al menos, con arreglo a nuestros parámetros.

—El proyecto sí es viable, ¿no? ¿Podría interesarnos, quizá?

Oliver suelta una risotada de suficiencia a la vez que a una parte de él se le hiela la sangre al imaginar la sombra de Tiger proyectándose hasta aquellos confines.

—Para serte sincero, son castillos en el aire, me temo. Yevgueni no es un hombre de negocios en el sentido que nosotros lo entendemos. Sería tirar el dinero.

—¿Por qué?

—Para empezar, no ha calculado los costes de infraestructura —explicó, recordando las desdeñosas alusiones de Hoban al proyecto—. Podría ser un pozo sin fondo. Carreteras, canalización, división de los campos en bancales nivelados. Sabe Dios cuántas cosas más. Piensa utilizar mano de obra local, pero no está cualificada. Además, hay cuatro aldeas y se llevan a matar.

—Un pensativo trago de burdeos mientras busca con urgencia otras razones disuasivas—. Yevgueni ni siquiera *desea* modernizar el lugar. Cree que sí, pero no es verdad. Es todo puro fantaseo. Ha jurado mantener el valle tal como está y al mismo tiempo industrializarlo y proporcionarle riqueza. O lo uno, o lo otro, las dos cosas a la vez no pueden hacerse.

—Pero ¿habla en serio?

—Ah, como el Papa de Roma. Si algún día consigue reunir unos cuantos billones, allí irán a parar. Pregúntale a la familia. Están horrorizados.

Los numerosos médicos de Tiger le han recomendado que si bebe vino en las comidas, beba igual cantidad de agua mineral. Enterado de ello, Álvaro deja una segunda botella de Evian sobre el mantel de Damasco rosa.

—¿Y Hoban? —pregunta Tiger—. Es de tu misma edad. ¿Qué clase de persona es? ¿Despierto? ¿Hábil en su trabajo?

Oliver duda. Por norma, sus antipatías personales duran a lo sumo unos minutos, pero Hoban es la excepción.

—No tengo mucho en que basarme. Randy lo conoce mejor que yo. A mi modo de ver, tiene algo de lobo solitario. Un poco demasiado arribista. Pero buen elemento. A su manera.

—Según me ha dicho Randy, está casado con la hija preferida de Yevgueni.

—No me consta que Zoya sea su *preferida* —protesta Oliver, alarmado—. Es sólo un padre orgulloso. Quiere a todas sus hijas por igual.

Pero observa fijamente a Tiger, aunque sea a través de los espejos rosados de la pared. Lo sabe, Hoban se lo ha contado, sabe lo de la carta y el corazón de papel. Tiger se lleva una pizca de pato a la boca, seguida de un sorbo de burdeos, un sorbo de Evian y un ligero roce de servilleta.

—Dime una cosa, Oliver. ¿Te habló alguna vez el viejo Yevgueni de sus conexiones marítimas?

—Sólo me comentó que estudió en la Academia Naval y estuvo enrolado en la marina de guerra una temporada. Y que lleva el mar en la sangre, y también las montañas.

—¿Nunca te mencionó que en una época toda la flota mercante del mar Negro estaba bajo su control?

—No. Pero con Yevgueni uno va conociendo detalles a tropezones, que él dosifica a su antojo.

Una pausa mientras Tiger se abisma en uno de esos monólogos interiores que concluyen en una decisión pero ocultan el razonamiento que ha conducido a ella.

—Sí, bueno, creo que daremos rienda suelta a Randy aún durante un tiempo, si no te importa. Tú puedes hacerte cargo otra vez cuando volvamos a la brecha.

En South Audley Street, padre e hijo se detienen en la acera y admiran el cielo estrellado.

—Y cuida bien a tu Nina, muchacho —aconseja Tiger con seriedad—. Kat la tiene muy bien considerada. Como yo.

Transcurre otro mes y, para manifiesta indignación de Massingham, el Cartero parte en misión a Estambul, donde Yevgueni y Mijaíl han plantado su tienda.

9

En la media luz de un lluvioso invierno turco, Yevgueni se ve tan apagado y ceniciento como las mezquitas de alrededor. Recibe a Oliver con un abrazo la mitad de vigoroso que en las ocasiones anteriores, lee la carta de Tiger con desagrado y se la entrega a Mijaíl con la humildad de un exiliado. Viven en una casa de alquiler inacabada de una nueva zona residencial del lado asiático de Estambul, vistosa pero endeble como el papel, situada en medio de un encharcado revoltijo de maquinaria de construcción abandonada y rodeada de calles, galerías comerciales, cajeros automáticos, gasolineras y restaurantes de comida rápida, todo ello inacabado y vacío, todo deteriorándose gradualmente mientras contratistas deshonestos y arrendatarios frustrados e imperturbables burócratas otomanos esgrimen encarnizadamente sus diferencias en algún arcaico juzgado destinado a los pleitos irresolubles de esta ciudad sofocante, inhóspita, nauseabunda y permanentemente congestionada por el tráfico, con una población no censada de dieciséis millones de almas, cuatro veces más, como Yevgueni no se cansa de repetir, que la suma de todos los habitantes de su querida Georgia. El único momento de placer llega cuando se desvanece la luz del día y los amigos se sientan a beber raki en el balcón, bajo un inmenso cielo turco, y disfrutar de los aromas de los limeros y el jazmín, que de algún modo logran imponerse al hedor del alcantarillado a medio construir, mientras Tinatin recuerda a su marido por enésima vez que es su mismo mar Negro el que tienen a un paso de allí y que Mingrelia se halla justo al otro lado de la frontera, por más que la frontera esté a una distancia de mil trescientos kilómetros por terreno montañoso, las carreteras sean intransitables en períodos de insurrección kurda, y la insurrección kurda sea la norma. Tinatin prepara una comida mingrelia; Mijaíl pone música mingrelia en un viejo gramófono para discos de setenta y ocho revoluciones; amarillentos periódicos georgianos cubren la mesa. Mijaíl lleva una pistola colgada de un cordón bajo el grueso chaleco y otra de menor tamaño metida en la caña de la bota. La motocicleta BMW, los niños y las hijas han desaparecido…, excepto Zoya y su hijo Paul. Hoban realiza misteriosos viajes. Está en Viena. Está en Odessa. Está en Liverpool. Una tarde regresa de improviso y pide a Yevgueni que lo acompañe a la calle, donde se los ve caminar de un lado a otro por la estrecha acera inacabada con las chaquetas sobre los hombros, Yevgueni agachando la cabeza como el preso que fue, y el pequeño Paul detrás de ellos como una plañidera en un cortejo fúnebre. Zoya es una mujer que espera, y espera a Oliver. Lo espera con los ojos y con el cuerpo lánguido y extendido, mientras se mofa de la nueva Rusia supermaterialista, enumera detalles de los últimos robos sistemáticos de propiedades estatales y los nombres de súbitos billonarios, y se queja del *lodos,* un viento sur de Turquía que le provoca una jaqueca cada vez que no quiere hacer algo. A veces Tinatin le recomienda que se busque alguna actividad, que se ocupe más de Paul, que salga a pasear. Zoya obedece, y luego vuelve a casa a esperar y se lamenta del *lodos* con un suspiro.

—Acabaré siendo una Natasha —anuncia una vez en medio de un silencio que ella misma ha creado.

—¿Qué es una Natasha? —pregunta Oliver a Tinatin.

—Una prostituta rusa —responde Tinatin, decaída—. Así llaman los turcos a nuestras putas: Natasha.

—Según me ha dicho Tiger, reemprendemos los negocios —dice Oliver a Yevgueni, aprovechando la ausencia de Zoya durante su visita semanal a la adivina rusa de la zona. Su afirmación hunde a Yevgueni en el abismo del desaliento.

—Negocios —repite con tristeza—. Sí, Cartero. Hacemos *negocios.*

Oliver recuerda con desasosiego que en una ocasión Nina le explicó que tanto en ruso como en georgiano esa inocente palabra se ha convertido en sinónimo de «estafa».

—¿Por qué no regresa Yevgueni a Georgia y se queda a vivir allí? —pregunta a Tinatin que, observada por Zoya, rellena unas berenjenas al horno con cangrejo picado y especias, en otro tiempo el plato preferido de Yevgueni.

—Yevgueni forma parte del pasado, Oliver —contesta ella—. Quienes continúan en Tiflis no desean compartir el poder con un viejo de Moscú que ha perdido a todos sus amigos.

—Pensaba en Belén.

—Yevgueni ha hecho demasiadas promesas a Belén. Si no se presenta allí con una carroza de oro, no será bien recibido.

—Hoban le construirá esa carroza —vaticina Zoya, con la mano apoyada en la frente para contener los efectos del *lodos*—. Massingham será el cochero.

Hoban, piensa Oliver. Ya no Alix. Hoban, mi marido.

—Aquí también tenemos hiedra rusa —comenta

Zoya, mirando hacia la alargada ventana—. Es muy apasionada. Crece demasiado deprisa, no llega a ninguna parte y muere. Da unas flores blancas. El aroma es casi imperceptible.

—Ah —dice Oliver.

Su hotel es grande, occidental y anónimo. Es pasada la medianoche de su tercer día cuando oye que llaman a la puerta. Me envían a una fulana, piensa, recordando la sonrisa en exceso cordial del joven conserje. Pero es Zoya, lo cual no sorprende a Oliver tanto como debiera. Zoya entra pero no se sienta. La habitación es pequeña y está bien iluminada. Cara a cara junto a la cama, se miran parpadeando bajo la intensa luz cenital.

—No participes en este negocio con mi padre —dice ella.

—¿Por qué no?

—Atenta contra la vida. Es peor que la sangre. Es un pecado.

—¿Cómo lo sabes?

—Conozco a Hoban. Conozco a tu padre. Pueden poseer, pero son incapaces de amar, ni siquiera a sus hijos. Tú también los conoces, Oliver. Si no escapamos de ellos, estaremos muertos como ellos. Yevgueni sueña sólo con el paraíso. Quien le promete dinero para comprar el paraíso, lo domina. Hoban se lo promete.

No está claro quién ataca primero. Quizá son ambos los iniciadores, ya que sus brazos chocan y deben cambiar de dirección para llegar al abrazo. Una vez en la cama forcejean hasta quedar desnudos y entonces se prenden el uno al otro como animales hasta saciarse.

—Debes resucitar la parte de ti que ha muerto —exhorta Zoya con severidad mientras se viste—. Si no, muy pronto te perderás a ti mismo. Puedes hacerme el amor cuando lo desees. Para ti es importante. Para mí lo es todo. No soy una Natasha.

—¿Qué es peor que la sangre? —pregunta Oliver,

sujetándola del brazo—. ¿Qué pecado estoy cometiendo supuestamente?

Zoya lo besa con tal dulzura y melancolía que Oliver de buena gana empezaría de nuevo con tranquilidad.

—Con la sangre te destruías sólo a ti mismo —responde ella, cogiéndole la cara entre las manos—. Con esta nueva mercancía, te destruirás a ti mismo, y destruirás a Paul y a muchos niños y a sus madres y a sus padres.

—¿*Qué* mercancía?

—Pregúntale a tu padre. Yo estoy casada con Hoban.

—Yevgueni se ha reorganizado —dice Tiger con tono de aprobación a la noche siguiente—. Sufrió un revés, y se ha recuperado. Randy le insufló nueva vida. Con ayuda de Hoban.

Oliver ve a Yevgueni contemplar angustiado las luces al otro lado del valle, con dos hilos de lágrimas resbalando por sus mejillas arrugadas. La fragancia de los fluidos de Zoya lo impregnan todavía. La percibe a través de su camisa.

—Te complacerá saber que aún sueña con sus vinos —continúa Tiger—. Estoy buscándole unos cuantos libros de vinicultura. Puedes llevárselos en tu próximo viaje.

—¿En qué negocio se ha metido así de pronto?

—El transporte marítimo. Randy y Alix lo han persuadido de la conveniencia de restablecer sus antiguos contactos navales, reclamar el cumplimiento de algunas promesas.

—Transporte ¿de qué?

Un amplio gesto con la mano. El mismo gesto con que indicaría al camarero que retirase el carrito de repostería.

—Toda la gama. Todo aquello que surja en el lugar y momento adecuados a un precio razonable. Flexibilidad, ésa es su consigna. Se trata de un tipo de comercio rápido, salvaje, pero él se defiende bien. Con la pertinente ayuda, y ahí es donde intervenimos nosotros.

—¿Qué clase de ayuda?

—En Single somos *facilitadores,* Oliver —la cabeza un poco ladeada, las cejas enarcadas en expresión paternalista—, te has olvidado… Eres joven. Somos maximizadores. Creadores. —Un minúsculo dedo índice señala a Dios—. Nuestra labor consiste en proporcionar a nuestros clientes las herramientas que necesitan y administrar la cosecha cuando la obtienen. Single no ha llegado a donde ahora está cortando las alas a sus clientes. Vamos allí a donde otros temen operar, Oliver. Y salimos sonrientes.

Oliver, solícito, pone el mayor empeño en reflejar el entusiasmo de su padre, con la esperanza de que si pronuncia las palabras, quizá llegue a creerlas.

—Y saldrá airoso, estoy seguro —dice.

—Claro que sí. Es un príncipe.

—Es un viejo bandido. Tendrán que sacarlo con los pies por delante.

—¿Cómo dices? —Tiger se levanta del escritorio para coger del brazo a Oliver—. Disculpa, pero te agradecería que no usases ese término, Oliver. Desempeñamos un papel muy delicado, y eso requiere también un uso cuidadoso del lenguaje, ¿queda claro?

—Por supuesto. Perdona, era sólo una manera de hablar.

—Si los hermanos ganan dinero en las cantidades de que hablan Randy y Alix, van a interesarse en todo nuestro paquete de productos: casinos, clubes nocturnos, una o dos cadenas hoteleras, urbanizaciones; todo aquello que mejor se nos da. Yevgueni insiste otra vez en mantener la máxima reserva y, dado que tengo un punto de vista análogo, no me representa el menor problema seguirle la corriente. —Regresa tras su escritorio—. Quiero que le entregues este sobre en mano. Y saca una botella de whisky de malta de la cámara acorazada, el Speyside de Berry Bros, y llévasela de mi parte. Coge dos, mejor. Una para Alix.

—Padre.

—Hijo.

—Necesito saber con qué comerciamos.

—Recursos financieros.

—Derivados ¿de qué?

—De nuestro sudor y lágrimas. De nuestra intuición, nuestro olfato, nuestra flexibilidad. Nuestros méritos.

—¿Qué viene después de la sangre? ¿Qué es peor?

Tiger aprieta sus finísimos labios, reduciéndolos a una raya blanca.

—La curiosidad es peor, Oliver, gracias. Andar creando problemas de una manera ociosa, inexperta, desinformada, caprichosa, gratuita y moralista. ¿Fue Adán el primer hombre? No lo sé. ¿Nació Jesucristo el día de Navidad? No lo sé. En el mundo de los negocios, entendemos la vida tal como es, no como nos la muestran desde el pueril trono de los periódicos liberales.

Oliver y Yevgueni se hallan sentados en el balcón, bebiendo una *cuvée* de Belén. Tinatin ha ido a Leningrado para cuidar de una hija en apuros económicos. Hoban está en Viena, acompañado de Zoya y Paul. Mijaíl saca unos huevos duros y pescado en salazón.

—¿Sigues estudiando el idioma de los dioses, Cartero?

—Por supuesto que sigo —miente Oliver, temeroso de decepcionar al viejo, y se promete que telefoneará al insufrible oficial de caballería en cuanto regrese a Londres.

Yevgueni acepta la carta de Tiger y se la pasa sin abrir a Mijaíl. En el recibidor hay maletas y cajas de embalar apiladas hasta el techo. Han encontrado otra casa, explica Yevgueni con el tono de alguien que se somete a la autoridad. Un sitio más acorde con las necesidades futuras.

—¿Comprarás otra moto? —pregunta Oliver, esforzándose por introducir una nota de optimismo.

—¿Quieres que la compre?

—¡Pero cómo! Es obligatorio.

—La compraré, pues. Quizá compre seis.

Y luego, para horror de Oliver, Yevgueni llora, largo rato y en silencio, con el rostro oculto entre los puños apretados.

«Es una verdadera lástima que no seas un cobarde —ha escrito Zoya en una carta que espera a Oliver en el hotel—. Nada te afecta. Nos matarás a todos con tus buenos modales. No te engañes con la idea de que no puedes saber la verdad.»

Es la fiesta de Nochebuena en Casa Single. En la Sala de Transacciones todo aquello que es movible se ha arrimado contra las paredes. Por los altavoces estereofónicos de un momento a otro empezará a sonar música moderna, que Tiger detesta en cualquier otra época del año; el champán de gran reserva corre como el agua; hay langosta en pirámides, foie-gras y un cubilete de cinco kilos de caviar Imperial que, según el chistoso comentario de Randy Massingham, ha sido «desembarcado informalmente» por unos clientes de Single «con conexiones en el Caspio, donde las hembras de esturión vírgenes permanecen cruzadas de piernas a fin de producir estos deliciosos huevos para nosotros». Los operadores de bolsa aplauden; un Tiger redivivo aplaude con ellos, se arregla el nudo de la corbata y sube al estrado para pronunciar su arenga anual. La Casa Single, dice a su enfervorizado público, goza hoy de una posición más sólida que en cualquier otra etapa de su historia. Comienza la música, y cuando los primeros integrantes del animado grupo se acercan a la mesa para servirse frugales cucharadas del cubilete, Oliver sube discretamente por la escalera de atrás, pasando por su originario Departamento Jurídico, y llega a la cámara acorazada, cuya combinación sólo conocen él y Tiger. Al cabo de veinte minutos está ya de regreso, pretextando un pasajero trastorno estomacal. Pero el trastorno es auténtico, si bien el estómago es la parte de él menos afectada. Es el trastorno causado por una pesadilla hecha realidad. Por sumas de dinero tan exorbitantes, tan repentinas, tan apresuradamente ocultas que sólo pueden provenir de una determinada fuente. De Marbella, veintidós millones de dólares. De Marsella, treinta y cinco. De Liverpool, ciento siete millones de libras. De Gdansk, Hamburgo, Rotterdam, ciento ochenta millones de dólares en efectivo esperando las atenciones del servicio de blanqueo Single.

—¿Quieres a tu padre, Cartero?

Anochece. Es la hora de filosofar en el salón de la recién reformada villa de veinte millones de dólares, en la orilla europea del Bósforo, a la que han sido promovidos los hermanos. Los majestuosos muebles que llaman *Karelka* —los mismos aparadores, rinconeras, sillas y mesa de comedor de color entre marrón y dorado que en los días de inocencia de Oliver engalanaban la casa de las afueras de Moscú— se encuentran ahora en la planta baja aguardando a ser colocados en sus lugares correspondientes. Paisajes rusos nevados con trineos tirados por caballos hacen cola en espera de que les sea asignado un espacio en las paredes recién pintadas. Y en el salón se alza la motocicleta BMW más espléndida y fulgurante que puede comprarse con dinero caliente.

—¡Móntate, Cartero! ¡Móntate!

Sin embargo Oliver, por alguna razón, no siente el menor deseo. Tampoco Yevgueni. Una inusitada capa de nieve blanda cubre el jardín en pendiente. En el estrecho, cargueros, transbordadores y embarcaciones de recreo pugnan frente a frente en un incesante duelo. Sí, quiero a mi padre, asegura Oliver a Yevgueni en una vaga respuesta. Zoya está de pie ante la cristalera, instando a Paul a dormirse en su hombro. Tinatin ha encendido la estufa revestida de azulejos y dormita pensativamente junto a ella en su mecedora. Hoban está otra vez en Viena, inaugurando una oficina nueva. Se llamará Trans-Finanz. Mijaíl permanece en cuclillas al lado de su hermano. Se ha dejado la barba.

—¿Te hace reír, tu padre?

—Cuando las cosas van bien y está contento, sí, Tiger puede llegar a hacerme reír.

Paul lloriquea, y Zoya lo calma, su mano extendida sobre la espalda desnuda bajo la camisa del niño.

—¿Te pone furioso?

—A veces me pone furioso —admite Oliver sin comprender el objetivo de esa sesión de catequesis—. Pero también yo lo pongo furioso.

—¿Cómo lo pones furioso, Cartero?

—Bueno, no soy precisamente el chico diez que él querría tener por hijo, ¿no es eso obvio? Está siempre un poco furioso conmigo, aunque quizá no se dé cuenta.

—Llévale esto. Se alegrará.

Introduciendo una mano bajo su abrigo negro, Yevgueni extrae un sobre y se lo entrega a Mijaíl, que se lo tiende a Oliver.

Oliver contiene la respiración. Ahora, piensa. Vamos.

—¿Qué está pasando? —dice. Tiene que repetir la pregunta—. La carta que acabas de darme…, ¿qué hay dentro? Empieza a preocuparme que puedan detenerme en una aduana o algo así. —Debe de haber levantado el volumen más de lo que pretendía, ya que Zoya vuelve la cabeza y Mijaíl posa en él la feroz mirada de sus ojos oscuros—. No conozco el menor detalle de vuestra nueva operación. Estoy en el lado legal. A eso se reduce mi participación… lo meramente legal.

—¿Lo *legal*? —repite Yevgueni, alzando la voz con colérica perplejidad—. ¿Qué hay de legal en esto? Por favor, ¿cómo es posible que estés en el lado legal? ¿Oliver en el lado legal? Eres el único de todos nosotros, diría yo.

Oliver mira de reojo, buscando a Zoya, pero Zoya ha desaparecido y es Tinatin quien arrulla a Paul para dormirlo.

—Según Tiger, os dedicáis al comercio en general —balbucea Oliver—. ¿Qué significa eso? Dice que conseguís grandes beneficios. ¿Cómo? Va a introduciros en la industria del ocio. Y todo en seis meses. ¿Cómo?

En el resplandor de la lámpara de lectura encendida junto a Yevgueni, su rostro es más viejo que los peñascos de Belén.

—¿Mientes a tu padre, Cartero?

—Sólo en cosas intrascendentes. Para ahorrarle disgustos. Como hacemos todos.

—Ese hombre no debería mentir a su hijo. ¿Te miento yo?

—No.

—Vuelve a Londres, Cartero. Sigue en la legalidad. Entrégale esa carta a tu padre y dile de parte de un viejo ruso que es un necio.

Zoya lo espera en la cama del hotel. Le ha traído regalos envueltos en pequeños paquetes de papel marrón: un icono que su madre llevaba encima en secreto los días onomásticos en tiempos del comunismo; una vela perfumada; una fotografía de su padre Yevgueni con el uniforme de la marina; poemas de un poeta georgiano que a ella le es muy querido. Se llama Khuta Berulava y es un mingrelio que escribe en georgiano, la combinación favorita de Zoya. El deseo que Oliver siente por ella es una adicción. Llevándose un dedo a los labios para pedirle silencio, Zoya se desnuda. Oliver apenas puede contener la excitación. Sin embargo se obliga a permanecer separado de ella.

—Si traiciono a mi padre, tú debes traicionar a tu padre y tu marido —dice con cautela—. ¿Con qué comercia Yevgueni?

Zoya le da la espalda.

—Con diversas mercancías, y ninguna buena.

—¿Cuál es la peor de todas?

—Todas por igual.

—Pero habrá una peor, peor que el resto. ¿De dónde sale tanto dinero? ¿Millones y millones de dólares?

Lanzándose sobre él, Zoya lo atrapa entre sus muslos y embiste con vehemencia, como si teniéndolo dentro de sí, esperase acallarlo.

—Él se ríe —dice Zoya con la respiración entrecortada.

—¿Quién?

—Hoban —contesta ella. Otra embestida.

—¿Por qué se ríe Hoban? ¿De qué?

—«Es para Yevgueni —sostiene—. Estamos criando un vino nuevo para Yevgueni. Estamos construyéndole una carretera blanca hacia Belén.»

—Una carretera blanca ¿de qué? —insiste Oliver, jadeando.

—De polvo.

—¿De qué es ese polvo?

Zoya responde a gritos, con volumen suficiente para que lo oiga medio hotel:

—¡Viene de Afganistán! ¡De Kazajstán! ¡De Kirguizistán! ¡Hoban lo ha organizado todo! Se dedican al nuevo comercio. A través de Rusia desde el este.

Y un chillido ahogado y patético de vergüenza mientras acomete desesperadamente contra él.

Pam Hawsley, la Doncella de Hielo de Tiger, está sentada a su escritorio en forma de media luna, tras las fotografías enmarcadas de sus tres doguillos —*Shadrach, Meshach* y *Abednego*— y el teléfono rojo que la comunica directamente con el Todopoderoso. Es la mañana del día siguiente. Oliver no ha dormido. Tendido en su cama de Chelsea Harbour con los ojos abiertos, ha intentado en vano convencerse de que continúa en los brazos de Zoya, de que nunca ha estado en una sala de interrogatorios de cartón piedra de Heathrow diciendo cosas a un alto cargo de aduanas uniformado que hasta entonces no se había dicho a sí mismo. Ahora, de pie en la antecámara de los aposentos reales de Tiger, padece vértigo, pérdida del habla, remordimientos sexuales y resaca. Mantiene aferrado el sobre de Yevgueni primero en la mano izquierda y después en la derecha. Arrastra los pies y se aclara la garganta como un idiota. De arriba abajo de la espalda nota el hormigueo de las terminaciones nerviosas. Cuando despega los labios y oye su propia voz, tiene la impresión de ser el peor actor del mundo. Sin duda es sólo cuestión de minutos que Pam Hawsley ponga fin a la representación por pura falta de verosimilitud.

—¿Serías tan amable de darle esto a Tiger, Pam? Yevgueni Orlov me ha pedido que se lo entregue personalmente, pero imagino que dejarlo en tus manos es más que suficiente. ¿De acuerdo, Pam? ¿De acuerdo?

Y posiblemente habría dado resultado si el siempre encantador Randy Massingham, recién llegado de Viena, no hubiese elegido ese momento para asomarse a la puerta de su despacho.

—Ollie, muchacho, si Yevgueni ha dicho en persona, ha de ser en persona —advierte—. Es la norma, creo yo. —Señala con la cabeza la fatal puerta coronada por su moldura de hojas talladas—. Por Dios, es tu padre. Yo en tu lugar, aporrearía la puerta y entraría por las buenas.

Haciendo caso omiso del gratuito consejo, Oliver se hunde a veinte brazas de profundidad en el deshuesado sofá blanco de piel. El logotipo de S&S le quema como un hierro candente cada vez que se reclina. Massingham sigue de brazos cruzados en la puerta de su despacho. La cabeza de Pam Hawsley se sumerge entre sus doguillos y monitores. Su coronilla plateada le recuerda a Brock. Con el sobre firmemente agarrado contra el pecho, emprende un exhaustivo examen de la trayectoria de su padre. Certificados y menciones honoríficas de fábricas de diplomas que nadie conoce. Tiger con peluca y toga recibiendo el título de abogado y un apretón de manos de un espectral conde. Tiger con la ridícula indumentaria de doctor en váyase a saber qué, sosteniendo una placa dorada con una inscripción. Tiger con su uniforme de críquet, sospechosamente impecable, blandiendo el impoluto bate en agradecimiento a los aplausos de un público invisible. Tiger vestido de jugador de polo, aceptando una copa de plata de un principito con turbante. Tiger en una conferencia de los países del Tercer Mundo, posando para la cámara en el momento de estrechar la mano a un narcotirano de Centroamérica. Tiger codeándose con gente importante en un seminario informal a orillas de un lago alemán para intocables en edad senil. Algún día te interrogaré como un fiscal, empezando por la fecha de nacimiento.

—El señor Tiger lo recibirá ahora, señor Oliver.

Oliver, sin oxígeno, sale de su inmersión a veinte brazas en el sofá deshuesado, donde dormía con los ojos abiertos como un fugitivo. El sobre de Yevgueni está empapado en su mano. Llama con un ligero golpe a la puerta azulada de dos hojas, rezando para que Tiger no lo oiga. La voz temiblemente familiar da permiso para entrar, y el amor filial lo invade como un veneno antiguo. Encorva los hombros y carga el peso en las caderas en un rutinario esfuerzo por reducir su estatura.

—¡Válgame Dios, hijo mío! ¿Sabes el dinero que nos cuesta tenerte una hora ahí sentado?

—Yevgueni me pidió que te diese esto personalmente, padre.

—¿Eso te pidió? ¿Eso? Hizo bien.

Más que aceptar el sobre, Tiger lo arranca de la mano de Oliver, y en ese momento Oliver oye a Brock negarse a aceptarlo: «Gracias, Oliver, pero no conozco a los hermanos Orlov tan bien como tú. Así que sugiero que, por tentador que sea, dejemos ese sobre tal como nos ha llegado, virgen e intacto. Porque me temo que podría tratarse de la consabida prueba de lealtad bíblica.»

—Y me encargó también que te dé un mensaje —dice Oliver no a Brock, sino a su padre.

—¿Un mensaje? ¿Qué mensaje? —pregunta Tiger, seleccionando un abrecartas de plata de veinticinco centímetros—. Ya me has dado el mensaje.

—Un mensaje oral. No es demasiado cortés, me temo. Quería que te hiciese saber de su parte que un viejo ruso dice que eres un necio. —Para atenuar el golpe, añade—: En realidad es la primera vez que lo he oído definirse como ruso. Normalmente es georgiano.

La impermeable sonrisa de Tiger no se altera. Mientras practica la peligrosa incisión, extrae una única hoja de papel y la despliega, su voz adquiere un tono algo más melifluo.

—¡Pero, querido hijo, Yevgueni tiene toda la razón! ¡Claro que lo soy!… ¡Un necio de la cabeza a los pies!… Nadie le ofrecería las condiciones que yo le ofrezco. Nada valoro tanto como un cliente convencido de que está robándome… Así no se llevará sus negocios a la competencia, ¿no crees? ¿Qué me dices? ¿Qué? —Tiger dobla la hoja, la devuelve al sobre y lanza el sobre a la bandeja de correo entrante. ¿Ha leído la carta? Por encima. Pero lo cierto es que últimamente Tiger apenas lee nada. Se ha provisto de la difusa visión de un vidente—. Esperaba noticias tuyas anoche, Oliver. ¿Dónde estuviste, si no es indiscreción?

Las neuronas de Oliver se encogen en una reacción de rechazo. ¡El condenado avión llegó con retraso!…, pero el avión llegó incluso antes del horario previsto. ¡No he encontrado un condenado taxi!…, pero había docenas de taxis. Oye la voz de Brock: «Dile que conociste a una chica.»

—Verás, tenía *intención* de telefonear, pero al final decidí pasar por casa de Nina —miente, ruborizándose y frotándose la nariz.

—Eso hiciste, claro. Nina, ¿eh? La sobrina nieta del viejo Yevgueni en el exilio, o lo que quiera que sea de él.

—Sólo que Nina no anda muy bien de salud. Ha cogido la gripe.

—Todavía te gusta, ¿no?

—Pues sí; bastante, realmente.

—¿No has perdido interés?

—No, ni mucho menos…, todo lo contrario.

—Estupendo, Oliver. —Como por arte de magia, se encuentran de pronto ante la gran cristalera, cogidos del brazo—. Esta mañana he tenido un golpe de suerte.

—Me alegro mucho.

—Un golpe considerable. Suerte en el sentido de que los buenos hombres se forjan su propia suerte. ¿Entiendes?

—Claro. Enhorabuena.

—Cuando Napoleón consideraba las aptitudes de los aspirantes a algún cargo, preguntaba a sus jóvenes oficiales...

—«¿Tiene usted buena suerte?» —completó Oliver por él.

—Exacto. Esa carta que acabas de traerme es la confirmación de que he ganado diez millones de libras.

—Magnífico.

—En efectivo.

—Mejor aún. Extraordinario. Fantástico.

—Libres de impuestos. *Offshore*. A una distancia prudencial. No causaremos molestias a Hacienda. —Aprieta más aún: el brazo de Oliver mullido y fláccido; el de Tiger, sinuoso y fuerte—. He decidido repartirlos. ¿Entiendes?

—La verdad es que no. Esta mañana estoy un poco espeso.

—Otro de tus excesos, ¿no?

Oliver sonríe como un bobo.

—Cinco millones para mí, en previsión de una futura época de vacas flacas que no tengo previsto padecer. Cinco millones para nuestro nieto primogénito. ¿Qué te parece?

—Increíble. Te lo agradezco mucho. Gracias.

—¿Estás contento?

—Contentísimo.

—No tan contento como estaré yo cuando llegue ese gran día. No lo olvides: tu primer hijo, cinco millones de libras. Ya es cosa hecha. ¿Te acordarás?

—Cómo no. Gracias. De verdad, gracias.

—No lo hago por obtener tu gratitud, Oliver. Lo hago para añadir una tercera S a Single & Single.

—De acuerdo. Estupendo. Una tercera S. Bárbaro —dice Oliver, y con cautela retira el brazo y nota circular la sangre de nuevo.

—Nina es una buena chica. Me he informado. La madre es una buscona, cosa que nunca va mal si uno necesita un poco de ejercicio en la cama. Descendiente de la pequeña aristocracia por vía paterna, un toque de excentricidad pero nada alarmante, hermanos y hermanas saludables. Sin un penique, pero con cinco millones para nuestro primer niño, ¿a quién le importa? Por mi parte, no encontrarás ningún obstáculo.

—Genial. Lo tendré en cuenta.

—Y no se lo digas. Lo del dinero. Podría influir en sus intenciones. Llegado el momento, que lo descubra ella misma. Así sabrás que sus sentimientos son sinceros.

—Bien pensado. Gracias otra vez.

—Dime, hijo —con tono confidencial, apoyando una mano en el brazo de Oliver—, ¿en qué tasa andamos hoy por hoy?

—¿Tasa? —repite Oliver, confuso. Se devana los sesos tratando de recordar el volumen de facturación, los márgenes de beneficios, los ingresos netos y brutos.

—Con Nina. ¿Cuántas veces? ¿Dos por la noche y una por la mañana?

—¡Por Dios! —Una sonrisa de complicidad, un gesto para apartarse el flequillo de la frente—. Sintiéndolo mucho, creo que hemos perdido la cuenta.

—Buen chico. Así me gusta. Es cosa de familia.

10

En la desangelada buhardilla adonde Oliver se había trasladado después de tomar el té con Brock en el jardín —y donde había estado a solas desde entonces salvo por unas pocas interrupciones bien administradas del equipo para asegurarse de su bienestar—, había un camastro de hierro, una mesa de pino, una lámpara sobre ella con la pantalla remendada, y un cuarto de baño gangrenoso con calcomanías infantiles en el espejo, que Oliver, en su ociosidad, había intentado en vano despegar. Había una toma de teléfono, pero los prisioneros no tenían derecho a teléfono. El equipo le había ofrecido comida y compañía, pero Oliver había rehusado tanto lo uno como lo otro. Miembros del equipo ocupaban las habitaciones contiguas: la desconfianza de Brock hacia Oliver era tan absoluta como su afecto por él. Se acercaba ya la medianoche, y Oliver, tras muchas rondas de inspección por la buhardilla —que incluían la infructuosa búsqueda de una botella de whisky que había escondido entre las camisas aquella mañana al hacer el equipaje—, se hallaba de nuevo sentado en el camastro, encorvado y con la desmelenada cabeza colgando, en la posición del recluso condenado a una larga pena, y ejercitaba las manos con un globo de ciento veinte centímetros. Llevaba sólo una toalla de baño atada a la cintura y unos calcetines de seda de color azul oscuro, comprados en Turnbull & Asser. Tiger le había regalado treinta pares tras sorprenderlo un día con un calcetín azul de lana en un pie y uno gris de algodón en el otro. Los globos eran la cordura de Oliver, y Brearly era su mentor. Cuando se veía incapaz de encontrar solución a sus otros problemas vitales, siempre le quedaba el consuelo de colocar una caja de globos a sus pies y rememorar los consejos de Brearly sobre el arte de modelar, sobre la manera de hinchar y anudar los globos, sobre palotes, haces y formas irregulares, sobre los métodos para distinguir un globo servicial y uno remiso. Cuando su matrimonio hacía aguas, se pasaba la noche en vela viendo los vídeos de demostración de Brearly y permanecía inmune a los lacrimosos reproches de Heather. «Sales de nuevo a escena a la una de la madrugada a menos que surja algún contratiempo —había avisado Brock—. Y quiero que recuperes el aspecto de un caballero.»

Aprovechando la escasa claridad que penetraba por la ventana sin cortinas de la buhardilla, Oliver deshinchó un poco el globo y, con ligeros pellizcos en la superficie, dio forma a unos cinco centímetros, cayendo de pronto en la cuenta de que no había decidido aún qué animal modelar. Le dio una vuelta, midió una anchura equivalente a una mano, le dio otra vuelta, y advirtió que le sudaban las palmas. Dejó el globo, se secó respetuosamente las manos con un pañuelo, las hundió en una caja de polvos de estearato de cinc que tenía a un lado sobre el edredón —estearato de cinc para mantener los dedos suaves pero no resbaladizos; Brearly no iba a ningún sitio sin sus polvos— y buscó a tientas bajo la cama un globo que había hinchado previamente. Uniéndolos los dos, los sostuvo en alto frente a la ventana para observar sus formas contra el cielo nocturno, eligió un punto y pellizcó. El globo reventó, pero Oliver —quien normalmente se sentía responsable de todos los desastres naturales y no naturales— no se reprendió por ello. No existía un solo mago en el mundo, aseguraba Brearly para su tranquilidad, capaz de vencer la mala suerte con un globo, y Oliver así lo creía. Te salía un lote defectuoso o no les gustaba el tiempo que hacía, y ya podías ser el mismísimo Brearly que igualmente te estallaban en las narices como petardos y, antes de darte cuenta, te quedaban las mejillas llenas de pequeños cortes como después de un mal afeitado, te lloraban los ojos y tenías en la cara la misma sensación que si hubieses caído de cabeza en un ortigal. Y si eras tan sólo Oliver, los únicos recursos para evitar un fiasco total eran tu sonrisa de héroe y las burlas de *Rocco*: «Genial, así es como se revienta un globo… Seguro que mañana lo devuelve a la tienda, ¿no?»

Un golpe en la puerta y la voz con acento de Glasgow de Aggie lo obligaron a ponerse en pie con sentimiento de culpabilidad, ya que en otra de sus muchas cabezas se atormentaba pensando en Carmen: ¿Estará todavía en Northampton? ¿Cómo tendrá la herida de la ceja? ¿Se acuerda de mí tanto como yo de ella? Y en otra cabeza: Tiger, ¿dónde te has metido? ¿Pasas hambre? ¿Estás cansado? Pero como las preocupaciones de Oliver nunca se excluían mutuamente, y nunca había aprendido a dejar que cada una tomase su propio camino, se angustiaba también por Yevgueni, y por Mijaíl, y por Tinatin, y por Zoya, preguntándose si sabía ya que estaba casada con un asesino. Sospechaba que sí lo sabía.

—¿Era un disparo de pistola lo que he oído desde abajo, Oliver? —inquiría Aggie nerviosamente al otro lado de la puerta.

Oliver dejó escapar un gruñido ininteligible, en parte por pura coincidencia, en parte por bochorno, y se frotó la nariz con el antebrazo.

—Sólo venía a traerte tu traje elegante, planchado y

listo para usar —explicó Aggie—. ¿Puedo pasar a entregártelo?

Oliver encendió la luz, se ciñó bien la toalla en torno a la cintura y abrió la puerta. Aggie llevaba un chándal negro y zapatillas de deporte y se había recogido el pelo en un austero moño. Oliver cogió el traje e hizo ademán de volver a cerrar la puerta cuando notó que ella miraba con fingido terror en dirección al camastro.

—Oliver, ¿qué demonios es ese objeto? ¿Está bien que *vea* yo eso? ¿Has descubierto un vicio nuevo o algo así?

Oliver se volvió y contempló también su obra.

—Es media jirafa —admitió—. El trozo que no ha reventado.

Aggie tenía expresión de asombro, de incredulidad. Para mitigar su inquietud, Oliver se sentó en el camastro y completó la jirafa. Luego, por insistencia de ella, modeló también un pájaro y un ratón. Aggie quiso saber durante cuánto tiempo conservaban la forma y le pidió que hiciese uno para una sobrina de cuatro años que vivía en Paisley. Parloteó y le expresó su admiración, y Oliver agradeció debidamente sus buenas intenciones. Nadie podría haber sido más amable con él, ni ir vestida de manera más apropiada, mientras aguardaba el momento de subir al patíbulo.

—El Mosquito ha convocado una reunión urgente dentro de veinte minutos por si se han producido novedades —informó Aggie—. ¿Son ésos los zapatos que vas a ponerte, Oliver?

—Ya están bien como están.

—No para el Mosquito, ni mucho menos. Me mataría.

Cruzaron una mirada: ella porque todo el equipo tenía órdenes de tratarlo cordialmente; Oliver porque cuando una chica guapa lo miraba, se planteaba siempre una relación de por vida.

Lo trasladaron en taxi hasta Park Lane. Tanby era el taxista; Derek simuló pagar a Tanby, y luego Derek y otro muchacho lo acompañaron por Curzon Street —probablemente por si se le ocurría echar a correr— antes de darle las buenas noches y seguirlo a distancia mientras cubría los cincuenta metros restantes. Esto es lo que sucede en el momento de mi muerte, pensó Oliver. Mi vida es un manojo de cabos sueltos, frente a mí se alzan unas puertas negras, y unos críos de negro me instan a continuar desde la otra acera. Deseó hallarse de regreso en la pensión de la señora Watmore, viendo la televisión ya entrada la noche en compañía de Sammy.

—No ha entrado ni salido nadie desde la hora de cierre del viernes y tampoco ha habido llamadas telefónicas desde el interior —había informado Brock en la reunión—. Se ven luces en la Sala de Transacciones, pero no hay nadie trabajando. Las llamadas externas las recibe el contestador automático y el mensaje grabado dice que las oficinas permanecerán cerradas hasta el lunes a las ocho de la mañana. Aparentan estar muy ocupados, pero con Winser muerto y Tiger desaparecido nadie mueve un dedo.

—¿Dónde está Massingham?

—En Washington, camino de Nueva York. Telefoneó ayer.

—¿Y Gupta? —preguntó Oliver, preocupado por el criado indio de Tiger, que vivía en el sótano.

—Los Gupta ven la televisión hasta las once y apagan las luces a las once y media. Es su rutina de todas las noches, y eso mismo han hecho hoy. Gupta y su esposa duermen en la sala de calderas; su hijo y su nuera ocupan el dormitorio; los niños están en el pasillo. En el sótano no hay sistema de alarma. Cuando Gupta baja, echa la llave de la puerta de acero y dice adiós al mundo. Según el equipo de vigilancia, lleva todo el día llorando y moviendo la cabeza. ¿Alguna otra pregunta?

Gupta, que quería a Tiger como nadie, recordó Oliver con tristeza. Gupta, cuyos tres hermanos, pese a su inocencia, habían sido inculpados mediante pruebas falsas por la policía de Liverpool hacía cien años, pero, según la leyenda, salieron en libertad gracias a la audaz intervención de san Tiger de todos los Singles. Gupta, que sólo rogaba poder seguir sirviendo a Tiger, llorando y moviendo la cabeza todo el día. Una animosa luna había ascendido a la planta vigésima de un monstruoso hotel insertado como un rascacielos de Manhattan en el perfil urbano de Londres. En el aire flotaba una bruma pulverulenta, mitad llovizna, mitad relente. Las farolas de sodio proyectaban un pegajoso resplandor sobre los familiares elementos del paisaje: los bancos de Riad y Qatar, Chase Asset Management y una heroica tiendecita llamada Tradition que vendía soldados en miniatura de tiempos pasados. Oliver solía entretenerse ante el escaparate cuando necesitaba hacer acopio de valor para entrar en Casa Single. Ascendió por los cinco peldaños de piedra que había jurado no volver a pisar jamás y se tanteó los bolsillos buscando la llave hasta que se dio cuenta de que la tenía en la mano. Llave en ristre, avanzó con desgana. Las mismas columnas. La misma placa metálica proclamando las remotas delegaciones extranjeras del imperio Single: Single Leisure Limited, Antigua... Banque Single & Cie... Single Resorts Monaco, Ltd... Single Sun Valley de Grand Cayman... Single Marcelo Land de Madrid... Single Seebold Löwe de Budapest... Single Malanski de San Petersburgo... Single Rinaldo Investments de Milán... Oliver podía recitar de memoria por orden de aparición la lista de empresas fantasma mientras dejaba vagar la mirada por todas partes sin fijarla en nada.

—¿Y si han cambiado la cerradura? —había preguntado Oliver.

—Si la han cambiado, nosotros hemos vuelto a poner la antigua.

Llave en mano, Oliver lanzó un último vistazo a ambos lados de la calle e imaginó que veía a Tiger en varias puertas, envuelto en su abrigo negro con solapas de terciopelo, presto a echarle un maleficio. Un hombre y una mujer se achuchaban en la penumbra bajo una marquesina. Un bulto humano yacía en el portal de una agencia inmobiliaria. «Apostaré a tres agentes en la calle para cualquier emergencia», había informado Brock. Con «emergencia» se refería al intempestivo retorno del Tigre a su jaula. Sudaba copiosamente, y el sudor se le metía en los ojos. No debería haberme puesto el jodido chaleco. El traje era uno de los seis que le habían cosido a toda prisa en Hayward para el día de su investidura como socio adjunto. Habían llegado junto con una docena de camisas hechas a medida, unos gemelos de oro de Cartier —cada uno de ellos con un tigre grabado en una de las piezas y un tigrillo en la otra—, y un Mercedes deportivo marrón con equipo cuadrafónico y las iniciales TS en la matrícula. Sudaba y empezaba a nublársele la vista, y si no era el peso del chaleco lo que lo abrumaba, era el peso de la llave. La cerradura cedió sin un chirrido. Empujó la puerta, que se abrió treinta centímetros y se detuvo. Volvió a empujar y notó deslizarse ante él la correspondencia del sábado. Levantó el pie y dio un paso largo. La puerta se cerró a sus espaldas, y los espectros del infierno, aullando, salieron de súbito a recibirlo.

¡Buenos días, señor Oliver!… Pat, el conserje, cuadrándose en broma.

El señor Tiger ha llamado a todas partes preguntando por ti, Oliver… Sarah, la recepcionista, desde la centralita.

Le has dado un meneo a la nena de desayuno, ¿eh, Ollie?... Archie, el chico de familia obrera convertido en prodigio de la Sala de Transacciones, disfrutando de su momento de camaradería con el hijo del jefe.

—Nunca has dejado el negocio —había explicado Brock a Oliver mientras aguardaban la hora idónea—. Al menos no en el Evangelio según Tiger. Nunca has renunciado al puesto de socio, nunca te has evaporado. Estás en excedencia por razones de estudios, acumulando títulos en el extranjero, fomentando contactos. Cobras el salario íntegro, según las memorias anuales de la empresa. La remuneración a los socios con dedicación exclusiva ascendió el año pasado a un total de cinco millones ochocientas mil libras. Tiger declaró a Hacienda tres millones brutos. O sea, que otro par de millones están escondidos en alguna cuenta *offshore*. Enhorabuena. Además, enviabas un telegrama a la oficina con motivo de la fiesta de Navidad, lo cual era todo un detalle por tu parte. Tiger lo leía en voz alta.

—¿Dónde estaba?

—En Yakarta. Derecho marítimo.

—¿Quién se cree esas gilipolleces?

—Todos los que quieren conservar el empleo.

Una tenue luz se filtraba desde la calle a través de la abertura del ventilador situado sobre la puerta. La famosa jaula dorada del ascensor estaba abierta, invitando a los visitantes distinguidos a elevarse hasta la última planta. «El ascensor de Single sube y nunca vuelve a bajar», había escrito con entusiasmo el adulador corresponsal de una revista de economía, previamente agasajado con un almuerzo en el Kat's Cradle. Tiger había hecho enmarcar el artículo para colgarlo junto a los botones. Oliver prescindió del ascensor y subió por la escalera, pisando con cuidado, sin notar el contacto de los pies en la alfombra, sin saber siquiera si realmente los tenía allí, guiándose por el pasamanos de caoba pero rozándolo apenas con los dedos, sin agarrarlo porque su pátina era el orgullo de la señora Gupta. Al llegar a un rellano, vaciló. La Sala de Transacciones se hallaba a su izquierda, tras las dos hojas de una puerta de vaivén que se cerraba con igual fuerza que la de una cocina de restaurante. La empujó con suavidad y echó una ojeada a la sala. Dave, Fuong, Archie, Sally, Mufta, ¿dónde estáis? Soy yo, el gran Ollie, el príncipe regente. Nadie respondió. Han saltado por la borda. Bienvenidos al *Marie Celeste*.

En el lado opuesto del rellano arrancaba el largo pasillo del Departamento de Administración, área destinada a secretarias vestidas de ejecutivas en espera de un empleo mejor y a un trío de contables conocidos como los «pañales mojados», porque se encargaban de las tareas sucias que los millonarios dejan en manos de quienes trabajan para ellos: coches, perros, casas, caballos, yates, palcos en Ascot, compensaciones económicas a amantes desechadas, discretas negociaciones con criados desafectos que se fugaban con el Rolls, una caja de whisky y el chihuahua del cliente. El decano de los pañales mojados era un gigante viejo y tímido llamado Mortimer que vivía en Rickmansworth y se regodeaba de los excesos de los detestables personajes que tenía bajo su tutela. *Además* la mujer se cepilla al mayordomo, murmuraba por la comisura de los labios, cargando su hombro contra el de Oliver para mayor confidencialidad. *Además* está vendiendo los Renoirs de su maridito y colgando en su lugar reproducciones porque el vejete ya no ve tres en un burro. *Además* está excluyendo de la herencia a los hijos de él y tramitando el permiso de obras para construir veinte chalets adosados en el jardín…

Ascendiendo ingrávidamente hasta el siguiente rellano, Oliver se detiene ante la puerta de la sala del consejo de administración el tiempo suficiente para componer un cuadro vivo con Tiger entronizado a la cabecera de la mesa de palo de rosa, Oliver en el extremo opuesto, y Massingham, el maître, repartiendo contabilidades falsas encuadernadas en piel a una patulea de lores desharrapados, ministros defenestrados, venales representantes de la prensa económica londinense, abogados bien remunerados y desconocidos a sueldo. Llegó a un descansillo intermedio y vio por encima de su cabeza las patas con ruedas de un pupitre de conserjería y la mitad inferior de un espejo convexo. Estaba aproximándose a lo que Massingham, pese a las procaces burlas de los oficinistas, insistía en llamar el Área Reservada.

«Hay un lado blanco y un lado negro —había explicado Oliver a Brock en la sala de interrogatorios de cartón piedra de Heathrow—. El lado blanco da para pagar las facturas; el lado negro empieza en la tercera planta.» Y Brock había preguntado: «¿Tú en qué lado estás, hijo?» Después de pensar durante un rato, Oliver había contestado: «En los dos», y a partir de ese momento Brock dejó de llamarlo «hijo».

Oyó un golpe y quedó paralizado. Un ladrón. Las palomas. Tiger. Un ataque al corazón. Subió más deprisa, huyendo hacia adelante, aprestándose para el forzoso encuentro:

Soy yo, padre. Oliver. Siento mucho haber llegado con cuatro años de retraso, pero es que conocí a una chica, empezamos a charlar, una cosa lleva a la otra, y se me han pegado las sábanas…

Ah, hola, padre, perdona si te aburro, pero sencillamente tuve una crisis de conciencia, ¿entiendes? O supongo que era la conciencia. No una intensa luz en el camino a Damasco ni nada por el estilo. Simplemente desperté en Heathrow tras una agotadora serie de visitas relámpago a clientes importantes y decidí que ya era hora de declarar parte del contrabando que había acumulado en la cabeza…

¡Padre! ¡Fantástico! ¡Me alegro mucho de verte! Pasaba por aquí y se me ha ocurrido entrar... Es sólo que me enteré de la muerte del pobre Alfie Winser, sabes, y lógicamente no podía menos que preguntarme cómo lo llevabas...

¡Ah, padre! ¡Tú por aquí! Miles de gracias por los cinco millones y pico para Carmen. Ella aún es un poco joven para darte las gracias personalmente, pero Heather y yo damos gran valor al gesto...

Ah, padre, a propósito, Nat Brock dice que si por alguna casualidad estás huyendo, te agradecería que le dieses la oportunidad de llegar a un acuerdo contigo. Por lo visto, te conoció en Liverpool y pudo admirar de primera mano tus habilidades...

Y por otra parte, padre..., bueno, en realidad he venido a llevarte a un lugar seguro... si no tienes inconveniente. ¡No, no, no, soy tu amigo! O sea, sí, es verdad que te traicioné, pero eso fue una intervención terapéutica necesaria. En el fondo sigo siendo sumamente leal...

Se hallaba ante una puerta del patio interior de la fortaleza, examinando innecesariamente el panel numérico que controlaba la cerradura. Una ambulancia ululaba en South Audley Street pero, a juzgar por el estruendo, daba la impresión de que subiese por la escalera. La siguieron un coche de policía y otro de bomberos. Estupendo, pensó, un incendio es justo lo que necesito. «Tenemos ante nosotros, caballeros, lo que yo llamo una combinación rotatoria —explica un experto en seguridad de semblante lúgubre con voz mascullada de ex policía a los altos ejecutivos allí congregados de mala gana, Oliver entre ellos—. Los primeros cuatro dígitos son invariables, y todos los conocemos.» Sin duda los conocemos. Son 1-9-3-6, el bienaventurado año del nacimiento de Tiger nuestro Señor. «Las dos últimas cifras son, como nosotros decimos, las rodantes, y éstas se obtienen restando al número cincuenta el día de la fecha presente. Por ejemplo, si hoy es el día 13 del mes, como así es según información fidedigna de mis espías, ja, ja, pulsaré los dígitos tres siete. Si es primero de mes, pulsaré los dígitos cuatro nueve. ¿Se ha asimilado bien, caballeros? Soy consciente de que esta mañana me dirijo a un público superior a la media y en extremo ocupado, así que no los retendré más de lo necesario. ¿Ninguna pregunta? Gracias, caballeros, ya pueden fumar, ja, ja.»

Con una temeridad que le sorprendió, Oliver pulsó las cifras correspondientes al año de nacimiento de Tiger, seguidas de los dígitos rodantes del día, y empujó la puerta. Se abrió con un gemido, dándole acceso al Departamento Jurídico. Diversas acuarelas de inicios del gótico inglés representan vistas de Jerusalén, el lago Windermere y el monte Cervino. Pasaron a manos de Tiger al quebrar un antiguo cliente que se dedicaba a la compraventa de pintura de esa época. Había una puerta entornada. Usando de nuevo las puntas de los dedos, Oliver la abrió del todo. Mi despacho. Mi celda. Mi calendario de Pirelli, cuatro años más viejo. Aquí es donde nuestro Cartero en el lado legal aprendió a manejar los hilos. Hilos como compañías comerciales que nunca habían comerciado en nada ni comerciarían. Hilos como sociedades de cartera en cuya cartera nada duraba ni cinco minutos porque todo quemaba. Hilos como la venta de bonos basura al banco a fin de que el banco figurase como comprador. Luego la recompra de dichos bonos por mediación de otras compañías, porque casualmente el banco es de tu propiedad. Hilos como el planteamiento de situaciones hipotéticas para ofrecer información general a un cliente, dando por sentado naturalmente que dicho cliente no tenía tan pocos escrúpulos como para interpretar la información como verdadera asesoría profesional. Hilos que eran el preciado territorio ni más ni menos que del difunto, asesinado, pene-propulsado Alfred Winser, con su cabello castaño de tinte permanente y sus trajes inspirados en Tiger; Alfie, terror de las mecanógrafas, un peligro en los pasillos, mi inmoral tutor:

Bien, señor Asir —una sonrisa estúpida y un gesto de asentimiento hacia el hijo del jefe, allí presente para adquirir experiencia—, imaginemos, hablando por hablar, que ha obtenido una gran suma de dinero gracias a su próspero negocio de productos cosméticos…, bueno, digamos que es multinacional. Quizá no tenga usted ese negocio de productos cosméticos, pero imaginemos, hablando por hablar, que sí lo tiene —una risita— e imaginemos asimismo que ofrece usted ayuda a su querido hermano menor de Delhi, suponiendo que exista dicho hermano, y si no existe, por favor no me lo diga, ji, ji. Y este hermano es dueño, pongamos por caso, de una cadena de hoteles, y usted, como hermano mayor, está obligado a conseguirle —comprarle— en Europa equipo de hostelería costoso y moderno, maquinaria a la que él, el pobre, no puede acceder en India, y para cuya adquisición le ha adelantado, digamos, siete millones y medio de dólares de manera informal, lo cual, siendo usted su hermano, debe de ser bastante normal en círculos asiáticos, supongo. E imaginemos también que, con esta situación en mente, se dirige usted al señor Tal y Tal del banco Tal y Tal con sede en la agradable ciudad suiza de Zug y le indica que está usted representado por la Casa Single & Single y que el señor Alfred Winser, con quien él disfrutó recientemente de una velada recreativa, le envía sus más cordiales saludos…

Una insalubre escalera de incendios, iluminada con lamparillas azules, ascendía desde el extremo del Departamento Jurídico hasta la suntuosa antesala de la Guarida del Tigre, pasando por dos puertas cortafuegos y un lavabo para hombres. Oliver subió por los peldaños de uno en uno. Una puerta con cuarterones apareció ante él. Era convexa y estrecha y tenía un pomo metálico en el centro. Levantó la mano en ademán de llamar pero se detuvo a tiempo. Hizo girar el pomo y abrió. Se hallaba en la legendaria rotonda. Un cinematográfico cielo estrellado surgió sobre él, proyectado a través de los segmentos de una cúpula de cristal. Bajo el vacilante resplandor distinguió las estanterías con libros perfectamente encuadernados que nadie leía: libros de leyes para delincuentes, libros sobre quién es rico y a quién estafar, libros sobre contratos y cómo incumplirlos, sobre impuestos y cómo evadirlos. Libros nuevos para demostrar que Tiger es un hombre de hoy. Libros antiguos para demostrar que es digno de confianza. Libros solemnes para demostrar que es sincero. Oliver movía de lado a lado la cabeza y una intensa comezón se extendía por su cuello y el interior de su pecho y su frente. Lo había olvidado todo: su nombre, su edad, la hora del día, si estaba allí por encargo de alguien o por voluntad propia, qué amaba aparte de a su padre. A su izquierda el sofá deshuesado y la puerta del despacho de Massingham. Cerrada. A su derecha, el escritorio en forma de media luna y los retratos de los tres doguillos. Y enfrente, a doce metros de distancia a través de la moqueta azul celeste, la puerta cóncava y azul de dos hojas, la puerta de la tumba de Tiger, cerrada pero esperando al ladrón.

Guiándose por las estrellas, Oliver cruzó la rotonda y localizó la hoja derecha de la puerta, hizo girar el pomo, se agachó y, con los ojos cerrados —o eso suponía— entró furtivamente en el despacho de su padre. Un olor dulzón impregnaba el aire quieto. Oliver lo olfateó y creyó percibir vagamente el masculino aroma de la loción corporal Trumper, el arma elegida por su padre. Descubriendo que en realidad tenía los ojos abiertos, avanzó a trompicones y se detuvo ante el sagrado escritorio, aguardando a que se notase su presencia. Era enorme, y más enorme aún en la semioscuridad, aunque nunca tan enorme como para reducir la estatura de su ocupante. El trono estaba vacío. Oliver se irguió con cautela y se permitió echar una ojeada menos inhibida al despacho. La mesa de reuniones de siete metros. El círculo de butacas donde los clientes permanecen cómodamente sentados mientras Tiger los pone al corriente acerca de las mejores lagunas legales que pueden comprarse con riqueza ilícita. El mirador acristalado donde Tiger, como un capitán en miniatura en su puente de mando, se pasea ufano y te coge del brazo y observa su propio reflejo en el paisaje urbano londinense y convierte a tu hijo nonato en cinco veces millonario. Y donde... —¡oh, Dios, santo cielo!— ... donde en ese momento el cadáver de Tiger, yacente y envuelto en una espectral mortaja de muselina, flotaba en el aire como una luna nueva tendida de espaldas. Sometido al potro de tortura. Tensados sus miembros hasta partirse. Tiger atrapado en su propia tela como la araña.

Oliver consiguió de algún modo dar un paso al frente, pero la aparición no se alteró ni retrocedió. Es un truco. ¡Asombre a sus amigos! ¡Corte en dos a su socio ante la mirada atónita de todos ellos! ¡Envíe un sobre franqueado a Números Mágicos, apartado de correos, Walsingham!

—Tiger —susurró Oliver. Nada oyó salvo los suspiros y sollozos de la ciudad—. Padre. Soy Oliver. Yo. He vuelto. Todo va bien. Padre. Te quiero.

Buscando hilos, extendió un brazo y trazó con él un amplio arco por encima del cadáver y descubrió que tenía en la mano sólo un jirón de mortaja. Encogiéndose, esperando algo horrendo, se obligó a mantener los ojos abiertos, miró hacia abajo y vio una indistinta cabeza castaña que le sostenía la mirada. Y reconoció no a su padre surgido del sepulcro, sino el estupefacto rostro exoftálmico del siempre leal Gupta, saliendo de las profundidades de su hamaca: Gupta con lágrimas en los ojos, lleno de júbilo, sin pantalones, con un calzoncillo azul y envuelto en tiras de mosquitera, agarrando al hijo del jefe de los dos brazos y sacudiéndoselos al ritmo de su aterrorizada alegría.

—Señor Oliver, por Dios, ¿dónde ha estado? ¡En el extranjero, en el extranjero! ¡Por estudios, por estudios! ¡Dios mío, debe de habérsele gastado la vista de tanto estudiar! Nadie podía hablar de usted. Era un misterio de grandes proporciones, que no debía revelarse a persona alguna. ¿Está casado el señor? ¿Lo ha bendecido Dios con algún hijo? ¿Es feliz? ¡Cuatro años, señor Oliver, cuatro años! ¡Dios mío! Dígame sólo que su buen padre está sano y salvo, se lo ruego. Hace ya muchos días que no sabemos nada de él.

—Se encuentra bien —dijo Oliver, olvidándose de todo menos de su sensación de alivio—. El señor Tiger está perfectamente.

—¿Es eso verdad, señor Oliver?

—Por supuesto.

—¿Y qué ha sido de usted en estos años?

—No me he casado, pero no me puedo quejar. Gracias, Gupta. Gracias.

Gracias por no ser Tiger.

—En ese caso mi alegría es doble, señor, como lo será la de todos los demás. No podía dejar mi puesto, señor Oliver. No pediré disculpas. Pobre señor Winser. Dios santo. En su segunda flor de la vida, podría decirse. Todo un caballero. Siempre con una sonrisa y unas palabras a punto para nosotros las personas insignificantes, en especial las señoritas. Y ahora la nave se hunde y es abandonada; los pasajeros desaparecen como nieve en el fuego. El miércoles tres secretarias; el jueves dos excelentes operadores de bolsa, y ahora se rumorea que nuestro elegante jefe de personal no está simplemente de vacaciones, sino que se ha ido de manera permanente en busca de pastos más verdes. Alguien debe quedarse y mantener encendida la llama, digo yo, aunque estemos obligados a permanecer a oscuras por razones de seguridad.

—Eres un ángel, Gupta —dijo Oliver.

A continuación se produjo un incómodo silencio mientras cada uno reevaluaba su respectivo placer ante aquel encuentro. Gupta tenía un termo de té caliente. Oliver tomó un poco en la única taza disponible. Pero eludía la mirada de Gupta, y la sonrisa expectante de Gupta iba y venía como la luz de una lámpara defectuosa.

—El señor Tiger te manda saludos, Gupta —mintió Oliver, rompiendo el silencio.

—¿Por mediación de *usted*? ¿Ha hablado con él?

—«Si ves allí al viejo Gupta, dale una patada en el trasero.» Ya sabes cómo es él.

—Dios mío, adoro a ese hombre.

—Él lo sabe. —Oliver había adoptado la voz de socio adjunto, detestándose mientras escuchaba sus propias palabras—. Conoce la magnitud de tu lealtad, Gupta. No espera menos de ti.

—Es una bellísima persona. Su padre posee un corazón inmensurable, diría yo. Son ustedes dos caballeros excelentes. —El desasosiego distorsionaba el rostro pequeño de Gupta. Todo lo que sentía, amor, lealtad, recelo, miedo, se reflejaba en sus facciones contraídas—. ¿Qué asuntos traen por aquí al señor, si no es indiscreción? —preguntó, reuniendo valor en su inquietud—. ¿Por qué viene ahora de pronto con mensajes del señor Tiger después de cuatro años sin dar señales de vida en el extranjero? Perdóneme el señor, se lo ruego; no soy más que un humilde servidor.

—Mi padre me envía a recoger unos documentos de la cámara acorazada de los socios. Piensa que quizá guarden relación con el desgraciado suceso del pasado fin de semana.

—Ya, señor —susurró Gupta.

—¿Qué ocurre?

—Yo también soy padre, señor Oliver.

Y yo, deseó decirle Oliver.

Se había llevado al pecho la pequeña mano derecha.

—Su padre no es un padre feliz, señor Oliver. Usted es su único descendiente. Yo, señor, soy un padre feliz, y conozco por tanto la diferencia. El amor que el señor Tiger siente por usted no se ve correspondido. Ésa es su percepción. Si el señor Tiger confía en usted, señor Oliver, por mí encantado. Que así sea. —Asentía con la cabeza. Había visto su camino y expresaba así su conformidad—. Veremos la prueba, señor Oliver, clara como el agua, sin dudas ni salvedades. No soy yo quien plantea el desafío. Un acto de la Divina Providencia ha venido en nuestro auxilio. Sígame, por favor. Cuidado no vaya a pisarme, señor Oliver. Y no se acerque a las ventanas.

Oliver siguió la sombra de Gupta hasta una puerta de caoba que camuflaba la entrada a la cámara acorazada de los socios. Gupta la abrió y entró. Oliver se reunió dentro con él. Gupta cerró la puerta y encendió la luz. Se quedaron frente a frente, con la puerta de la cámara acorazada a un lado. Gupta era aún más bajo que Tiger, razón por la cual, sospechaba Oliver, lo había elegido Tiger.

—Su padre fue muy cauto en sus confidencias personales, señor Oliver. «Dime tú, Gupta, ¿en quién podemos confiar plenamente? —me preguntaba—. Dime, Gupta, ¿dónde está la gratitud por todo lo que hemos dado a nuestros seres más queridos? ¿Dónde puede encontrar un hombre un total compromiso si no es en los de su propia sangre? Dímelo si eres tan amable. Así pues, Gupta, debo protegerme contra la traición.» Ésas fueron sus palabras, señor Oliver, confiadas personalmente a altas horas de la noche. —Fuesen o no palabras de Tiger, Gupta las pronunció sin duda con una implícita y trémula acusación ante la puerta gris de acero, en la que mantenía fija la mirada con misteriosa reverencia—. «Gupta —me aconseja—, guárdate de tus hijos si son envidiosos. No estoy ciego. Ciertas desgracias que han ocurrido en mi casa no pueden pasarse por alto sin un detenido examen de los hechos. Cierta correspondencia conocida sólo por mí y por cierta persona ha caído en manos de nuestros implacables enemigos. ¿Quién es aquí el culpable? ¿Quién es el Judas?»

—¿Cuándo te dijo todo eso?

—Cuando las calamidades empezaron a multiplicarse, su padre se vio movido a la reflexión. Pasó muchas horas en esa cámara acorazada en la que usted intenta entrar, cuestionándose la lealtad de cualquier otro par de ojos que no fuesen los suyos.

—Espero, pues, que lograse apartar de su mente sospechas infundadas —replicó Oliver con tono altivo.

—Yo también, señor. Con toda sinceridad. Por favor, señor Oliver, cuando guste. Tómese el tiempo que necesite. La Providencia será quien decida, de eso estoy seguro.

Era un desafío. Observado atentamente por Gupta, Oliver se inclinó hacia el disco. Era verde con los dígitos en relieve. Con los brazos cruzados en actitud hostil, Gupta se situó al otro lado.

—No sé si es muy correcto que estés presente, ¿no crees? —dijo Oliver.

—Señor, soy el guardián de facto de la casa de su padre. Espero una prueba de su buena voluntad.

La revelación cobró forma en la cabeza de Oliver discretamente, sin alharacas, como algo ya conocido.

Gupta está dándome a entender que Tiger ha cambiado la combinación, y si ignoro la nueva combinación, significa que Tiger no me la ha dado. Y si no me la ha dado, no me ha enviado él, y por tanto miento descaradamente y la Divina Providencia está a punto de demostrarlo, y la Divina Providencia acertará de lleno en el blanco.

—Gupta, de verdad preferiría que esperases fuera.

En un gesto de descortesía, Gupta apagó la luz, abrió la puerta, salió y volvió a cerrar. Encendiendo de nuevo la luz, Oliver, a través del ojo de la cerradura, lo oyó entonar un panegírico a Tiger. Tiger, mártir por su bondad. Defensor de los desamparados. Víctima de una diabólica maquinación concebida por personas próximas a él. Patrón generoso, marido y padre modélico.

—Un gran hombre debería ser juzgado sólo por sus amigos, señor Oliver. No debería ser juzgado por quienes están inveteradamente predispuestos en contra de él a causa de la envidia y la mezquindad de sus espíritus.

Nada menos que la fecha de mi nacimiento, pensó Oliver.

Es última hora de una tarde cercana a la Navidad. Oliver colabora con Brock desde hace apenas unos días, y sin embargo vive aún en un estado de desasosiego. El papel de espía lo obliga a depender de voluntades más fuertes que la suya, a obedecer como nunca antes. Esta noche, a instancias de Brock, se quedará trabajando en la oficina y continuará con su escrutinio de las cuentas de los clientes en bancos *offshore* antes de que Tiger tenga ocasión de corregirlas. Sentado tras su escritorio, con los nervios a flor de piel, retoca el borrador de un contrato en espera de que Tiger asome la cabeza a la puerta para despedirse. En lugar de eso, Tiger lo llama a su presencia. Cuando Oliver comparece, Tiger, como de costumbre, parece no saber qué hacer con él.

—Oliver.

—Sí, padre.

—Oliver, ha llegado la hora de iniciarte en los misterios de la cámara acorazada de los socios.

—¿Estás seguro de que es ése tu deseo? —pregunta Oliver. Y es más que dudoso que sea él la persona más indicada para darle a su padre lecciones de seguridad personal.

Tiger está seguro. Una vez iniciada una actividad, debe convertirla en un asunto de trascendental importancia, ya que todo aquello que Tiger hace es como mínimo trascendental.

—Es absolutamente confidencial, Oliver. Algo entre tú y yo, y nadie más en el mundo. ¿Queda claro?

—Por supuesto.

—Nada de susurros en confianza a nuestra amada de turno, ni siquiera a Nina. Esto queda sólo entre nosotros dos.

—Completamente de acuerdo.

—Promételo.

—Lo prometo.

Henchido de un elevado sentido de su propia solemnidad, Tiger revela el secreto. La combinación de la cámara acorazada no es otra que la fecha de nacimiento de Oliver. Tiger la introduce mediante el disco e invita a Oliver a accionar el enorme tirador. La puerta de acero se abre.

—Padre, estoy conmovido.

—No deseo tu gratitud. La gratitud no tiene ningún valor para mí. Esto es un símbolo de confianza mutua. Encontrarás un whisky aceptable en el armario. Sirve un par de vasos. ¿Cómo dice el viejo Yevgueni cuando quiere una copa? «Hablemos en serio.» He pensado que podríamos cenar juntos después. ¿Qué te parece si telefoneo a Kat? ¿Está libre Nina?

—En realidad Nina tiene un compromiso esta noche. Por eso me proponía quedarme a acabar unas cosas.

—«¡Y cuando me apuñalan por la espalda, Gupta, dime de quién es la mano que empuña el cuchillo! —bramaba Gupta por el ojo de la cerradura—. ¿Es la mano más cercana a mi corazón? ¿Es la mano a la que he dado de comer y beber como a ninguna otra? Gupta, si te confesase que hoy es el día más triste de mi vida, no exageraría en absoluto mi actual situación personal, pero la autocompasión es impropia de un hombre de mi talla.» Éstas fueron sus palabras, señor Oliver. Tal como salieron de labios del señor Tiger.

Solo ante la cámara acorazada, Oliver contempló el disco. Conserva la calma, se dijo. Éste no es momento de sucumbir al pánico. Y si éste no es momento, ¿cuándo lo es? Primero, aunque fuese únicamente por constatar lo apurado de su situación, introdujo la combinación antigua: dos a la izquierda, dos a la derecha, cuatro a la izquierda, cuatro a la derecha, dos a la izquierda, y accionar el tirador. Se negó a moverse. La fecha de mi nacimiento no es ya la clave. Al otro lado de la puerta, Gupta proseguía con su lamentación mientras Oliver se sermoneaba desesperadamente. Tiger no deja nada al azar, razonó; no hace nada ajeno a su amor propio. Sin convicción, marcó los dígitos de la fecha de nacimiento de Tiger. Sin resultado. ¡El día de la conmemoración!, pensó con mayor optimismo, e introdujo las cifras 050480, fecha en que se fundó la empresa, celebrada tradicionalmente durante un paseo en barco por el Támesis y champán. Pero no ocurrió nada por lo que brindar. Oyó la voz de Brock: «A ti te basta con respirar para presentir sus reacciones, adivinar sus mo-

vimientos, ponerte en su papel. Lo has tenido aquí.»
Oyó la voz de Heather: «Las chicas contamos las rosas,
Oliver...; es por saber cuánto nos quieren.» Asqueado
por el naciente presentimiento, hizo girar de nuevo el
disco con dedos sudorosos: tres a la izquierda, dos a la
derecha, dos a la izquierda, cuatro a la derecha, dos a
la izquierda. Con sobriedad, con estoicismo, sin per-
mitirse manifestaciones de emoción. Estaba introduciendo la fecha de nacimiento de Carmen.

—¡Señor Oliver, no es ajeno a mis competencias telefonear al 091 y solicitar el oportuno servicio! —voci-
feraba Gupta—. ¡Ése será mi siguiente paso, ya lo verá!

Los pasadores se descorrieron, la puerta se abrió, y
el reino secreto se mostró ante él: cajas, carpetas, libros
y papeles apilados con la obsesiva precisión de Tiger.
Apagó la luz y salió al despacho. Gupta se retorcía las
manos, disculpándose con un patético gimoteo. Oliver
tenía la cara al rojo vivo y un nudo en el estómago,
pero consiguió hablar con autoridad, un oficial del Imperio Británico de Single en India.

—Gupta, necesito saber con toda urgencia qué
hizo mi padre desde el momento que recibió la noticia
de la muerte del señor Winser.

—Enloqueció, señor Oliver. Se desconoce por qué
canales le llegó exactamente la noticia. En la oficina se
rumorea que fue una llamada telefónica, ignoramos de
quién, pero quizá de un periódico. Se le extravió la mirada. «Gupta —me dijo—, nos han traicionado. Una
serie de acontecimientos ha culminado en un trágico
desenlace. Tráeme el abrigo marrón.» Era un hombre
incapaz de razonar, señor Oliver, un hombre confuso.
«¿Se va, pues, a Nightingales, el señor?», pregunté.
Siempre que va a Nightingales, se pone su abrigo marrón. Para él, es un emblema, un símbolo, un regalo de
su santa madre de usted. Así que, cuando se lo pone,
tengo la certeza de que es ése su destino. «Sí, Gupta,

voy a Nightingales. Y en Nightingales buscaré el consuelo de mi querida esposa y mandaré una señal de socorro a mi único hijo vivo, cuya ayuda necesito imperiosamente en estos difíciles momentos.» En ese instante entró sin llamar el señor Massingham. Es un hecho en extremo insólito, considerando la respetuosa actitud del señor Massingham en otras ocasiones. «Déjanos solos, Gupta.» Fue su padre quien habló. Ignoro el contenido de la conversación entre ambos caballeros, pero fue breve. Los dos estaban pálidos como espectros. Alguna visión los había asaltado simultáneamente y querían comparar sus respectivas notas. Ésa fue mi impresión, señor Oliver. Se mencionó a un tal señor Bernard. Ponte en contacto con Bernard; hay que consultar con Bernard; ¿por qué no le dejamos esto a Bernard? De pronto su padre ordenó silencio. Ese Bernard no es de fiar. Es un enemigo. La señorita Hawsley se deshacía en lágrimas. No sabía que fuese capaz de llorar, excepto por sus perritos.

—¿Recuerdas si mi padre hizo preparativos para algún viaje? ¿Mandó llamar a Gasson?

—No, señor Oliver. No actuaba de manera racional. Si volvió a pensar racionalmente, fue más tarde, diría.

—Presta atención, Gupta —dijo Oliver, manteniendo aún el tono severo—. La suerte del señor Tiger depende de que recuperemos ciertos documentos perdidos. He contratado a un equipo de investigadores privados para ayudarme en la búsqueda. Debes permanecer en tu vivienda hasta que abandonen el edificio. ¿Lo has entendido?

Gupta recogió su hamaca y se escabulló escalera abajo. Oliver aguardó hasta que oyó cerrarse la puerta del sótano. Desde el escritorio de Tiger telefoneó al equipo de vigilancia apostado en la acera de enfrente y farfulló la estúpida contraseña que Brock le había dado para la ocasión. Descendió a toda prisa hasta la planta baja y abrió la puerta delantera. Entró primero Brock y lo siguieron varios agentes vestidos de negro y con mochilas para las cámaras, trípodes, focos y demás trastos.

—Gupta ha bajado al sótano —informó Oliver a Brock con un susurro—. Algún idiota no se dio cuenta de que Gupta había tomado por costumbre irse a dormir arriba. Yo me marcho.

Brock masculló algo dirigiendo la voz al cuello de la chaqueta. Derek entregó la mochila a su compañero más cercano y se colocó junto a Oliver. Oliver bajó con paso vacilante por los peldaños de la entrada, escoltado por Derek y seguido por Aggie, que lo cogió del brazo en un gesto amigable mientras Derek lo sujetaba del otro brazo. Un taxi paró ante ellos. Tanby iba al volante. Derek y Aggie ayudaron a Oliver a entrar y se acomodaron con él en el asiento trasero, uno a su izquierda y otro a su derecha. Aggie le puso una mano en el brazo, pero él la retiró. Cuando torcían en Park Lane, soñó despierto que estaba en India y apoyaba su bicicleta contra un tren detenido y subía a bordo, pero el tren no arrancaba porque había cadáveres en la vía. Al llegar ante el piso franco, Aggie fue a llamar al timbre mientras Derek dejaba a Oliver en la acera y Tanby esperaba para recogerlo. Oliver no tenía conciencia de haber subido por la escalera, sino sólo de hallarse tendido en el camastro en ropa interior, deseando que Aggie estuviese junto a él. Al despertar, vio la luz de la mañana tras las raídas cortinas de la ventana abuhardillada, y a Brock, no a Aggie, sentado en la silla, tendiéndole una hoja de papel. Oliver se acodó en el colchón, se frotó la nuca y aceptó la fotocopia de una carta con un logotipo impreso: dos guanteletes de malla entrelazados en un saludo... ¿o era en combate? El rótulo curvo TRANS-FINANZ VIENA rodeaba los guanteletes.

La letra era de una máquina electrónica y tenía un indefinible acento extranjero:

Para el señor don T. Single, PERSONAL, por mensajero.

Querido señor Single:

Tras nuestras negociaciones con un representante de su distinguida firma, tenemos el placer de notificarle formalmente nuestra reclamación a la Casa Single de una suma de £200.000.000 (doscientos millones de libras esterlinas), que consideramos una compensación justa y razonable por las pérdidas sufridas y la divulgación de información confidencial revelada al amparo del secreto profesional. El pago deberá realizarse en el plazo de treinta días mediante ingreso en la cuenta de Trans-Finanz Estambul, cuyos datos ya conocen, a la atención del doctor Mirsky. En caso de no efectuarse dicho pago, tomaremos nuevas medidas. Recibirán una prueba documental por separado en su domicilio particular. Le agradecemos de antemano su pronta respuesta.

Firmado Y. I. Orlov con mano vacilante y anciana, y contrafirmado con las pulcras iniciales de Tiger como constatación de que se había leído y tomado buena nota del contenido.

—¿Te acuerdas de Mirsky? —preguntó Brock—. Era Mirski con «i» hasta que pasó dos años en Estados Unidos y adquirió sabiduría.

—Claro que me acuerdo. Un abogado polaco. Una especie de socio comercial de Yevgueni. Me encargaste que le prestara atención.

—De socio comercial nada. —Brock estaba espoleándolo, resuelto a ponerlo en marcha—. Mirsky es un sinvergüenza. Era un sinvergüenza comunista y ahora es un sinvergüenza capitalista. ¿Por qué hace de banquero de los doscientos millones de Yevgueni?

—¿Y yo qué carajo sé? —Oliver le devolvió la carta.

—Levántate.

Malhumorado, Oliver se incorporó totalmente y, bajando los pies al suelo, quedó sentado al borde de la cama.

—¿Me escuchas?

—Apenas.

—Siento lo de Gupta. No somos perfectos, y nunca lo seremos. Lo manejaste de maravilla. Y descubrir la combinación de la cámara acorazada fue una auténtica genialidad. Nadie más podría haberlo hecho. Eres el mejor agente que tengo. Ésa no es ni mucho menos la única carta que encontramos. Nuestro amigo Bernard está ahí enterrado con su villa gratis, lo mismo que otra media docena de Bernards. ¿Me escuchas? —repitió Brock. Oliver fue al baño, abrió el grifo del lavabo y se echó agua a la cara—. Apareció también el pasaporte de Tiger —informó Brock a voz en grito a través de la puerta abierta—. O utiliza el de otra persona, o no ha ido a ninguna parte.

Oliver oyó esta noticia como si fuese sólo un fallecimiento más entre otros muchos.

—Tengo que telefonear a Sammy —dijo al salir del baño.

—¿Quién es Sammy?

—Tengo que telefonear a su madre, Elsie, para decirle que estoy bien.

Brock le llevó un teléfono y permaneció a su lado mientras hablaba.

—Elsie…, soy yo, Oliver. ¿Cómo está Sammy? Bien… Ah, perfectamente. Bueno…, hasta la vista —dijo, todo en un tono monocorde, y colgó. Respiró hondo y, sin mirar a Brock, marcó el número de Heather en Northampton—. Soy yo. Sí. Oliver. ¿Cómo está Carmen?… No, no puedo… ¿Cómo? Pues avisa a un médico… Oye, ve a uno privado; yo lo pagaré… Pronto… —Alzó la cabeza y vio el gesto de asentimiento de Brock—. Pronto irá alguien a hablar contigo… mañana o pasado… —Brock asintió de nuevo—. ¿Y no ha aparecido más gente extraña?… ¿Ningún otro coche resplandeciente ni llamadas anónimas? ¿Ningún otro ramo de rosas?… Bien. —Colgó—. Carmen se ha hecho una herida en la rodilla —protestó, como si todo fuese culpa de Brock—. Quizá tengan que darle unos puntos.

11

Conducía Aggie. Oliver, arrellanado en el asiento contiguo, de pronto se llevaba la mano a la cabeza con un amplio movimiento para mesarse el cabello, de pronto levantaba sus largas piernas y, resoplando ruidosamente, las dejaba caer de nuevo contra el suelo, o de pronto se preguntaba qué ocurriría si se insinuaba con Aggie, por ejemplo apoyando su mano en la de ella una de las veces que cambiase de marcha o deslizando los dedos por el interior del cuello de su jersey. Pararía el coche y me tumbaría de un golpe, decidió. Las colinas de color verde oliva de Salisbury Plain se extendían a ambos lados de la carretera. Rebaños de ovejas pacían en las laderas. El sol poniente doraba las casas de campo y las iglesias. El coche era un anónimo Ford con un planeador de juguete en la bandeja posterior y una segunda radio oculta bajo el salpicadero. Los precedía una camioneta, con Tanby al volante y Derek a su lado. Llevaba una cinta roja atada a la antena. A Aggie no le cae bien Derek, así que a mí tampoco. Dos motoristas en una sola moto cerraban la marcha; llevaban trajes de cuero y cascos decorados con vistosas flechas rojas. A veces la radio crepitaba y una fría voz femenina hablaba en clave. A veces Aggie respondía, también en clave. A veces trataba de animar a Oliver.

—¿Has estado alguna vez en Glasgow, Oliver? —preguntó—. Allí hay mucha actividad.

—Eso he oído decir.

—No perderías nada probando suerte allí cuando esto termine, ¿no sé si me entiendes?

—Buena idea. Quizá lo tenga en cuenta.

Aggie lo intentó de nuevo.

—¿Te acuerdas de Walter?

—Sí, claro, Walter, ¿cómo no? Uno de los matones de Tanby. ¿Qué ha sido de él?

—¡Huy, Walter! En fin, se fue al norte; nos abandonó por una de esas empresas de seguridad de tres al cuarto. Treinta y cinco mil dólares al año y un Rover con tapicería de piel. Da asco. ¿Dónde está la lealtad? ¿Dónde está el sentido del servicio?

—Eso digo yo: ¿Dónde? —convino Oliver, y sonrió por el detalle de la tapicería de piel.

—Tuvo que ser una experiencia horrible para ti, ¿no? ¿Descubrir que tu padre era un sinvergüenza y todo eso? Y tú recién salido de la facultad de derecho, convencido de que la ley servía para proteger a la gente y mantener la sociedad en el buen camino. O sea, ¿cómo reacciona alguien ante eso, Oliver? Y te recuerdo que hablas con una persona que estudia filosofía, para mi tormento —dijo Aggie. Oliver no hablaba con nadie, estudiara lo que estudiase, pero ella no cejó en su empeño—. O sea, ¿cómo es posible saber, en una situación así, si simplemente odias al muy hijo de puta o actúas por amor a la justicia? Preguntándote día y noche: ¿Soy un hipócrita, fingiendo a todas horas que he obrado de una manera noble, íntegra y virtuosa a lomos de mi caballo blanco, cuando de hecho le he vuelto la espalda a mi propio padre? ¿Fue así como lo viviste, o son imaginaciones mías?

—Sí, bueno.

—En serio, eres un verdadero ídolo para nosotros,

¿lo sabías? El intrépido solitario. El idealista. El mayor disidente de todos los tiempos. Hay gente en el Servicio que daría cualquier cosa por tener tu autógrafo.

Un largo silencio en el que incluso la aguerrida Aggie habría deseado quizá no ser tan aguerrida.

—No existe ningún caballo blanco —masculló Oliver—. Sería más bien un tiovivo.

La camioneta puso el intermitente de la izquierda. Descendieron tras ella por un ramal de salida y continuaron el viaje por caminos vecinales. La moto los siguió. El follaje nuevo se cerraba sobre ellos, ocultando el cielo. Los rayos del sol centelleaban entre los troncos de los árboles. La radio emitía un continuo gruñido de estática. La camioneta se detuvo en un área de descanso; la moto tomó por un desvío. El coche bajó en picado por un pronunciado declive y cruzó un arroyo. Ascendieron a lo alto de una loma. Sobre una gasolinera, flotaba un globo cautivo con el rótulo HARRIS pintado en su superficie. Ella ya ha estado antes aquí, pensó Oliver, observando a Aggie con el rabillo del ojo. Ella y todos los demás. En el cruce, dobló a la izquierda. Bordearon el pueblo y vieron la iglesia recortada contra el horizonte y, a su lado, la cilla y los chalets de tejas acanaladas a cuya construcción Tiger se había opuesto con uñas y dientes. Entraron en Autumn Lane, un camino cubierto todo el año de hojas caídas. Pasaron ante una calle sin salida llamada Nightingales End y vieron una furgoneta de la compañía eléctrica aparcada. Tenía la escalerilla extendida, y un hombre manipulaba los cables de la luz encaramado en ella. En la cabina del conductor, una mujer hablaba por teléfono. Aggie avanzó otros cien metros y paró junto a una parada de autobús.

—Has de ponerte en marcha —anunció.

Oliver se apeó. Detrás de los árboles el cielo se veía aún diurno, pero entre los setos oscurecía por momentos. En un monumento conmemorativo de ladrillo erigido en medio de un recuadro de césped constaban los nombres de los gloriosos caídos. Cuatro muchachos apellidados Harvey, recordó Oliver. Todos de la misma familia, todos muertos a la edad de veinte años, y su madre vivió hasta los noventa. Empezó a caminar y oyó alejarse a Aggie en el coche. Los enormes pilares de la verja se alzaban ante él, coronados por sendos tigres labrados en piedra, cada uno de ellos con el escudo de armas de Single entre las garras. Los tigres procedían de un parque escultórico de Putney y costaban una fortuna. Los escudos de armas eran obra de un pedante heraldista llamado Potts que dedicó todo un fin de semana a interrogar a Tiger sobre sus antecedentes históricos, sin darse cuenta de que variaban según las estaciones. El resultado fue un barco hanseático en representación de unos comerciantes de Lübeck antepasados nuestros, hasta entonces desconocidos para Oliver, un tigre rampante, y dos tórtolas por nuestro ascendiente sajón, si bien la relación entre las tórtolas y Sajonia era un misterio que sólo el señor Potts podía desentrañar.

El camino de entrada fluía como un río negro sobre las praderas en penumbra. Ésta es la tumba donde nací, pensó. Aquí es donde viví antes de hacerme niño. Pasó ante la casa del guarda, que sólo ocupaba Gasson, el chófer, cuando Tiger decidía quedarse a dormir allí. No se veían luces en las ventanas; las cortinas del piso superior estaban echadas. En el patio había un establo móvil con la barra de tracción apoyada en un montón de ladrillos. Oliver tiene siete años de edad. Es su primera clase de equitación, y lleva el rígido sombrero hongo y la chaqueta de tweed que Tiger ha decretado desde su remoto puesto de mando. Ninguno de sus compañeros de clase lleva sombrero hongo, de modo que Oliver ha intentado esconderlo, junto con la fusta de mango de plata que Tiger le ha enviado mediante un mensajero para su cumpleaños porque por esas fechas las visitas de Tiger se producen sólo en raras ocasiones oficiales.

—¡Saca el pecho, Oliver! ¡No te encorves! ¡Estás cabeceando, Oliver! ¡Toma ejemplo de Jeffrey! Él no cabeceaba, ¿verdad? Erguido como un soldado, así iba Jeffrey.

Jeffrey, mi hermano, cinco años mayor que yo. Jeffrey, que hacía bien todo lo que yo hago mal. Jeffrey, que era perfecto en todos los sentidos y murió de leucemia antes de poder dirigir el mundo. Oliver pasaba ante el depósito de hielo, una construcción de piedra arenisca. Había llegado por arte de magia en tres camionetas verdes y había quedado listo en una semana, convirtiéndose de inmediato en su lugar de castigo: los ciento setenta pasos a la carrera hasta el depósito de hielo, tocarlo, los ciento setenta pasos de regreso, una vuelta por cada verbo irregular del latín no aprendido, y más vueltas aún por no estar a la altura de Jeffrey, ni en latín ni en correr. El señor Ravilious, el profesor particular de Oliver, es metódico. Tiger también. En sus conferencias telefónicas, hablan de puntos, notas, distancias, horas empleadas y castigos merecidos, y sobre los porcentajes necesarios para que Oliver acceda a un sitio llamado Dragon School donde Jeffrey vistió los colores del equipo de críquet y consiguió una beca para ingresar en otro sitio aún más temible llamado Eton. Oliver aborrece los dragones, pero admira al señor Ravilious por sus chaquetas de terciopelo y su tabaco negro. Cuando el señor Ravilious se fuga con la criada española, Oliver lo celebra por él en medio de la indignación general.

Optando por el camino más largo alrededor del jardín tapiado, Oliver bordeó un montículo nivelado que no era ni un túmulo funerario ni un punto de salida de un campo de golf, sino un helipuerto para invitados cuya elevada posición hacía impensable el transporte terrestre. Invitados como Yevgueni y Mijaíl Orlov con sus bolsas de plástico cargadas de adornos lacados rusos, botellas de vodka al limón y embutidos ahumados de Mingrelia envueltos en papel encerado. Invitados con guardaespaldas. Invitados con tacos de billar plegables acarreados en fundas negras porque no se fían de los tacos de Tiger. Pero sólo Oliver sabía que el helipuerto era un altar secreto. Inspirándose en la anécdota de una tribu indonesia que colocaba a la vista aviones de madera a modo de reclamo para atraer a los turistas ricos que sobrevolaban la zona, Oliver había puesto allí en ofrenda las comidas preferidas de Jeffrey con la esperanza de hacerlo regresar del cielo para concluir su infancia. Pero obviamente la comida del cielo era mejor, porque Jeffrey nunca volvió. Y no era Jeffrey el único ausente. En medio de la bruma cada vez más densa se hallaban las vallas de hípica, siempre pintadas de un blanco radiante, y el campo de polo, que permanecía todo el año con las líneas marcadas y el césped cortado, y los establos, donde cada silla, brida y estribo se mantenían lustrados en espera del imaginario día en que Tiger, después de veinte años en viaje de negocios, llegase en su coche por el camino, con Gasson al volante, y reanudase merecidamente la vida inglesa feudal.

El camino se ocultaba entre unas hayas rojas. Más adelante había un par de casas de ladrillo y pedernal para el servicio. Al pasar frente a ellas, Oliver aminoró la marcha con la esperanza de ver a Craft, el mayordomo, y su esposa sentados a la mesa tomando el té. En su infancia, adoraba a los Craft y los utilizaba como ventana al mundo que se extendía más allá de las paredes de Nightingales. Pero la señora Craft había muerto hacía quince años y el señor Craft había regresado a

Hull, donde tenía sus raíces, llevándose consigo como obsequios una caja de Fabergé y un juego de miniaturas del siglo XVIII perteneciente a los esquivos antepasados de Tiger, esta vez unos holandeses radicados en Pensilvania. Oliver empezó a descender de la colina y Nightingales apareció ante él, primero los sombreretes de las chimeneas, luego toda la mole de piedra gris, rodeada de grava, que crujió bajo sus pies como hielo resquebrajándose cuando se acercó al porche delantero. El tirador de la campanilla era una mano de latón con los dedos doblados y juntos. Imitando ese gesto con su propia mano, tiró de ella a la vez que el corazón le latía con fuerza, asaltado por la ineludible nostalgia de un hijo. Se disponía a tirar de nuevo cuando oyó arrastrarse unos pies al otro lado de la puerta y se preguntó aterrorizado cómo debía llamarla, porque detestaba usar la palabra «madre», y más aún «mamá». Cayó en la cuenta de que había olvidado el nombre de pila de aquella mujer. Había olvidado también el suyo propio. Tenía siete años de edad y estaba sentado en una comisaría a diez kilómetros de allí, y no recordaba siquiera el nombre de la casa de la que había huido. La puerta se abrió y una oscuridad salió hacia él. Oliver sonreía y farfullaba. Tenía taponados los oídos. Notó el roce de una rebeca de mohair contra su sonrisa cuando los brazos de ella le rodearon el cuello. La envolvió a su vez en un protector abrazo. Cerró los ojos e intentó volver a ser niño, pero no lo consiguió. Ella le besó la mejilla izquierda, y él percibió un olor a menta y un aliento nauseabundo. Ella le besó la otra mejilla, y él recordó lo alta que era, más alta que cualquier otra de las mujeres que había besado. Recordó su temblor y su aroma a jabón de lavanda. Sintió curiosidad por saber si temblaba siempre o sólo ante él. Ella retrocedió. Sus ojos, como los de él, estaban anegados en lágrimas.

—Ollie, cariño —lo saludó. Has acertado, pensó

Oliver, porque a veces lo llamaba Jeffrey—. ¿Por qué no me has avisado antes? Mi pobre corazón. ¿En qué lío te has metido ahora?

Nadia, recordó Oliver: «No me llames "madre", Ollie, cariño. Llámame Nadia; me haces sentir tan vieja.»

La cocina era enorme y de techo bajo. Cazos de cobre abollados, comprados en una subasta por un decorador de interiores desaparecido, pendían de las antiguas vigas añadidas durante alguna de las innumerables reformas. En la mesa había espacio de sobra para veinte criados. Un viejo horno redondo de hierro, jamás conectado a la salida de humos, ocupaba el oscuro rincón del fondo.

—Debes de estar muerto de hambre —comentó ella analíticamente, como si comer fuese un hábito que tenían otras personas.

—Pues no, la verdad.

Echaron un vistazo al frigorífico por si a Oliver le apetecía algo. ¿Una botella de leche? ¿Un paquete de pan integral de centeno? ¿Una lata de anchoas, quizá? Su mano temblorosa reposaba sobre el hombro de él. Dentro de un momento estaré temblando yo también.

—Cariño, hoy es el día libre de la señora Henderson —dijo—. Los fines de semana me pongo a dieta. Siempre lo he hecho. Ya lo has olvidado. —Sus miradas se cruzaron bajo la iluminación cenital, y Oliver advirtió que ella le tenía miedo. Se preguntó si estaba borracha o sólo camino de estarlo. A veces balbuceaba como una niña cuando apenas había empezado aún a beber. Otras veces, en cambio, con dos botellas en el cuerpo permanecía aparentemente serena—. No tienes muy buen aspecto, Ollie, cariño. ¿Has estado exigiéndote demasiado? Te tomas las cosas tan a pecho…

—Estoy perfectamente. Tú también tienes buen aspecto. Increíble.

No era increíble en absoluto. Cada año antes de Navidad se tomaba unas «breves vacaciones», como ella decía, y regresaba sin una sola arruga en la cara.

—¿Has venido a pie desde la estación, cariño? No he oído llegar ningún coche, y *Jacko* tampoco. —*Jacko*, el gato siamés—. Habría ido a recogerte si hubieses telefoneado.

Hace años que no conduces un coche, pensó Oliver. Desde que atravesaste la pared del establo con el Land Rover una Nochevieja y Tiger te quemó el permiso de conducir.

—Me encanta ese paseo, de verdad —respondió—. Ya lo sabes. Incluso cuando llueve.

En cuestión de minutos ninguno de los dos sabremos qué decir, pensó Oliver.

—Por lo general, los trenes de esta línea son muy poco fiables los fines de semana. La señora Henderson tiene que hacer transbordo en Swindon para visitar a su hermano —se quejó.

—El mío ha llegado justo a su hora. —Oliver se sentó a la mesa en su sitio de costumbre. Ella permaneció en pie, contemplándolo con adoración, temblorosa y preocupada, accionando los labios como un bebé antes de la toma—. ¿Hay alguien en casa?

—Sólo yo y los gatitos, cariño. ¿Quién más iba a haber?

—Era simple curiosidad.

—Ya no tengo perro. No he vuelto a tener ninguno desde que vi consumirse de pena a *Samantha*.

—Lo sé.

—Al final se pasaba el día echada en el vestíbulo, esperando el sonido del Rolls. No se movía, no comía, no me oía.

—Ya me lo contaste.

—Había decidido que era una perra de un solo amo. Tiger me dijo que la enterrase junto a la faisanería, y eso hicimos. Yo y la señora Henderson.

—Y Gasson —le recordó Oliver.

—Gasson cavó el hoyo. La señora Henderson pronunció unas palabras. No éramos un grupo muy alegre, me temo.

—¿Dónde está, madre?

—¿Te refieres a Gasson, cariño?

—Tiger.

Ha olvidado su papel, pensó Oliver, viendo lágrimas en sus ojos. Trata de recordar qué debe decir.

—¡Vaya, Ollie, cariño!

—¿Qué, madre?

—Pensaba que venías a verme a *mí*.

—Y así es. Quería saber dónde está Tiger. Ha estado aquí. Me lo dijo Gupta.

No era justo. Nada lo era. Su madre se disponía a buscar refugio en un estallido de autocompasión.

—Todo el mundo me pregunta —gimoteó—. Massingham. Mirsky. Gupta. Ese espeluznante Hoban desde Viena. Bernard. Esa fantasmal bruja de Hawsley con sus doguillos. Y ahora tú. A todos os digo lo mismo. *No lo sé*. Cabría pensar que con los faxes y los teléfonos móviles y sabe Dios cuántas cosas más es fácil conocer el paradero de la gente en todo momento. Pero no. La información no es conocimiento, como siempre dice tu padre. Tiene toda la razón.

—¿Quién es Bernard?

—Bernard, cariño. Ya conoces a Bernard. Ese policía grande y calvo de Liverpool que ayudó a tu padre. Bernard Porlock. Una vez lo llamaste «ricitos» y casi te mata.

—Ése debió de ser Jeffrey —corrigió Oliver—. Y Mirsky... ¿el abogado?

—Claro, cariño. El encantador amigo polaco de

Alix que vive en Estambul, ese tan jovial. Tiger sólo ne-cesita un poco de privacidad —protestó—. Es com-prensible que, estando siempre en el candelero como es su caso, quiera pasar por una persona *insignificante* du-rante una temporada. A todos nos ocurre de vez en cuando. También a ti, sin ir más lejos. Incluso cambias-te de nombre para poder hacerlo. ¿No es así, cariño?

—Y ya te has enterado de la noticia, supongo. Sí, seguro que sí.

—¿Qué noticia? —preguntó ella con aspereza—. No debo hablar con la prensa, Ollie. Tampoco tú. Debo colgarles si llaman.

—La noticia sobre Alfred Winser, nuestro lince en temas jurídicos.

—¿Ese hombrecillo insufrible? ¿Qué ha hecho esta vez?

—Lamentablemente ha muerto, madre. Asesinado. En Turquía. Por individuo o individuos desconocidos. Estaba allí por un asunto de Single y alguien le pegó un tiro.

—¡Qué horror, cariño! ¡Qué aberración! No sabes cuánto lo siento. Y su pobre esposa… Tendrá que bus-car trabajo. ¡Qué cruel! ¡Oh, cariño!

Lo sabías, pensó Oliver. Tenías las palabras prepa-radas antes de que acabase de contártelo. Estaban de pie, cogidos de la mano, en el centro de su salita priva-da, que ella llamaba «salón de mañana». Era la menor de una serie de salas situadas en el lado sur de la casa. *Jacko*, el gato siamés, yacía en una cesta tapizada bajo el televisor.

—¿A ver si adivinas qué ha cambiado desde la últi-ma vez que estuviste aquí? —decía ella—. ¡Venga, un juego para poner a prueba la memoria!

Oliver accedió a jugar, aprovechando la circunstan-cia para buscar pistas. El vaso de whisky de Tiger con sus iniciales grabadas, la huella de su pulcro trasero en su sillón preferido, un periódico impreso en papel de color rosa, bombones de elaboración artesanal comprados en Richoux, justo al doblar la esquina de South Audley Street, sin los cuales nunca se presentaba en Nightingales.

—Esa acuarela es nueva —dijo.

—¡Ollie, cariño, qué listo eres! —exclamó ella, batiendo palmas insonoras—. Tiene una antigüedad de cien años por lo menos, pero *aquí* es nueva, así que has acertado. Me la dejó en herencia la tía Bee. La hizo la señora que pintaba aves para la reina Victoria. Yo nunca espero nada cuando muere la gente.

—Así pues, madre, ¿cuándo lo viste por última vez?

Pero ella, en lugar de contestar a su pregunta, inició una apasionada descripción de la operación de cadera de la señora Henderson, saliendo en defensa del hospital del pueblo, que había tenido una actuación maravillosa, justo cuando el gobierno planeaba cerrarlo, como solía pasar.

—Y nuestro querido doctor Bill, que nos atiende a todos desde hace siglos... sencillamente... bueno, el doctor, bueno, sí... —Había perdido el hilo.

Entraron en el cuarto de juego de los niños, y Oliver contempló los juguetes de madera con los que no recordaba haber jugado y el caballito de balancín que no recordaba haber montado, pese a que su madre juró que se había balanceado en él casi hasta desencajar la base, así que Oliver supuso que lo confundía con Jeffrey una vez más.

—Y estáis bien, ¿verdad, cariño? ¿Los tres? Sé que no debería preguntarlo, pero soy sólo una madre; no soy de piedra. ¿Gozáis de buena salud? ¿Sois felices? ¿Tenéis la libertad que queríais? ¿No más adversidades?

Y mantuvo la sonrisa, parpadeante como en una antigua filmación doméstica, y enarcó sus cejas depiladas cuando Oliver le tendió una fotografía de Carmen, que examinó poniéndose las gafas plegables que llevaba colgadas de un collar de granates, extendiendo el brazo para alejarla de los ojos, la fotografía oscilando al ritmo de su mano, y su cabeza oscilando al ritmo de la fotografía.

—Ahora es mayor que en la foto y le hemos cortado el pelo —explicó Oliver—. Cada día aprende palabras nuevas.

—Es adorable, cariño. Mi enhorabuena a los dos —dijo ella, devolviéndole la fotografía—. ¡Qué niñita tan feliz y encantadora! Y Helen está bien, ¿no? ¿Contenta y demás?

—Heather está estupendamente.

—Me alegro.

—Necesito saberlo, madre. Tengo que saber cuándo viste a Tiger por última vez y qué ocurrió. Hay mucha gente siguiéndole el rastro. Es importante que lo encuentre yo primero —insistió Oliver. Nos sentimos más cómodos cuando no nos miramos a la cara, recordó, fijando la vista en el caballito de balancín.

—No me agobies, Ollie, cariño. Ya sabes cómo soy para las fechas. No resisto los relojes, no resisto la noche, no resisto los agobios. Aborrezco todo aquello que no es placentero y coquetón y alegre.

—Pero sí quieres a Tiger. No le deseas ningún mal. Y me quieres a mí.

—Ya conoces a tu padre, cariño —respondió ella, adoptando de nuevo una voz infantil—. Entra, sale, una se contonea bien, y cuando se ha ido, se pregunta si realmente ha estado aquí. Al menos ésa es la sensación de la pobre Nadia.

Oliver estaba ya harto y cansado de ella, que era precisamente la misma razón por la que había intentado escapar a los siete años. Deseaba que fuese a reunirse con Jeffrey.

—Vino y te dijo que Winser había sido asesinado —continuó Oliver.

Con un aspaviento, alzó una mano y se agarró con ella el molledo del brazo opuesto. Llevaba una blusa de tul de manga larga con volantes en los puños para ocultar las venas.

—Tu padre se ha portado muy bien con nosotros, Oliver. Déjalo ya. ¿Me oyes?

—¿Dónde está, madre?

—Debes respetarlo. El respeto es lo que nos diferencia de los animales. Tu padre nunca te comparaba con Jeffrey. No te volvía la espalda cuando suspendías los exámenes y tenías que abandonar los colegios. Eso habrían hecho otros padres. No le importaba que escribieses poemas o te dedicases a cualquiera de tus otras actividades, aunque no diesen dinero. Contrató profesores particulares y te permitió ocupar el puesto de Jeffrey en el negocio. Eso es muy duro para un hombre que cree en los méritos y ha empezado de la nada. Tú te libraste de la época en Liverpool; yo no. Si hubieses conocido aquellos tiempos, ahora tendrías la personalidad de Jeffrey. No existen dos matrimonios iguales, es imposible. A Tiger siempre le ha gustado Nightingales. Siempre me ha mantenido como era su obligación mantenerme. Fuiste desleal con él, Oliver. No sé qué le hiciste, pero no se lo merecía. Ahora tienes tu propia familia. Ve y cuida de ellos. Y deja de simular que estás en Singapur cuando me consta que vives en Devon.

Una súbita frialdad se adueñó de Oliver, la frialdad de un verdugo.

—Se lo dijiste tú, ¿verdad? —reprochó sin rodeos—. Tiger te lo sonsacó. Vino a verte, te contó lo de Winser, y tú le hablaste de mí. Le dijiste dónde estaba, cuál era mi nuevo nombre, que me escribías al banco, a la atención de Toogood. Debió de agradecértelo con creces. —Oliver tuvo que sostenerla en pie, porque empezó a desfallecer, a morderse el dedo índice y a lloriquear bajo su flequillo a lo princesa Diana—. Lo que desearía saber, Nadia, por favor, es qué te dijo Tiger —prosiguió sin miramientos—. Porque si no me lo cuentas, mucho me temo que acabará como Alfie Winser.

Nadia necesitaba un escenario diferente, así que Oliver la guió por el pasillo hasta el comedor, donde había una chimenea de mármol blanco labrado con estatuas de mujeres desnudas, posiblemente de Canova, erigidas en hornacinas entre columnas ornamentales. Durante su pubertad, aquéllas habían sido las queridas sirenas de su fantasía. Una mirada furtiva a sus sonrisas celestiales y sus traseros perfectos por el hueco de la puerta entreabierta bastaba para excitarlo. Sobre ellas colgaba un cuadro, obra de un pintor olvidado de la época, con nubes doradas elevándose por encima de Nightingales, Tiger montado en un caballo de polo en plena cabriola y Oliver con la chaqueta de Eton alargando el brazo hacia la brida, y Nadia, la joven y bella esposa de Tiger, de estrecha cintura, vestida con una bata larga y suelta, refrenando la mano impaciente del niño. Y detrás de Tiger, con el aspecto de un rubio príncipe italiano, se pavoneaba el fantasma de Jeffrey, devuelto a la vida a partir de fotografías, con el dorado cabello al viento y una radiante sonrisa, saltando a lomos de su caballo gris, llamado *Admiral*, a través de un rayo de sol, mientras los criados de la familia saludan agitando sus gorras.

—Soy tan mala, Oliver —se lamentó Nadia, viendo el cuadro como una especie de reproche—. Tiger no debería haberse casado conmigo, y yo no debería haberos traído al mundo a vosotros.

—No te preocupes, madre. Alguna otra nos habría traído al mundo si tú no lo hubieses hecho —dijo Oliver con falsa alegría.

Se preguntaba si Jeffrey era hijo de Tiger. En una de sus borracheras, Nadia había mencionado a un abogado de Liverpool, compañero de Tiger en aquellos tiempos, un verdadero diamante en bruto de magnífico cabello claro.

Se hallaban en la sala de billar. Oliver volvía a presionarla:

—Tengo que saberlo, madre, tengo que enterarme de qué ocurrió entre vosotros dos.

Ella hipaba y sacudía la cabeza y lo negaba todo a la vez que confesaba, pero había dejado de llorar.

—Soy demasiado joven, demasiado frágil, demasiado sensible, cariño. Tiger me obligó a hablar, y ahora tú estás haciendo lo mismo. Eso me pasa porque no fui a la universidad; mi padre creía que una señorita no necesitaba estudios. Doy gracias a Dios por no haber tenido hijas. —De pronto cambió de pronombres y empezó a hablar de sí misma en tercera persona—. Nadia sólo dijo a Tiger alguna que otra cosa, cariño. No *todo*. Eso nunca lo haría. Si de entrada Ollie no hubiese dado cierta información a la pobre Nadia, ella no habría podido dar cierta información a Tiger, ¿no es así?

Tienes toda la razón, pensó Oliver. Fue una estupidez decírtelo. Debería haberte dejado bebiendo y muriéndote de preocupación.

—Tu padre estaba tan triste, cariño —explicó Nadia entre sollozos—. Triste por Winser. Más triste aún por ti. Esa Kat había echado más leña al fuego, imagino. Prefiero mil veces antes la compañía de *Jacko*. Yo sólo quería que me mirase, que me llamase «cariño», que me abrazase y me dijese que aún conservo algún encanto.

—¿Dónde está, madre? ¿Con qué nombre viaja? —Oliver la mantenía sujeta, y ella colgaba de sus brazos como un peso muerto—. Debió de decirte adónde iba. Te lo cuenta todo. Tiger no ocultaría una cosa así a su Nadia.

—No debo confiar en ti. En ninguno de vosotros. Ni en Mirsky ni en Hoban ni en Massingham ni en nadie. Y fue Oliver el único causante de todo. Déjame en paz.

Butacas de piel, libros acerca de los caballos, un escritorio de director de colegio. Habían llegado al despacho. Sobre la chimenea, un cuadro de un purasangre dudosamente atribuido a Stubbs. Oliver se encaramó al asiento empotrado bajo la ventana y deslizó la mano a tientas por encima del bastidor de las cortinas hasta encontrar una polvorienta llave de latón. Descolgó el cuadro y lo colocó en el suelo. Detrás apareció una caja fuerte situada a la altura de Tiger. Oliver la abrió y miró dentro, tal como hacía de niño cuando aún creía que la caja fuerte era un ponedero de gallinas mágico donde se depositaría un gran secreto.

—Ahí no hay nada, Ollie, cariño. Nunca ha habido nada. Sólo aburridos testamentos y escrituras y alguna pequeña cantidad de dinero extranjero que se le quedaba en los bolsillos.

Nada ahora, nada entonces. La cerró, devolvió la llave a su escondrijo y dirigió la atención a los cajones del escritorio. Un guante de polo. Una caja de cartuchos de calibre doce. Facturas de tiendas con el sello de «pagado». Papel y sobres. Una libreta negra sin rótulo en la tapa. «Quiero libretas —había dicho Brock—. Quiero apuntes sueltos, blocs de notas, agendas, direcciones garabateadas. Quiero nombres escritos en cajas de cerillas, bolas de papel arrugado, cualquier cosa que se propusiese tirar y no llegase a hacerlo.» Oliver abrió la libreta: «La guía del conversador de sobremesa. Chistes, aforismos, proverbios, citas.» Echó la libreta al cajón de nuevo.

—¿Han traído algún paquete a su nombre, madre?

267

¿Cajas, sobres grandes, correo certificado, envíos por mensajero? ¿Algo que tengas guardado para dárselo? «Recibirán una prueba documental por separado en su domicilio particular, firmado Y. I. Orlov.»

—Claro que no, cariño. Aquí no recibe correspondencia de nadie, excepto alguna factura.

Oliver volvió a llevarla a la cocina y preparó un té. Ella lo observaba.

—Al menos ahora ya no eres feo, cariño —comentó Nadia para consuelo de ambos—. Tu padre lloró. No lo había visto llorar desde la muerte de Jeffrey. Me pidió que le prestase mi Polaroid. No sabías que era fotógrafa, ¿eh?

—¿Para qué demonios quería una Polaroid? —preguntó Oliver, pensando en pasaportes y solicitudes de visados.

—Deseaba llevarse fotografías de todo aquello que más ha amado. Yo. El retrato de la familia completa, el jardín tapiado…, todo aquello que le proporcionaba felicidad hasta que tú decidiste amargarle la vida.

Nadia necesitaba otro afectuoso abrazo, así que Oliver se lo concedió.

—¿Ha venido por aquí recientemente el viejo Yevgueni?

—El invierno pasado, cariño. En temporada de faisanes.

—Pero Tiger no ha cazado aún un oso, ¿no? —bromeó Oliver.

—No, cariño. No creo que los osos sean lo suyo. Se parecen demasiado a los humanos.

—¿Quién más vino?

—El pobre Mijaíl. Dispara contra cualquier bicho viviente. Le habría pegado un tiro a *Jacko* si hubiese tenido ocasión. Es tan considerado de parte de Yevgueni incluir a su hermano en todos sus negocios… Y Mirsky, naturalmente.

—¿Qué hacía Mirsky?

—Jugar al ajedrez con Randy en el invernadero. Randy y Mirsky estaban *muy* unidos. Llegué a pensar que quizá tenían algún *asunto*.

—¿Qué clase de asunto?

—Bueno, Randy no muestra mucho interés por las faldas, ¿no? Y el encantador doctor Mirsky no pone reparos a nada. Por increíble que suene, lo sorprendí galanteando a la señora Henderson en la cocina, pidiéndole que se fuese con él a Gdansk para prepararle allí su puré de patatas con carne.

Oliver le entregó una taza. Con media rodaja de limón, nunca leche. Procuró mantener un tono desenfadado.

—Y así pues, ¿cómo llegó Tiger aquí? Esa última vez, quiero decir, cuando vino a verte. ¿Lo trajo Gasson?

—Lo trajo un taxi, cariño. Desde la estación. Vino en tren, como tú, salvo que no era domingo. Quería pasar inadvertido.

—¿Y tú qué hiciste? ¿Esconderlo en la leñera?

Nadia estaba de pie, agarrada al respaldo de una silla que le servía de apoyo.

—Recorrimos la finca, como de costumbre, contemplando todo aquello que le es más grato y fotografiándolo —contestó con actitud desafiante—. Llevaba puesto el raglán marrón que le regalé cuando cumplió los cuarenta. Lo llamamos su «prenda de amor». Le dije: «No te vayas, quédate aquí.» Le dije que yo cuidaría de él. No quiso escucharme. Tenía que salvar el barco, dijo. Aún estaba a tiempo. Yevgueni debía conocer la verdad, y entonces todo iría bien. «Les presenté batalla en Navidad y volveré a hacerlo ahora.» Me sentí orgullosa de él.

—¿Qué pasó en Navidad?

—Suiza, cariño. Pensé por un instante que me lle-

varía, como en los viejos tiempos. Pero era sólo trabajo, trabajo, nada más que trabajo. Todo el día de acá
para allá como un yoyó. No tuvo tiempo ni de venir a
comer su pudín de Navidad, pese a que le encanta. La
señora Henderson casi se echó a llorar. Les presentó
batalla. A todos. «Les aplasté las narices —dijo—. Al
final Yevgueni se puso de mi lado. A partir de ahora se
lo pensarán dos veces antes de intentar una jugada
como ésa.»

—¿Quiénes?

—Quienesquiera que fuesen. Hoban. Mirsky.
¿Cómo voy yo a saberlo? La gente que trató de hun-
dirlo. Los traidores. Tú eres uno de ellos. Dijo que tenía que enviarte algo. Aunque no volviese a verte ni a
recibir noticias tuyas, seguía siendo tu padre y como tal
te debía algo, por más que le hubieses hecho una mala
pasada. Algo que te había prometido. Por ese principio
se ha regido toda su vida. Y también yo. Los dos te en-
señamos a cumplir tus promesas.

—Y fue entonces cuando le hablaste de Carmen.

—Tiger había llegado a la conclusión de que yo
conocía tu paradero. Es un hombre inteligente. Siempre lo ha sido. Había notado que yo no me preocupaba por ti como suelo hacer, ¿y cuál era el motivo?
Es abogado, así que de nada sirve llevarle la contra-
ria. Empecé a decir estupideces, y me zarandeó. No
con tanta fuerza como en los viejos tiempos, pero
sí con fuerza suficiente. Intenté seguir mintiendo por
ti, pero de pronto no le vi sentido. Eres nuestro único
hijo. Nos perteneces a partes iguales. Le dije que era
abuelo, y se echó a llorar otra vez. Los hijos siempre
piensan que sus padres son fríos hasta que los ven llorar, y entonces piensan que son ridículos. Dijo que te
necesitaba.

—¿Me *necesitaba*? ¿Para qué?

—¡Es tu padre, Ollie! ¡Es tu socio! Se han confabulado contra él. ¿A quién va a acudir si no es a su hijo? Se lo debes. Ya va siendo hora de que le des tu apoyo.

—¿Eso lo dijo él?

—¡Sí! Textualmente. ¡Dile que me lo debe!

—¿Dile?

—¡Sí!

—¿Llevaba alguna maleta?

—Una bolsa marrón a juego con su prenda de amor. Equipaje de mano.

—¿Y en qué vuelo salió? ¿Con destino adónde?

—¡Yo no he hablado de ningún vuelo!

—Has dicho «equipaje de mano».

—No he dicho eso. ¡No lo he dicho!

—Nadia. Madre. Atiéndeme. La policía ha revisado las listas de pasajeros de todos los vuelos. No hay ni rastro de él. ¿Cómo consiguió pasar inadvertido en el avión?

De pronto Nadia se dio media vuelta y se abalanzó sobre él, desatando su ira.

—¡Ya lo decía él! ¡No se equivocaba! ¡Te has aliado con la policía!

—Tengo que ayudarlo, madre. Me necesita. Él mismo lo dijo. Si yo no lo encuentro y tú sabes dónde está, seremos los culpables de lo que ocurra.

—¡No sé dónde está! Tu padre no es como tú; él no me cuenta secretos que luego soy incapaz de guardar. ¡Deja de apretarme de esa manera!

Dándose miedo a sí mismo, Oliver se apartó al instante de ella. Nadia lloriqueaba.

—¿De qué sirve todo esto? Dime qué quieres saber y déjame en paz —dijo, y se atragantó con sus propias palabras.

Oliver volvió a acercarse y la abrazó. Al rozar la mejilla de Nadia con la suya, notó el contacto pegajoso de sus lágrimas. Se sometía a él del mismo modo que se había sometido a su padre, y una parte de él se deleitaba en el triunfo mientras la otra odiaba a su madre por su fragilidad.

—No se lo ha visto desde entonces, madre. No lo ha visto nadie, excepto tú. ¿Cómo se marchó?

—Valientemente. Con el mentón en alto. Tal como se iría un luchador. Haría ni más ni menos lo que había dicho. Debería seguir su ejemplo con orgullo.

—Me refiero al medio de transporte.

—El taxi regresó a por él. De no haber sido por la bolsa de viaje, habría vuelto a pie a la estación. «Otra vez como el primer día, Nadia —dijo—. Estamos en Liverpool entre la espada y la pared. Te prometí que nunca te fallaría, y nunca te fallaré.» Volvía a ser el de siempre. No vaciló. Se puso en marcha como si no pasase nada. ¿Por qué lo hiciste, Ollie? ¿Por qué contaste tu secreto a la tonta de Nadia si no querías que Tiger se enterase?

Porque era un padre loco de alegría y Carmen tenía tres días de vida, pensó con impotencia. Porque adoraba a mi hija y daba por supuesto que tú desearías adorarla también. Nadia estaba sentada a la mesa, inmóvil y rígida, sujetando la taza de té frío con las dos manos.

—Madre.

—No, cariño. Ya no más.

—Si los aeropuertos están vigilados y lleva una bolsa de mano y va a enfrentarse con sus enemigos, ¿cómo planea moverse? ¿Con qué pasaporte, por ejemplo?

—Con el de nadie, cariño. Otra vez estás haciendo teatro.

—¿Por qué has dicho «con el de nadie»? ¿Por qué tendría que ser el pasaporte de alguien el que no está usando?

—¡Calla, Ollie! Te crees un gran abogado como tu padre, y no lo eres.

—¿De quién es el pasaporte que lleva? No puedo

ayudarlo si desconozco el nombre que utiliza, ¿no te parece?

Nadia dejó escapar un hondo suspiro. Movió la cabeza en un gesto de negación y su respuesta le provocó de nuevo el llanto. Pero recobró la calma.

—Pregúntale a Massingham. Tiger confía demasiado en sus subordinados. Y luego lo apuñalan por la espalda, como tú.

—¿Es un pasaporte británico?

—Es auténtico, sólo eso me dijo. No es un pasaporte falso. Pertenece a una persona real que no lo necesita. No mencionó la nacionalidad, ni yo le pregunté.

—¿Te lo enseñó?

—No. Simplemente alardeó.

—¿Cuándo? Esta vez no, supongo. Dudo que estuviese con ánimo de alardear.

—En marzo del año pasado —ella, que aborrecía las fechas— tenía que ocuparse de un asunto en Rusia o algún otro sitio y no quería dar a conocer su identidad. Así que se hizo con ese pasaporte. Randy se lo consiguió. Y una partida de nacimiento para acreditarlo. Le quita cinco años de edad. Bromeando, dijimos que la declaración a Hacienda de Dios Padre le había salido negativa y le había correspondido una devolución de cinco años. —Su voz se tornó de pronto tan fría como la de él—. Eso es todo lo que sacarás de mí, Ollie. Ni ahora ni nunca me sacarás nada más. Ni una sola gota. Nos has arruinado la vida. Una vez más.

Oliver emprendió el camino de regreso, despacio en un primer momento. Llevaba el abrigo de color gris lobo colgado del brazo. Sin detenerse empezó a ponérselo, primero un brazo y luego el otro, apretando ya el paso gradualmente. Cuando llegó a la verja, iba ya a todo correr. La furgoneta de la compañía eléctrica seguía en el mismo sitio, pero tenía replegada la escalera extensible y en la cabina había dos ocupantes. Continuó corriendo hasta la bifurcación y allí vio el parpadeo de los faros del Ford aparcado y la alegre silueta de Aggie haciéndole señas desde el asiento del conductor. Se abrió la puerta del pasajero, y Oliver se sentó junto a Aggie.

—¿Es posible hablar con Brock por ese artefacto? —preguntó a voz en cuello.

Aggie sostenía ya el teléfono para ofrecérselo.

—Así que nunca ha estado en Australia —dijo Heather—. También lo de Australia era mentira.

—Parte de su nueva identidad, para ser más exactos —corrigió Brock.

En ocasiones como aquélla adoptaba un tono sacerdotal. Formaba parte de un profundo sentido de la responsabilidad. Cuando te haces cargo de un pupilo, te haces cargo también de sus problemas, solía preconizar ante los recién llegados. No eres Maquiavelo, no eres James Bond, eres un atareado asistente social que debe mantener en orden la vida de todo el mundo, o si no alguien acabará cometiendo alguna locura.

Estaban en el pequeño cuartelillo de la policía de Northamptonshire, Brock sentado a un lado de la austera mesa y Heather al otro, con la cabeza apoyada en una mano y los ojos muy abiertos pero no atentos a nada, como si fijase la vista en la penumbra de la sala de interrogatorios para eludir la mirada de Brock. Atardecía y la sala estaba mal iluminada. Fugitivos de la justicia y niños desaparecidos los observaban desde las oscuras paredes como un mudo coro de condenados. A través del tabique se oían las risotadas de un borracho encarcelado, el monótono sonido de una radio de la policía y los golpes de los dardos contra una diana. Brock se preguntó qué opinión le merecería Heather a Lily, como siempre que se entrevistaba con una mujer.

«Es una buena chica, Nat —habría dicho—. No le pasa nada que un buen marido no pueda arreglar en una semana.» Lily pensaba que todas las mujeres deberían tener un buen marido. Era su manera de halagarlo.

—Me habló incluso del marisco de Sidney —dijo Heather, atónita—. Me dijo que era el mejor que había probado en la vida. Me dijo que iríamos allí algún día, que comeríamos en todos los restaurantes donde él había trabajado de camarero.

—Dudo que haya trabajado alguna vez de camarero —respondió Brock.

—Para usted sí ha hecho de camarero, ¿no? Todavía lo es.

Brock no se inmutó ante el comentario.

—A Oliver no le gusta lo que está haciendo, Heather. Lo ve como una obligación. Necesita saber que seguimos a su lado. Todos nosotros. En especial Carmen. Para él, Carmen es lo más importante de este mundo. Quiere que la niña sepa que su padre es una persona honrada. Espera que le hables bien de él de vez en cuando a medida que crece. No querría que pensase que se marchó sin más ni más.

—«Tu padre entró en mi vida a base de mentiras, pero es un buen hombre...» ¿Algo así?

—Algo un poco mejor, si es posible.

—Suélteme el rollo, pues.

—No creo que haya ningún rollo que soltar, Heather. En mi opinión, se trata más bien de sonreír cuando hables de él. Y de dejarle ser el padre que sueña ser.

12

Para su visita a la Zahúrda de Plutón, un piso franco conocido sólo por media docena de miembros de la unidad Hidra, Brock tomó primero el metro en dirección sur hasta la otra orilla del río, luego subió a un autobús con rumbo este y comió tranquilamente en una sandwichería con buena visibilidad de la acera. En un segundo autobús, bajó dos paradas antes de la suya y recorrió a pie los últimos doscientos metros, caminando sin demasiada determinación ni demasiado poca y deteniéndose a contemplar aquellos elementos del paisaje portuario que despertaban su interés —una hilera de herrumbrosas grúas, una gabarra podrida, un vertedero de neumáticos usados—, hasta llegar a una arcada semejante a un viaducto, donde cada soportal albergaba un sospechoso taller de metalistería especializado en una u otra actividad. Eligiendo la sólida puerta negra de dos hojas señalada con el número 8 y adornada con el alentador mensaje NOS HEMOS TRASLADADO A ESPAÑA, JODEOS, pulsó el botón del interfono y se presentó como un hermano de Alf interesado en el Aston Martin.

Una vez franqueado el paso, atravesó un almacén que contenía piezas de coche, chimeneas viejas y un amplio surtido de matrículas de automóvil, y subió por una destartalada escalera de madera hasta una puerta de acero instalada recientemente que, por guardar las formas, había sido rayada y pintarrajeada con los pertinentes grafitos. Allí esperó a que la mirilla se oscureciese, como así ocurrió a su debido tiempo, y le abriese la puerta un hombre espectral con vaqueros, zapatillas de deporte, camisa a cuadros y una pistolera de cuero al hombro donde se alojaba una Smith & Wesson automática de nueve milímetros con una tira de esparadrapo viejo y pegajoso alrededor de la empuñadura, como si se hubiese herido en alguna aventura ya olvidada. Cuando Brock entró, la puerta volvió a cerrarse.

—¿Cómo se comporta nuestro hombre, señor Mace? —preguntó con la voz algo ronca a causa de una cierta tensión, comparable al nerviosismo de un actor la noche del estreno.

—Depende de las circunstancias, en realidad —contestó Mace, hablando al mismo volumen que Brock—. Lee a ratos, cuando consigue concentrarse. Juega al ajedrez, lo cual es una ayuda. Por lo demás, se dedica a hacer crucigramas, esos de clase alta.

—¿Sigue asustado?

—Cagado de miedo, señor.

Brock avanzó por el pasillo, dejando atrás una cocina, una habitación con literas y un cuarto de baño, y al fondo encontró a un segundo hombre, regordete y con el pelo largo, recogido tras la nuca. Su pistolera era de lona y la llevaba colgada del cuello como una mochila de bebé.

—¿Todo bien, señor Carter?

—Perfectamente, señor, gracias. Acabamos de echar una agradable partida de whist.

—¿Quién ha ganado?

—Plutón, señor. Hace trampas.

Mace y Carter porque Aiden Bell, para esa operación, había decidido arbitrariamente llamar a los dos hombres como a los descubridores de la tumba de Tutankamón. Y Plutón, tomando como referencia al rey del averno. Brock empujó una puerta de madera y entró en una buhardilla alargada con tragaluces enrejados. Había dos sillones tapizados en pana junto a una estufa. Una caja de embalaje colocada entre ellos hacía las veces de mesa, cubierta en ese momento de periódicos y naipes esparcidos. Un sillón estaba vacío y ocupaba el otro el honorable Ranulf, alias Randy, Massingham, alias Plutón, anteriormente al servicio del Foreign Office y otras entidades de dudosa fama, que vestía un hogareño suéter azul de Marks & Spencer con cierre de cremallera y, en lugar de sus habituales zapatos de gamuza, unas pantuflas forradas de borreguillo sintético. Estaba encorvado y aferrado a los brazos del sillón, pero en cuanto vio a Brock entrelazó las manos detrás de la cabeza, cruzó los pies con sus pantuflas sobre la caja de embalaje, y se arrellanó en una falsa pose de relajación.

—Pero si tenemos otra vez aquí al tío Nat —dijo, arrastrando las palabras—. ¿Qué? ¿Ha traído mi carta de libertad? Porque si no, pierde el tiempo.

Brock pareció encontrar muy graciosa la pregunta.

—Vamos, vamos, caballero. En el fondo, los dos somos funcionarios. ¿Desde cuándo firman los ministros certificados de inmunidad los fines de semana? Si insisto más, alguien acabará irritándose. ¿Quién es ese doctor Mirsky que no conocen ni en su casa? —inquirió, basándose en el principio de que las mejores preguntas de un interrogador son aquellas cuya respuesta ya sabe.

—Es la primera vez que oigo ese nombre —repuso Massingham, malhumorado—. Y quiero algo de ropa presentable de mi casa. Puedo darles la llave. William está en el campo, y seguirá allí mientras yo no diga lo contrario. Simplemente procuren no ir en martes o jueves; son los días que la señora Ambrose hace la limpieza.

Brock volvía a mover la cabeza en un gesto de negación.

—Me temo, caballero, que eso es absolutamente imposible por el momento. Puede que la casa esté bajo vigilancia. Por nada del mundo estoy dispuesto a correr el riesgo de que me sigan desde allí hasta aquí, gracias. —Eso era una mentira intrascendente. En su urgencia por entregarse, Massingham ni siquiera había cogido mudas de ropa limpia. Brock, conociendo la afición de su prisionero por el plumaje exquisito, había aprovechado la ocasión para darle una lección de humildad, proporcionándole pantalones de lana con elástico en la cintura e informes monos de trabajo—. En fin, caballero, prosigamos. —Brock tomó asiento, abrió un cuaderno y sacó la estilográfica que le había regalado Lily—. Según me ha dicho un pajarito, usted y el mencionado doctor Mirsky jugaron juntos al ajedrez en Nightingales exactamente el pasado mes de noviembre.

—Pues su pajarito charlatán miente —dijo Massingham, que cuando se sentía amenazado era en general mucho más lacónico.

—Que charlaron, se contaron chistes verdes y esas cosas, usted y el doctor Mirsky, según me han dicho. No es de sus mismas creencias, ¿no?

—No lo conozco; no he oído hablar de él en mi vida; no he jugado con él al ajedrez. Y ya que lo pregunta, no, no lo es. Es más bien de creencias opuestas —replicó Massingham. Cogió un ejemplar del *Spectator*, lo sacudió y simuló leer—. Y me encanta este sitio. Los chicos son encantadores; la comida está de muerte, y la ubicación es divina. Estoy pensando en comprar la casa.

—Comprenda, caballero, que el problema con estos acuerdos de inmunidad —explicó Brock, todavía en el más cordial de los tonos— es que el ministro y sus adláteres necesitan saber *contra* qué inmunizan a una persona, y ése es el quid de la cuestión.

—Ya he oído antes ese sermón.

—Siendo así, quizá si lo repito, se lo tome más en serio. Con todo respeto debo advertirle que de nada le servirá telefonear a algún conocido suyo con influencias en el Foreign Office o donde sea y decir: «Randy Massingham está dispuesto a facilitar cierta información a cambio de una garantía de inmunidad, así que agita un poco el bastón de mando por nosotros, ¿de acuerdo, compañero?» Eso no dará resultado, al menos a largo plazo. Mis superiores son muy puntillosos. «¿Inmunidad *contra* qué? —se preguntan—. ¿Está el señor Massingham excavando un túnel bajo el Banco de Inglaterra o abusa de colegialas menores de edad? ¿Está aliado con Belcebú? Porque si es ése el caso, preferiríamos que presentase su petición en otra parte.» Sin embargo, cuando yo le planteo a *usted* esa misma pregunta, gasto saliva en vano. Porque lo que me ha dicho hasta ahora, francamente, es pura paja. Le protegeremos si es ése su deseo. Le protegeremos con mucho gusto. El sitio no será tan acogedor como éste, pero no le quepa duda que estará bien protegido. Porque si persiste en esa actitud, mis superiores no sólo le negarán trato de favor, sino que además presentarán cargos contra usted por entorpecer la acción de la justicia. —Entró Carter con el té—. Señor Carter, ¿ha telefoneado hoy el señor Massingham a su oficina?

—A las 19.45, señor.

—¿Desde dónde?

—Nueva York.

—¿Quién estaba con él?

—Yo y Mace, señor.

—¿Se ha portado bien?

Massingham tiró el periódico sobre la caja de embalaje y dijo:

—Como un ángel, se ha portado. Ha puesto el alma en ello, ¿no, Carter? Admítalo.

—Sonaba convincente, señor —respondió Carter—. Un poco exagerado para mi gusto, pero siempre es así.

—Escuche la grabación si no me cree. Estaba en *Nueva York*. El tiempo era una *gozada*. En ese mismo momento venía de insuflar nuevas esperanzas en los corazones y las mentes de nuestros vacilantes inversionistas de Wall Street y me disponía a partir rumbo a Toronto para hacer allí exactamente lo mismo, ¿y tenía *alguien* noticias de nuestro pobre Tigre errante? Respuesta: un afligido no. ¿Es verdad o no, Carter?

—Diría que, cuando menos, es una descripción bastante fiel.

—¿Con quién ha hablado? —preguntó Brock a Carter.

—Con Angela, su secretaria, señor.

—¿Cree que se lo ha tragado?

—*Tragar* es lo suyo —dijo Massingham. Adoptando una expresión severa, Carter se retiró—. ¿Y eso? ¿Acaso he hecho un comentario demasiado obsceno?

—El señor Carter es un devoto creyente, compréndalo. Está muy metido en actividades parroquiales: partidos de fútbol, asociaciones de jóvenes.

—¡Vaya por Dios! —exclamó Massingham, alicaído—. Maldita sea. ¿Cómo he podido ser tan grosero? Pídale disculpas de mi parte.

Brock consultaba de nuevo su cuaderno, moviendo su cabeza blanca en actitud benévola como el padre con quien todo el mundo sueña.

—Sigamos, caballero. ¿Le importaría que ahonde un poco más en esas amenazas telefónicas que ha recibido?

—Ya le he dicho todo lo que sé.

—Sí, claro, pero el caso es que encontramos aún ciertas dificultades para localizarlas, ¿comprende? Es simplemente que cuando aceptamos una petición como la suya, nos vemos obligados a demostrar que existe un riesgo real. Es lo que yo llamo el tándem básico: por un lado, la existencia de riesgo; por otro, una prueba palpable de su voluntad de cooperar con las autoridades una vez que le sea concedida la inmunidad. —Una pausa como preámbulo al endurecimiento del tono—. Tiene usted la clara impresión, según ha declarado a mis agentes, de que las llamadas procedían del extranjero.

—Se oían de fondo ruidos propios de otros países. Tranvías y cosas por el estilo.

—Y sigue sin reconocer la voz. Le ha dado vueltas y más vueltas, pero está atascado.

—De lo contrario ya lo habría dicho, Nat.

—Eso me gustaría creer. Y fue la misma voz todas las veces y se produjeron cuatro llamadas sucesivas y repitieron siempre lo mismo. Y siempre desde el extranjero.

—Se percibían en todas las mismas… interferencias… el mismo vacío. Resulta difícil describirlo.

—¿No sería el doctor Mirsky, por ejemplo?

—Podría ser… si hubiese cubierto el auricular con un pañuelo o lo que sea que hagan.

—¿Hoban? —preguntó Brock. Dejando caer a bulto esos nombres, pretendía calibrar el efecto que causaba cada uno de ellos.

—No era un acento tan marcadamente norteamericano. Alix habla como si le hubiesen practicado una rinoplastia hace una hora.

—¿Shalva? ¿Mijaíl? No sería el propio Yevgueni, supongo.

—Era un inglés demasiado correcto.

—Y además el viejo le habría hablado en ruso, imagino..., salvo que quizá en ese caso el mensaje no habría sonado tan amenazador. —Leyendo en el cuaderno, declamó—: «Es usted el próximo de la lista, señor Massingham. No puede esconderse de nosotros. Podemos volarle la casa o pegarle un tiro cuando nos venga en gana.» ¿No se le ocurre nada nuevo al respecto?

—No era tan teatral. Dicho así, suena ridículo. No era ridículo; era aterrador.

—Es una verdadera lástima que esas misteriosas llamadas anónimas no se repitiesen ni una sola vez a partir del momento en que usted vino en busca de auxilio y desviamos su línea telefónica —lamentó Brock con gentil paciencia—. Cuatro llamadas en igual número de horas, y en cuanto acude a nosotros, ni una sola más. Eso me induce a pensar que quizá ese individuo sabe más de lo que conviene.

—*Yo* sólo sé qué me convenía a *mí*.

—No lo pongo en duda, caballero. A propósito, ¿qué *pasaporte* utiliza Tiger?

—Un pasaporte británico, supongo. Ya me lo preguntó la última vez.

—Y como ex funcionario del Foreign Office está usted enterado, supongo, de que en este país se considera delito grave instigar o secundar a alguien en la obtención de un pasaporte falso o modificado de cualquier nacionalidad.

—Por supuesto.

—Y de que, en consecuencia, si yo lograse demostrar que el honorable señor Ranulf Massingham *proporcionó* a sabiendas y con toda intención dicho pasaporte fraudulento, acompañado para colmo de una partida de nacimiento substraída, existirían grandes probabilidades de que tuviese usted que trasladarse de este alojamiento tan confortable a la celda de una cárcel.

Massingham estaba sentado con la espalda erguida

y se tiraba del labio inferior con los dedos de una mano. Con la mirada baja y la frente arrugada en actitud de profunda concentración, parecía analizar un movimiento crucial de una partida de ajedrez.

—No puede meterme en la cárcel. Tampoco puede detenerme.

—¿Por qué?

—Echaría por tierra toda la operación. Ahora usted y nosotros vamos en el mismo barco. Le interesa mantener la apariencia de normalidad tanto tiempo como sea posible.

En su fuero interno, Brock no se alegró ni mucho menos ante esa exacta evaluación de las presentes circunstancias. Cara afuera, sin embargo, continuó comportándose con la misma sencilla corrección que hasta entonces.

—Caballero, he de darle la razón. Es mi deseo librarlo de todo mal. Pero no puedo mentir a mis superiores, y usted no debe mentirme a mí. Así que tenga la bondad de facilitarme, sin más evasivas, el nombre que consta en el pasaporte falso que usted personalmente le proporcionó al señor Tiger Single.

—Smart. Tommy Smart. Para que las iniciales TS coincidieran con las de sus gemelos de oro, bastante vulgares, todo hay que decirlo.

—Aclarado ese punto, hablemos ahora un poco más del amigo Mirsky —propuso Brock, ocultando por pura necesidad su victoria tras un burocrático ceño, y consiguió permanecer allí sentado otros veinte minutos antes de correr a comunicar la noticia a sus hombres.

Confesó a Tanby, no obstante, su más secreta preocupación:

—Miente como un bellaco, Tanby. Todo lo que dice es simple hojarasca.

Según había informado el equipo de vigilancia, el Sujeto estaba en casa y sin compañía. La escucha telefónica confirmó que el Sujeto había rehusado dos invitaciones a cenar, pretextando primero una partida de bridge y después una cita previa. Eran las diez de la noche en Park Lane. Una lluvia templada y vertical borboteaba sobre la acera. Tanby lo había llevado hasta allí en el taxi; Aggie lo había acompañado en el asiento trasero, hablándole de la comida china de Glasgow.

—Si estás cansado, podemos dejarlo para mañana —había dicho Brock sin convicción.

—Estoy bien —había contestado Oliver, el casi buen soldado.

«K. Altremont», leyó, protegiéndose los ojos de la lluvia con la mano mientras consultaba el panel de timbres iluminado. «Apartamento 18.» Apretó el botón, una luz le enfocó la cara, y oyó un graznido andrógino.

—Soy yo —dijo, mirando a la luz—. Oliver. Me preguntaba si podrías ofrecerme una taza de café. No te entretendré mucho.

—¡Dios mío! —prorrumpió una voz metálica en medio del zumbido de estática—. *Eres* tú realmente. Yo abro, tú empujas. ¿Listo?

Pero Oliver empujó demasiado pronto y tuvo que esperar y volver a empujar antes de que la puerta de cristal cediese. En un vestíbulo futurista, dos terrícolas vestidos de gris tripulaban un mostrador espacial blanco. Según la placa sujeta al pecho, el de menor edad se llamaba Mattie. El otro, Joshua, leía el *Mail on Sunday*.

—El ascensor central —indicó Mattie a Oliver con un marcado ceceo—. Y no toque nada porque nosotros lo hacemos *todo* por usted.

El ascensor subió; Mattie desapareció bajo tierra. En la planta octava, la puerta se abrió y detrás estaba ella, esperándolo, la eterna treintañera con unos vaqueros lavados a la piedra y una de las camisas de seda de

Tiger arremangada hasta los codos, luciendo una maraña de finas pulseras de oro en cada muñeca. Dio un paso al frente y estrechó a Oliver contra sí de cuerpo entero, que era como saludaba a todos sus hombres, pecho con pecho y pelvis con pelvis, con la salvedad de que en ese caso, dada la estatura de Oliver, las partes no coincidían como estaba previsto. Tenía la larga melena recién cepillada y le olía a baño.

—Oliver. ¿No es espantoso? ¿Lo del pobre Alfie?... ¿Todo? ¿Adónde ha ido Tiger?

—Dímelo tú, Kat.

—Por Dios, ¿dónde te habías metido? Pensaba que Tiger había ido a buscarte o algo así. —Apartó de sí a Oliver, pero sólo la distancia necesaria para examinarlo más detenidamente. Empiezan a formarse grietas en los puntos de tensión, advirtió Oliver. La misma sonrisa picaruela, pero mantenida con mayor esfuerzo. La mirada tan calculadora como siempre, la voz igual de quebradiza—. ¿Has adquirido responsabilidades, querido? —preguntó una vez concluido el escrutinio.

—En realidad no. No, creo que no —respondió Oliver con una sonrisa estúpida.

—Has adquirido *algo,* pues. Me gustaría que así fuese. Siempre lo he dicho, ¿no?

Oliver la siguió a la sala de estar. Un estudio en busca de artista, recordó. Estatuillas de ídolos, arte de aeropuerto, *kilims* de Kensington. Propiedad de una fundación con sede en Liechtenstein. Yo redacté el contrato, Winser lo revisó, Kat era la propietaria de la fundación, en fin, lo de siempre.

—¿Qué tal un poco de alcohol, querido?

—No me vendría mal.

—A mí tampoco.

El mueble bar era un frigorífico disfrazado de arcón español. Sacó una jarra de plata labrada que contenía martini seco, llenó una copa larga de cristal esmerilado casi hasta el borde y otra sólo hasta la mitad. Brazos bronceados, porque Kat va de vacaciones a Nassau en febrero. Manos de pulso firme.

—Tamaño de chico para ti —dijo Katrina, entregándole la copa llena y quedándose para ella la de tamaño de chica.

Oliver tomó un sorbo y entró en estado de alteración. Si hubiese sido zumo de tomate, se habría emborrachado igualmente. Tomó un segundo sorbo y se recobró.

—¿Marcha bien el restaurante? —preguntó.

—Es una verdadera mina, querido. El año pasado Tiger cogió una pataleta al ver los beneficios. —Katrina se encaramó a un taburete con el asiento en forma de silla de montar beduina. Oliver se sentó a sus pies en un montón de cojines de pelo largo. Iba descalza, mostrando unas uñas diminutas como gotas de sangre—. Cuéntame, querido. Sin omitir ningún detalle, por sórdido que sea.

Oliver mintió, pero con Katrina mentir le resultaba fácil. Estaba en Hong Kong cuando recibió la noticia, dijo, siguiendo las directrices de Brock. Por medio de un fax, Pam Hawsley le informó de que habían asesinado a Winser y Tiger había «abandonado su escritorio para atender asuntos urgentes», sugiriendo de paso que quizá Oliver debía plantearse el regreso a casa. En Londres era plena noche, así que, en lugar de esperar, tomó el primer vuelo a Gatwick de Cathay Pacific, fue en taxi del aeropuerto a Curzon Street, despertó a Gupta y salió de inmediato hacia Nightingales para ver a Nadia.

—¿Cómo está? —lo interrumpió Katrina con el especial interés que muestran las queridas por las esposas de sus amantes.

—Lo sobrelleva bastante bien, gracias —respondió Oliver, incómodo—. Sorprendentemente bien. Sí. La he encontrado muy animada.

Mientras hablaba, Katrina no apartó de él la mirada ni un solo instante.

—No has acudido a los chicos de azul, ¿verdad, querido? —preguntó arteramente, escrutando el rostro de Oliver como una jugadora de bridge.

—¿Cuáles? —repuso Oliver, escrutando también el rostro de ella.

—Pensaba que tal vez habías solicitado los servicios de nuestro querido Bernard. ¿O tú no estás en buenas relaciones con Bernard?

—¿Lo estás tú?

—No en tan buenas relaciones como a él le gustaría, gracias a Dios. Mis chicas no quieren ni acercarse a él. Cinco de los grandes le ofreció a Angela si se iba con él de vacaciones a su soleado picadero. Ella le contestó que no era de ésas, cosa que nos hizo mucha gracia a todos.

—No he acudido a nadie —dijo Oliver—. La firma quiere mantener en secreto a toda costa la desaparición de Tiger. Los aterroriza que cunda el pánico entre los clientes y retiren sus inversiones en desbandada.

—¿Y para qué has venido a verme, pues, querido?

Oliver hizo un exagerado gesto de indiferencia, pero no logró zafarse de su mirada.

—He pensado que así averiguaría algo de buena fuente.

—Y yo soy la fuente. —Katrina le hurgó en el costado con el pulgar de un pie—. ¿Seguro que no has venido en busca de un poco de tierno consuelo entre tantas tribulaciones?

—Mira, Kat, tú eres su mejor amiga, ¿no? —respondió Oliver, sonriendo y apartándose de ella.

—Después de ti, querido.

—Además, eres la primera persona que Tiger vino a ver cuando se enteró de la muerte de Alfie.

—¿Yo?

—Según Gupta, sí.

—¿Y adónde fue *luego*? —preguntó Katrina.

—A ver a Nadia. O al menos eso dice ella. Aunque supongo que no se lo ha inventado. ¿Qué sentido tendría?

—¿Y después de Nadia? ¿A quién fue a ver después? ¿Alguna amiguita especial que no conozco?

—Pensaba que quizá había vuelto aquí.

—Pero, querido, ¿con qué objeto?

—Bueno, a Tiger no se le da muy bien organizar sus propios viajes, y menos aún al extranjero, ¿no? De hecho, me sorprende que no te haya llevado.

Katrina encendió un cigarrillo, para asombro de Oliver. ¿Qué más hace cuando Tiger no está presente?, se dijo.

—Yo dormía —explicó, cerrando los ojos al exhalar el humo—, sin nada encima aparte de mi pudor. Habíamos tenido una noche desastrosa en el Cradle. Los directivos de una compañía de vuelos chárter trajeron a un príncipe árabe que se prendó de Vora a primera vista. Te acuerdas de Vora —otro aguijonazo con el pulgar, esta vez en una nalga—, una rubia despampanante de pechos increíbles y piernas interminables. Bien, pues ella sí se acuerda de ti... tan bien como yo. Ahmed quería llevársela a París en su avión privado, pero el novio de Vora salió hace poco de la cárcel, y ella no se atrevió. Se armó un buen alboroto, y no llegué aquí hasta las cuatro de la madrugada, así que desconecté el teléfono, tomé un somnífero y caí como un tronco. Cuando abrí los ojos, era ya la hora del almuerzo y a mi lado estaba Tiger, de pie y con ese monstruoso abrigo marrón suyo. «Esa gente le ha volado la cabeza a Winser a modo de castigo», dijo.

—¿Volado la cabeza? —repitió Oliver—. ¿Cómo se había enterado de eso?

—A mí que me registren, querido. Una manera de

hablar, probablemente. Pero desde luego era lo único que me faltaba en mi lamentable estado. «Dios mío, ¿qué motivo podía haber para matar a Alfie? —pregunté—. ¿Quién es esa *gente*? ¿Cómo sabes que no ha sido un marido celoso?» No, dijo, era un complot, y estaban todos metidos: Hoban, Yevgueni, Mirsky y el regimiento completo. Quería preguntarme dónde tenía guardados los cepillos del calzado. Ya sabes cómo se pone cuando le entra uno de sus arrebatos de pánico. Quiere morir con las botas limpias.

Oliver, que desconocía esa propensión al pánico de su padre, asintió de todos modos.

—A continuación me pidió cambio para el teléfono —prosiguió Katrina—. Tartamudeaba, y al principio pensé que me sugería que cambiase mi número de teléfono. No, no, dinero suelto, aclaró. Monedas de una libra, de cincuenta peniques, lo que tuviese a mano. «¿Qué tontería es ésa? —contesté—. Eres tú quien paga la factura del teléfono. Llama desde aquí.» No le servía. Tenía que ser un teléfono público. Todas las demás líneas estaban pinchadas por sus enemigos. «Ponte en contacto con Randy», dije. Tampoco le servía. Tenía que conseguir unos chelines. «Telefonea a Bernard —dije—. Si andas en apuros, para eso está Bernard.» Desde aquí, no, insistió. «Pero, querido, es *policía* —dije—. La policía no pincha los teléfonos de la policía.» Negó con la cabeza y me salió con su rollo de la mujercita descerebrada. Dijo que yo no era capaz de comprender la situación en toda su magnitud, y él sí.

—Pobrecita —la consoló Oliver, intentando aún asimilar la imagen de Tiger tartamudeando.

—Y claro está, no encontramos ni una sola moneda. Yo tenía en el coche el dinero suelto que guardo para los parquímetros. El coche estaba en el sótano. Para serte sincera, pensé que tu venerado padre estaba trastocándose. ¿Te pasa algo, querido? Tienes la misma cara que si te hubiese sentado mal algo que has comido.

A Oliver no le había sentado mal nada. Simplemente concatenaba en su cabeza los acontecimientos y no veía la menor lógica. Calculaba que Tiger visitó a Kat sólo unos minutos después de recibir la carta en la que Yevgueni le exigía doscientos millones de libras. Sin embargo, cuando Gupta vio salir a Tiger de Curzon Street, conservaba al parecer la serenidad. Y Oliver se preguntaba qué podía haber ocurrido entre Curzon Street y el apartamento de Kat para que su padre se hubiese aterrorizado hasta el punto de tartamudear.

—Así que nos pasamos diez minutos de un lado a otro del piso, yo en quimono, buscando dinero suelto. Deseé estar de nuevo en mi modesta habitación de alquiler con un bote lleno de monedas de diez peniques para el contador del gas. Al final aparecieron un par de libras. Y bueno, con eso no bastaba, ¿no?, al menos para una conferencia con el extranjero. Pero, claro está, en ningún momento había dicho que tuviese que telefonear al extranjero, no hasta que terminamos de buscar. «Por amor de Dios —dije—, manda a Mattie al quiosco a por unas tarjetas telefónicas.» Tampoco eso le parecía buena solución. Los porteros no eran de fiar. Para eso, prefería comprarlas él mismo. Así que se fue, y no me dio ni las gracias. Tardé horas en volver a dormirme y soñar contigo. —Una intensa calada al cigarrillo, seguida de un suspiro de descontento—. Ah, y tú tienes la culpa de todo, te complacerá saber; no es sólo cosa de Mirsky y los Borgia. Estamos todos confabulados contra él, todos lo hemos traicionado, pero tu traición es la peor. Me entró un poco de envidia. ¿Es verdad que lo has traicionado?

—¿Cómo?

—Dios sabe, querido. Dijo que dejaste un rastro tras de ti y él había averiguado la fuente, y la fuente eras tú. Nunca había oído yo decir que los rastros tuviesen fuentes, pero ésas fueron sus palabras.

—¿No mencionó a quién necesitaba telefonear?

—Ni remotamente, querido. Yo no soy de fiar, ¿no? Iba agitando su agendita de un lado a otro, así que no debía de saberse el número de memoria.

—Pero era una llamada al extranjero.

—Eso dijo.

Y era la hora del almuerzo, pensó Oliver.

—¿Dónde está el quiosco? —preguntó.

—Nada más salir, unos cincuenta metros a la derecha. ¿Haces de Hércules Poirot, querido? Dijo que eras un Judas. Personalmente pienso que estás para comerte —añadió.

—Simplemente intento formarme una idea de la situación —respondió Oliver. Una situación que hasta entonces ni siquiera había imaginado: Tiger histérico, irracional, dado a la fuga, acurrucado en una cabina telefónica con su raglán marrón y sus zapatos recién lustrados, mientras su querida se vuelve a la cama—. La Navidad pasada tuvo un serio altercado con alguien. Un grupo de gente trató de gastarle una mala jugada. Viajó a Zúrich y les plantó cara. ¿Te suena eso de algo?

Katrina bostezó.

—Vagamente. Iba a despedir a Randy. Siempre está despidiendo a Randy. Y son todos unos sinvergüenzas, Mirsky incluido.

—¿Yevgueni también?

—Yevgueni baila al son que le tocan. Está sometido a muchas influencias.

—¿De quién?

—Dios sabe, querido. ¿Qué tal va esa copa? —preguntó Katrina. Oliver se bebió el martini. Ella fumaba y lo observaba mientras, masajeándose pensativamente un pie con el otro—. Tú eres el único que se le escapó de las manos, ¿verdad, pillín? —comentó con expresión reflexiva—. Tiger nunca habla de ti, ¿sabías? O mejor dicho, sólo habla de ti cuando se conmueve. Bueno, no exactamente cuando se *conmueve*, porque eso sólo ocurre en años bisiestos. Primero estabas de excedencia por razones de estudios, luego te ocupabas de captar clientes en el extranjero, luego volviste a estudiar. A su manera, sigue orgulloso de ti. Es únicamente que te considera un traidor y un mierda.

—Probablemente aparecerá dentro de unos días —dijo Oliver.

—Ah, si está solo, regresará a toda prisa. No resiste su propia compañía, ni ahora ni nunca. Por eso se busca un hombre a una amiguita. Desde luego no le basta conmigo. Ni viceversa, para serte sincero. Quizá necesita un cambio de juego. Algo lógico y normal a su edad, y también a la mía, si a eso vamos. —Lo aguijoneó de nuevo con el pulgar del pie, esta vez más cerca de la entrepierna—. ¿Tienes tú una amiguita, querido? ¿Alguien que sepa volverte loco?

—La verdad es que ahora nado entre dos aguas, y no acabo de decidirme.

—Aquel encanto de Nina vino a verme una vez al Cradle. No entendía por qué habías anunciado a Tiger que pensabas casarte con ella y a ella, en cambio, no le habías dicho nada.

—Sí, la verdad es que lo siento.

—No te disculpes conmigo, querido. ¿Qué problema le veías? ¿No era demasiado briosa en el catre? Por lo que pude observar, tenía un cuerpo francamente apetitoso. Un culo de primera. Una cadera adorable. No me habría importado ser hombre.

Oliver se apartó un poco más de ella.

—Dice Nadia que últimamente Mirsky ronda mucho por aquí —comentó Oliver, cambiando de tema—. Ha estado en Nightingales, jugando al ajedrez con Randy. —«Averigua todo lo que puedas sobre Mirsky», había ordenado Brock.

—No sólo juega a eso, querido, te lo aseguro. Jugaría también conmigo si tuviese la menor oportunidad. Y no será porque no lo ha intentado. Es peor que Bernard. Por cierto, nos está prohibido llamarlo Mirsky. Tiene un pasaporte un tanto voluble. No me sorprende.

—¿Cómo lo llamáis, pues?

—Doctor Münster, de Praga. ¡Valiente doctor! Por si no lo sabías, yo soy su secretaria particular. ¿El doctor Münster necesita un helicóptero para ir a Nightingales? La buena de Kat se ocupará de ello. ¿El doctor Münster necesita la suite nupcial del Grand Ritz Palace? La buena de Kat lo arreglará. ¿El doctor Münster necesita ahora mismo tres fulanas y un violinista ciego? No hay problema, Kat le hará de alcahueta. Es demasiado ardoroso para dejarlo en manos de la Doncella de Hielo, supongo.

—¿No había dicho Tiger que Mirsky formaba parte también de la conspiración contra él?

—Eso es *este* mes, querido. El mes pasado era el arcángel san Gabriel. Y de pronto, sorpresa, Mirsky se ha cambiado de bando; Yevgueni es un viejo chocho a merced de un polaco con labia, y Randy es el canalla que ha instigado a Mirsky... y por lo que yo sé también tú te has pasado al enemigo, ¿o no? ¿Dónde te has instalado, querido?

—Estoy en Singapur la mayor parte del tiempo.

—Me refería a esta noche.

—En Camden. En casa de una de mis viejas amistades de la facultad de derecho.

—¿Amigo o amiga?

—Amigo.

—¡Vaya un desperdicio! A menos que seas otro Randy, cosa que desde luego no eres —dijo Katrina. Oliver estaba a punto de echarse a reír cuando su mirada se cruzó con la de ella y advirtió en sus ojos un brillo distinto, más opaco—. Si quieres, aquí hay una cama disponible. La mía. Satisfacción garantizada.

Oliver consideró la proposición y descubrió que no lo sorprendía.

—Creo que debería ir a casa de Tiger a echar un vistazo —pretextó, como si eso representase un obstáculo—. Por si hay algún documento importante o cualquier otra cosa. Antes de que lo haga otro.

—Puedes ir a *su* casa a echar un vistazo, y luego venir a *mi* cama a echar otra cosa, ¿no?

—El problema es que no tengo sus llaves —explicó Oliver con una sonrisa poco convincente.

Estaban uno al lado del otro en el ascensor, rozándose. Todas sus llaves colgaban juntas de un aro de pelo de elefante. Cogió la mano de Oliver, le colocó las llaves en la palma, y le dobló los dedos sobre ellas. Luego lo atrajo hacia sí y lo besó, y siguió besándolo y acariciándolo hasta que él le devolvió el abrazo. Llevaba los pechos desnudos bajo la camisa de Tiger. Recorrió la lengua de Oliver con la suya a la vez que paseaba las manos por su entrepierna. Luego cogió de nuevo su mano, la abrió y seleccionó una llave que los dos a la par introdujeron en el ojo de la cerradura e hicieron girar. Repitieron la operación con una segunda llave. El ascensor subió, se detuvo, y las puertas se abrieron ante un pasillo acristalado de la azotea, semejante a un vagón de tren detenido, con chimeneas a un lado y las luces de Londres al otro. Todavía en silencio, ella separó una llave de tija larga y otra unida a ésta y las dispuso expresivamente entre sus dedos pulgar e índice, apuntadas hacia afuera y hacia arriba, donde estaba su imaginario objetivo. Volvió a besarlo y, empujándole el trasero, lo instó a correr en dirección a la puerta de caoba iluminada por dos farolillos eléctricos de antigua posada, uno a cada lado.

—No tardes —susurró ella—. ¿Me lo prometes?

Oliver aguardó a que el ascensor desapareciera y después, para mayor seguridad, pulsó el botón de llamada y esperó hasta que el ascensor regresó vacío. A continuación se quitó una zapatilla y la encajó a modo de calce en una de las puertas para que el ascensor no se moviese de allí, porque sabía que, de los tres que había en el edificio, era el único que llegaba al ático, y por tanto, lógicamente, la única persona que podía desear subir allí a esas horas, aparte de Tiger, era Katrina, decidiendo quizá en el último momento quedarse a hacerle compañía. Con las llaves en la mano, un pie descalzo y el otro calzado, recorrió renqueante el pasillo. La puerta de caoba no opuso resistencia, y Oliver entró en la casa londinense de un caballero del siglo XVIII, salvo que había sido construida quince años atrás en lo alto de un tejado. Oliver nunca había dormido allí, nunca se había reído allí, nunca se había lavado o hecho el amor o jugado allí. Algunas veces, en noches solitarias, Tiger había requerido su presencia, y habían matado el rato, entre cabezada y cabezada, viendo programas de televisión reductores de la mente. Por lo demás, sus únicos recuerdos ligados a aquel lugar eran las diatribas de Tiger contra las autoridades de la City por negarle el permiso para instalar un helipuerto en el tejado y unas cuantas fiestas de verano, con el bufé a cargo de Katrina, ofrecidas para todos los amigos que Tiger no tenía.

«¡Oliver, Nina, venid aquí, por favor! Oliver, cuéntanos otra vez ese chiste del escorpión que quería cruzar el Nilo. Pero despacio. Su alteza desea anotarlo…»

«¡Oliver! ¿Me concedes un minuto de tu tiempo, hijo mío, si te es posible separarte de tu deliciosa compañía? Explícale otra vez a su excelencia la base legal del proyecto que con tanta soltura nos has presentado esta mañana. Puesto que ésta es una ocasión informal, puedes emplear una terminología más desinhibida…»

Oliver se hallaba en el vestíbulo, la entrepierna dolorida aún a causa de las caricias de Katrina. Se adentró en el piso, con los sentidos todavía en estado de incandescencia. Lo desorientaba la distribución de las habitaciones y no sabía ya por dónde iba, pero eso era culpa de Katrina. Dobló una esquina y atravesó un salón, una sala de billar y un despacho. Regresó al vestíbulo y hurgó en abrigos y gabardinas en busca de los trozos de papel a que Brock otorgaba tanto valor. En el taco de notas situado junto al teléfono parecía haber algo escrito del puño y letra de Tiger. Presente aún la proposición de Katrina de «echar otra cosa», se echó el taco al bolsillo. En una habitación algo había despertado su interés, pero no recordaba en cuál. Se paseó indeciso por el salón, esperando la inspiración, procurando alejar de su memoria el tacto del pecho de Katrina bajo el hueco de su mano y la presión de su pubis contra el muslo. No era aquí, pensó, pasándose los dedos entre el pelo para aclararse las ideas. Prueba en otra parte. Se dirigía a la sala de billar cuando reparó en una papelera de cuero colocada entre una butaca de lectura y una mesa auxiliar, y supo que la había visto antes sin percatarse de su importancia. En la papelera había sólo un sobre acolchado amarillo, vacío pero hinchado todavía por efecto del objeto que había contenido. Su mirada se posó en las puertas de un armario presentadas exteriormente como estanterías de libros. Estaban entreabiertas, revelando parcialmente en corte vertical un equipo de audio y vídeo. Y cuando se acercaba cojeando con su pie calzado y su pie descalzo, percibió el parpadeo de un piloto verde en el aparato de vídeo. Sobre éste se hallaba la caja blanca y sin rotular de una cinta de vídeo, también vacía. Oliver tenía ya la mente despejada y sus deseos habían remitido. Si alguien hubiese escri-

to PRUEBA DOCUMENTAL en el lomo de la caja y traza-
do una flecha que señalase la luz verde intermitente, la
conexión entre ambas no habría sido más obvia. «Recibirán una prueba documental por separado en su domicilio particular. Y. I. Orlov.» Sonaba el teléfono.

Es para Tiger.

Es Mirsky, que se hace llamar Münster.

Es Katrina para decir que quiere subir pero el ascensor no funciona.

Es Bernard el calvo para ofrecer un servicio.

Son los porteros para avisar que vienen de camino.

Es Brock para advertir: «Te han descubierto. Abandona.»

Siguió sonando, y Oliver lo dejó sonar. Ningún
contestador automático interceptó la llamada. Pulsó
la tecla EJECT en el panel del vídeo, extrajo la cinta, la
guardó en la caja y devolvió ésta al sobre acolchado
amarillo. «A la atención del señor Tiger Single», rezaba
en la etiqueta, mecanografiada electrónicamente. EN-
TREGA EN MANO, pero no llevaba el sello de ningún servicio de mensajería ni remite. Se encaminó hacia el vestíbulo y, alarmado, vio una fotografía de sí mismo, más
joven, con disfraz de abogado, peluca incluida. Cogió
una cazadora de piel de una hilera de abrigos y se la
colgó de un hombro, usándola para ocultar la cinta que
llevaba bajo el brazo. Recuperó la zapatilla encajada en
la corredera de las puertas del ascensor, se la calzó, entró y, tras un vergonzoso instante de vacilación, apretó
el botón de la planta baja. El ascensor descendió a su
parsimoniosa marcha. Atrás quedaron los pisos duodé-
cimo y undécimo, y en el décimo Oliver se comprimió
contra un rincón para que Katrina no lo viese por la estrecha ventanilla al pasar ante el rellano de la octava
planta. Sin embargo en su imaginación la vio desnuda
y resplandeciente en la cama que compartía con Tiger y
tenía en ese momento una plaza vacante. En el vestíbu-

lo del edificio, Mattie se había apropiado del *Mail on Sunday* de Joshua.

—¿Sería tan amable de devolverle esto a la señorita Altremont —dijo Oliver, entregándole las llaves de Kat.

—A su debido tiempo —contestó Mattie sin desviar la vista del periódico.

En la acera, giró a la derecha y caminó con paso enérgico hasta llegar a Mohammed, quiosco de prensa y tabaco, abierto las veinticuatro horas. Poco más allá había tres cabinas telefónicas junto a la barandilla de protección del bordillo. Oyó que detrás de él, a corta distancia, un coche reclamaba su atención con repetidos bocinazos y se volvió en el acto, temiendo ver a Katrina en su Porsche de Casa Single. Pero era Aggie, que le hacía señas, sentada al volante de un Mini verde.

—A Glasgow —susurró cuando se dejaba caer agradecido en el asiento contiguo—. Y pisa a fondo.

La sala de estar de la casa de Camden, con su olor a sándwiches pasados y cuerpos ausentes, reunía todas las condiciones de un cine de barrio. Brock y Oliver se hallaban sentados en un sofá con los muelles a flor de piel a modo de púas. Brock se había ofrecido a ver él solo la cinta. Oliver había preferido acompañarlo. En la pantalla aparecieron unos números. Es una peli porno, pensó Oliver, recordando las manos de Kat; justo lo que necesito. De pronto vio a Alfred Winser de rodillas y maniatado en un pedregoso y pronunciado camino y, ante él, a un ángel enmascarado con gabardina blanca que apuntaba a su cabeza una reluciente pistola automática. Y oyó la voz nasal y repugnante de Hoban explicar a Alfie por qué tenía que volarle la cabeza. Y después de eso ya sólo pudo pensar en Tiger, sólo en su ático, con el raglán marrón puesto, viendo y oyendo aquello mismo antes de bajar a la planta octava para despertar a Kat. El resto del equipo escuchaba la voz monocorde de Hoban desde la cocina, tomando té y mirando el tabique. «Vendréis todos a la segunda casa», les había dicho Brock. Los hombres estaban sentados juntos y en silencio. Aggie, en una silla aparte, tenía los ojos cerrados y recordaba cómo había imitado el canto de las aves con hojas de hierba para Zach.

Brock se dio el gusto de sacar a Massingham de la cama en plena noche. Mientras esperaba en el estrecho rellano, se consoló oyéndolo gritar cuando Carter y Mace lo despertaron con un mínimo uso de la fuerza. Y cuando lo obligaron a salir de su dormitorio como un reo exhibido para escarnio público con la informe bata de matrona, las zapatillas y el horrendo pijama a rayas, parpadeando con mirada suplicante, custodiado por sus dos carceleros, Brock pensó con saña: «Te está bien empleado», antes de forzarse a mostrar un inexpresivo semblante burocrático.

—Disculpe las molestias, caballero. Ha salido a la luz cierta información que debe usted conocer. Por favor, señor Mace, una grabadora. El ministro deseará oír esto personalmente.

Massingham no se movió. Carter dio un paso atrás, apartándose de él. Mace salió en busca de la grabadora. Massingham siguió inmóvil.

—Exijo la presencia de mi abogado —declaró—. No pienso decir una sola palabra más hasta que reciba garantías por escrito.

—En ese caso, caballero, dadas las actuales circunstancias, vale más que se vaya preparando para vivir como un monje trapense.

Sin aspavientos, Brock abrió la puerta de la sala de estar abuhardillada. Massingham entró primero, sin dignarse mirarlo. Ocuparon sus asientos de costumbre. Mace apareció con la grabadora y la puso en marcha.

—Si ha estado molestando a William... —empezó a decir Massingham.

—Ni yo ni nadie lo ha molestado. Quiero hablar con usted acerca del riesgo. ¿Recuerda nuestra conversación sobre el riesgo?

—Claro que la recuerdo.

—Bien, porque los ayudantes del ministro me llevan por la calle de la amargura. Ahora piensan que oculta usted algo.

—Pues mándelos a tomar por el culo.

—Gracias por la sugerencia, caballero, pero no creo que les guste la idea. Hora del almuerzo: Tiger Single desaparece de Curzon Street. No obstante, usted había abandonado ya el edificio. A las once de la mañana salió usted de su despacho y regresó a su domicilio de Chelsea, ¿por qué?

—¿Es eso delito?

—Depende del motivo, caballero. Permaneció allí durante diez horas, hasta las nueve y cinco de la noche, momento en que solicitó protección. ¿Lo confirma?

—Claro que lo confirmo. Es lo que yo mismo dije —afirmó Massingham. Sus enérgicas palabras delataban su verdadero estado, que era de creciente nerviosismo.

—¿Por qué razón volvió tan pronto a casa aquella mañana?

—¿Es que no tiene la más mínima imaginación? Winser había sido asesinado; la noticia era ya de dominio público; la oficina estaba al borde del caos; los teléfonos sonaban sin cesar. Docenas de personas habían dejado mensajes para que me pusiese en contacto con ellas. Necesitaba tranquilidad y silencio. ¿Dónde iba a encontrar una poco de paz si no en mi casa?

—Donde luego recibió las amenazas telefónicas

—apuntó Brock, pensando que los embusteros a veces también decían la verdad—. A las dos de esa misma tarde un mensajero entregó un paquete en su casa. ¿Qué contenía ese paquete?

—Nada.

—¿Cómo dice?

—No recibí ningún paquete, y por tanto no había nada en él. Eso es mentira.

—En su casa, alguien aceptó ese paquete y firmó el recibo.

—Demuéstrelo. No puede. No puede encontrar el servicio de mensajería. Yo no firmé nada, ni toqué nada. Todo eso es pura fantasía. Y si cree que lo recibió William, está muy equivocado.

—Yo no he insinuado siquiera que fuese William. Eso lo ha dicho usted.

—Se lo advierto: no meta a William en esto. Esa mañana estuvo en Chichester desde las diez. Ensayando todo el santo día.

—¿Para qué, si no es indiscreción?

—*El sueño de una noche de verano*. Interpreta el papel de Puck.

—¿A qué hora volvió a casa?

—No llegó hasta las siete. «Márchate, márchate —le dije—. Sal de la casa; no es segura.» No lo entendió, pero se fue.

—¿Adónde?

—No es asunto suyo.

—¿Se llevó algo, William?

—Naturalmente. Hizo la maleta. Yo lo ayudé. Luego pedí un taxi por teléfono para él. No sabe conducir. Ni aprenderá nunca. Ha tomado cientos de clases, pero no es lo suyo.

—¿Se llevó el paquete?

—No existía tal paquete. —Ahora con voz fría y severa—. Ese paquete es una patraña, señor Brock.

—A las dos en punto de la tarde, una vecina suya vio parar ante su casa a un mensajero en moto que se acercó a su puerta con un paquete en la mano y se marchó sin él. No vio quién firmaba el recibo porque estaba echada la cadena de la puerta.

—Esa vecina es una mentirosa.

—Sufre de artritis múltiple y se entera de todo cuanto ocurre en esa calle —respondió Brock con sobrehumana paciencia—. Y será una excelente testigo. Testigo de la acusación.

Massingham se examinó las uñas con desaprobación, como si dijese: «Mire cómo me han quedado.»

—Supongo que podría haberse tratado del reparto de guías telefónicas o algo así —aventuró, ofreciendo una explicación válida para ambos—. Esa gente de Telecom se presenta a las horas más intempestivas. Es *posible* que firmase yo mismo el recibo sin darme cuenta. Dado el estado en que me hallaba. Puede ser.

—No hablamos de guías telefónicas. Hablamos de un sobre acolchado, amarillo, con una etiqueta blanca autoadhesiva. Algo aproximadamente del tamaño... —Miró alrededor con detenimiento, entreteniéndose de manera especial en el televisor y el aparato de vídeo—. Del tamaño de uno de esos libros en rústica —dijo por fin. Massingham volvió la cabeza para observarlos—. O podría haber sido una *cinta de vídeo* —añadió como si la idea acabase de ocurrírsele—. Como las de aquel estante. Mostrando a todo color el asesinato mediante un disparo de su difunto colega Alfred Winser.

En respuesta, Massingham se limitó a adoptar la misma expresión de obstinado enojo que había asomado a su rostro cuando Brock mencionó a William.

—Y con un mensaje adjunto —continuó Brock—. La filmación era de por sí escalofriante, pero el mensaje que la acompañaba era aún peor. ¿Estoy en lo cierto?

—Ya sabe que sí.

—Tan escalofriante era que, antes de solicitar la protección de la policía de aduanas, inventó usted un cuento con la intención de negar la existencia de la cinta, que entregó a William con instrucciones de quemarla y esparcir las cenizas a los cuatro vientos… o algo semejante.

Massingham se puso en pie.

—El «mensaje», como usted se complace en llamar —repuso, hundiendo las manos en los bolsillos de la informe bata y echando atrás la cabeza—, no era un mensaje en absoluto. Era una sarta de mentiras que me describían como un verdadero monstruo. Prácticamente me responsabilizaban de la muerte de Winser. Me acusaban de todos los crímenes sobre la faz de la tierra, sin una sola prueba para respaldarlo. —Con actitud teatral, se aproximó a Brock, todavía sentado, y con las rodillas cerca de la cara de Brock, le habló inclinando la cabeza—. ¿Realmente cree que se me habría ocurrido presentarme ante ustedes, mis anfitriones, nada menos que la policía de aduanas de Su Majestad, exhibiendo como billete de entrada un documento en extremo difamatorio que me muestra como el peor hijo de puta de todos los tiempos? Debe de estar loco.

Brock no estaba loco, pero empezaba a valorar en su justa medida a su adversario.

—Sin embargo, señor Massingham, si lo que afirman sus detractores es verdad, tendría usted dos buenas razones en lugar de una para destruir las pruebas, ¿no cree? ¿Y eso hizo él, no, su William, destruir las pruebas?

—No eran pruebas de nada, así que no destruyó ninguna prueba. Era todo mentira. Merecía ser destruido, y así se hizo.

Brock y Aiden Bell se hallaban sentados en la sala de oficiales de la casa situada junto al río tras un pase de medianoche de la ejecución de Winser. Eran las dos de la madrugada.

—Plutón se guarda alguna información importante que yo desconozco —dijo Brock, repitiendo la confesión que había hecho a Tanby—. La tengo delante mismo. Es como una bomba con la mecha encendida oculta en alguna parte. Huelo a quemado, pero no voy a verla hasta que me estalle en la cara.

Luego, como era frecuente en los últimos días, la conversación se desvió hacia Porlock. Su comportamiento en las reuniones: flagrante. Su fastuoso tren de vida: flagrante. Sus supuestas fuentes básicas de información en los bajos fondos, que eran de hecho sus socios: flagrantes.

—Está poniendo a prueba la paciencia de Dios —dijo Brock, usando una frase de Lily—. Está comprobando hasta qué altura puede volar antes de que los dioses le corten las alas.

—Lily querrá decir que se le funden —objetó Bell—. Piensa en Ícaro, imagino.

—Bien, se le funden. ¿Qué diferencia hay? —concedió Brock, malhumorado.

13

La boda forzosa se acordó después de largas deliberaciones entre Brock y los estrategas, sin contar con la opinión de las partes contratantes. Los novios, se decidió de inmediato, irían de luna de miel a Suiza, porque era allí adonde había llevado el rastro de Tiger Single, alias Tommy Smart, tras su marcha de Inglaterra. Llegando a Heathrow ya a última hora de la tarde, Smart-Single había pasado la noche en el Hilton del aeropuerto, cenado frugalmente en la habitación, y tomado el primer vuelo a Zúrich del día siguiente. Lo había pagado todo en metálico. También había sido Zúrich el destino de su llamada desde una cabina telefónica de Park Lane, siendo su interlocutor un bufete jurídico internacional que desde hacía tiempo mantenía relaciones profesionales con la sección de transacciones *off-shore* de Casa Single. Un equipo de apoyo compuesto por seis agentes permanecería cerca de la pareja a todas horas, proporcionando contravigilancia y comunicaciones.

La decisión de unir en matrimonio a Oliver y Aggie no se tomó a la ligera. Al principio Brock daba por supuesto que Oliver seguiría actuando en el extranjero como hasta ese momento: aparentemente solo, con un equipo tras sus pasos que velase por él, y el propio

Brock siempre a su disposición para recibir los partes de la misión y enjugarle las lágrimas. Sólo dio marcha atrás cuando empezó a discutirse la letra menuda del plan: ¿Cuánto dinero en efectivo llevaría encima Oliver? ¿Qué pasaporte? ¿Qué tarjetas de crédito? ¿Debía viajar el equipo de apoyo en los mismos aviones que Oliver y alojarse en los mismos hoteles, o era preferible mantenerlo a distancia? Algo no le cuadraba, anunció vagamente a Bell.

—No lo veo claro, Aiden —dijo.

—¿Qué no ves claro?

—No me veo a Oliver solo —añadió Brock—, en el extranjero, con un pasaporte falso, tarjetas de crédito, un fajo de billetes en el bolsillo y un teléfono sin pinchar en la mesilla de noche. Ni que hubiese en la calle un regimiento entero para vigilarlo, o en el taxi detrás de él, o en las mesas cercanas, o en las habitaciones contiguas.

Pero cuando Aiden Bell insistió en conocer los motivos de su recelo, Brock contestó con una inseguridad poco común en él.

—Es por sus condenados trucos —dijo.

Bell malinterpretó su respuesta. ¿Qué trucos había utilizado Oliver, inquirió con severidad, que Brock no le había revelado en sus informes? Bell había pasado un tiempo destinado en Irlanda. Para él un informador era un informador. Se le pagaba en función de su valía y se lo abandonaba cuando dejaba de ser útil. Si pretendía llevarlo a uno al huerto, se mantenía una tranquila conversación con él en un callejón desierto.

—Me refiero a sus trucos de magia —explicó Brock, percibiendo él mismo la estupidez de esas palabras—. Su permanente perplejidad, su incapacidad de llegar a una conclusión, o en caso de llegar, su tendencia a callársela. Está siempre barajando sus cartas. Haciendo malabarismos. Modelando sus condenados globos. Ya antes no confiaba en él, pero ahora además no lo conozco. —Sus quejas fueron no obstante más lejos—. ¿Por qué no me pregunta ya por Massingham? —Burlándose de sus propias invenciones, recitó—: «¿Limando asperezas? ¿Vagando por el mundo? ¿Tranquilizando a los clientes?» ¿Cómo va a dejarse engañar por semejante cuento un hombre de la inteligencia de Oliver?

Ni siquiera entonces consiguió Brock desentrañar el núcleo de su inquietud. Oliver estaba experimentando algún cambio radical, deseaba decir; mostraba de pronto un aplomo que antes no poseía. Brock lo había percibido después de ver juntos la cinta de vídeo. Esperaba que Oliver se revolcase por el suelo, amenazando con recluirse en un monasterio o alguna otra tontería por el estilo, y sin embargo, cuando se encendieron las luces, siguió sentado en el sofá tan tranquilo como si acabasen de ver un episodio de la serie *Vecinos*.

—Yevgueni no lo mató. Fue Hoban, actuando por su cuenta —declaró con una especie de apasionado engreimiento.

Y tan profunda era la convicción de Oliver, tan fortalecedora, por así decirlo, que cuando Brock propuso pasar la cinta una seguna vez para los demás miembros del equipo —que después la contemplaron en tenso silencio y se marcharon con aspecto pálido y resuelto—, Oliver manifestó cierto interés en verla de nuevo con ellos para confirmar su hipótesis hasta que, advirtiendo la mirada admonitoria de Brock, se desperezó como de costumbre y se fue parsimoniosamente a la cocina, donde se preparó una taza de chocolate para llevársela a su habitación.

Para celebrar la ceremonia, Brock eligió el invernadero, y no por casualidad sino pensando en las flores.

—Viajaréis como marido y mujer —dijo a la pareja—. Y eso significa que compartiréis el cepillo de dientes, la habitación y el apellido. Eso y sólo eso, Oliver. Queda claro, ¿no? Porque no me gustaría que volvieses a casa con los brazos rotos. ¿Me oyes?

Oliver quizá lo oía o quizá no. Primero frunció el entrecejo. Luego adoptó una actitud mojigata y pareció reflexionar sobre la compatibilidad entre el plan y sus elevados principios morales. Finalmente forzó una tonta sonrisa que Brock interpretó como vergüenza y masculló:

—Como tú mandes, jefe.

Y Aggie se ruborizó, ante lo cual Brock se estremeció de la cabeza a los pies. Los matrimonios platónicos eran una tapadera habitual para los agentes destinados a misiones en el extranjero. Dos personas del mismo sexo llamaban demasiado la atención. ¿A qué venía, pues, aquel desconcierto virginal? Brock decidió que se debía al hecho de que Oliver no era en rigor miembro del equipo y descartó la idea de reunirse con Aggie en privado para darle un sermón prematrimonial. El amor y sus variaciones no le pasaron siquiera por la mente. Quizá fue víctima de la convicción, compartida por Oliver, de que cualquier mujer que se enamorase de él debía de ser un caso clínico por definición. Y Aggie —si bien Brock nunca se lo habría dicho—, lejos de ser un caso clínico, era la muchacha mejor y más cuerda que había conocido en sus treinta años de servicio.

Una hora más tarde, cuando Brock acompañó a un par de maduras analistas de Hidra a la habitación de Oliver para ofrecerle unos sabios consejos de despedida, no lo encontró preparando el equipaje sino descamisado y haciendo malabarismos con sus pesos, unas bolsas de piel cosidas y llenas de arena o algo parecido. Mantenía tres en danza, y cuando las dos mujeres lo animaron a seguir con gritos de entusiasmo, Oliver añadió una cuarta bolsa. Después, durante unos gloriosos instantes, se las arregló para mantener cinco en movimiento.

—Señoras, acaban de presenciar una de mis mejores actuaciones —anunció con su voz de pregonero—. Nathaniel Brock, señor, si consigue usted mantener cinco en danza durante diez series completas de lanzamientos, será un hombre, hijo mío.

Oyéndolo, Brock se preguntó una vez más: ¿Qué le pasa a este muchacho? Se lo ve casi *feliz*.

—Quiero telefonear a Elsie Watmore —dijo Oliver a Brock en cuanto se marcharon las dos mujeres, porque Brock había prohibido las llamadas desde Suiza. Así que Brock lo guió hasta el teléfono y se quedó con él mientras hablaba.

Tomada la decisión sobre el matrimonio, Brock meditó profundamente sobre los nombres de la pareja. La solución obvia era llamar Heather a Aggie y mantener el Hawthorne para Oliver. De ese modo las tarjetas de crédito, los permisos de conducir y los registros públicos serían un problema menos, con la ventaja añadida de que Oliver contaría ya con su imaginario pasado en Australia. Cualquiera que intentase verificar sus identidades encontraría abundantes datos con que corroborarlas, y aparte de eso un muro de ladrillo. Si descubrían el divorcio, no importaba: Oliver y Heather se habían reconciliado. En contra de esta opción debía contemplarse el incuestionable hecho operacional de que el apellido Hawthorne había quedado ya al descubierto, no sólo para Tiger sino también para otras personas desconocidas. Aunque no lo tenía por costumbre, Brock se decidió por el término medio. Oliver y Aggie dispondrían no de uno sino de dos pasaportes operacionales por cabeza. En el primer par serían Oliver y Heather Single, animador infantil y ama de casa, ingleses, casados. En el segundo juego de pasaportes serían Mark y Charmian West, dibujante publicitario y ama de casa, norteamericanos residentes en el Reino Unido, identidades ya previamente autorizadas para uso operacional fuera del territorio estadounidense. Se disponía asimismo para uso restringido de las tarjetas de crédito, permisos de conducir y datos de los domicilios particulares de los West. La decisión de qué pasaportes emplear dependería de las circunstancias específicas de cada situación. Aggie recibiría cheques de viaje a nombre de cada una de sus dos identidades —Heather y Charmian— y sería responsable de guardar en lugar seguro los pasaportes no utilizados. Administraría también todo el dinero en metálico y se encargaría de los pagos.

—O sea, que no me confías siquiera la economía doméstica —gimoteó Oliver en fingida protesta—. Entonces no me caso con ella. Devuelve los regalos de boda.

La broma, advirtió Brock, no hizo la menor gracia a Aggie, que apretó los labios y arrugó la nariz como si la situación escapase a su control. Tanby los llevó al aeropuerto. Los demás miembros del equipo salieron a la puerta a despedirlos, todos menos Brock, que observaba desde una ventana del piso superior.

El castillo se alzaba en lo alto de un montículo de la arbolada zona residencial de Dolder, donde llevaba construido cien años o más, una medieval torre del homenaje con pináculos revestidos de azulejos verdes, postigos listados, parteluces en las ventanas y dos garajes, y un feroz perro rojo, cómicamente demacrado, enseñando los dientes, y una placa de latón en el poste de granito de la verja donde se leía: LOTHAR, STORM & CONRAD, Anwälte. Y debajo: «Abogados, asesoría jurídica y financiera.» Oliver se acercó a la verja de hierro y tocó el timbre. Echando una ojeada ladera abajo a través de los árboles, vio fragmentos del lago de Zúrich y de un hospital infantil con familias felices pintadas en las paredes y un helicóptero en el tejado. Al otro lado de la calle, sentado en un banco con informal indumentaria de estudiante, se hallaba Derek, tomando el sol y escuchando un walkman adaptado. Pendiente arriba, en el interior de un Audi amarillo aparcado, con un fiero diablo suspendido de la luna trasera, había dos muchachas de largas melenas, ninguna de ellas Aggie. «Tú eres su esposa y harás lo que hacen las esposas cuando sus maridos se ocupan de sus negocios —le había ordenado Brock en presencia de Oliver cuando ella insistió en ser incluida en el equipo de vigilancia—. Pasea, lee, visita galerías de arte, ve a las tiendas, al cine, a la peluquería. ¿Y *tú* de qué te ríes?» De nada, había respondido Oliver. El cerrojo de la verja se descorrió con un zumbido. Oliver acarreaba un maletín negro que contenía carpetas vacías, una agenda electrónica, un teléfono móvil y otros juguetes de adultos. Uno de ellos —no sabía bien cuál— desempeñaba la doble función de micrófono.

—Señor Single... Pero ¡*Oliver!* Cinco años. ¡Dios mío! —saludó el orondo doctor Conrad con el entusiasmo contenido de un compañero de velatorio, apresurándose a salir de su despacho con el mentón en alto y los rollizos brazos abiertos, gesto que redujo luego a un apretón de condolencia, expresado mediante la colocación de su blancuzca mano izquierda sobre las dos diestras estrechadas de ambos—. Realmente horroroso... pobre Winser... una verdadera tragedia. Estás igual que antes, juraría. ¡Estatura no has perdido, desde luego! Ni te has engordado de tanto comer esa excelente comida china. —Dicho esto, el doctor Conrad cogió a Oliver del brazo para guiarlo, y juntos pasaron ante frau Marty, su ayudante, y ante otras ayudantes y otros despachos de otros socios y entraron en un gabinete con las paredes forradas de madera donde una exuberante cortesana, desnuda salvo por las medias negras y el marco dorado, se exhibía en primer plano sobre una chimenea gótica de piedra—. ¿Te gusta?

—Es fabulosa.

—Para algunos de mis clientes resulta un tanto atrevida, a decir verdad. Tengo una condesa que vive en el Tesino, y cuando viene, lo cambio por un Hodler. Me gustan mucho los impresionistas. Pero también me gustan las mujeres que no envejecen. —Las pequeñas confidencias para que te sientas especial, recordó Oliver. Palabrería de cirujano codicioso antes de abrirte en canal—. ¿Te has casado en estos años, Oliver?

—Sí —contestó, pensando en Aggie.

—¿Es guapa?

—A mí me lo parece.

—¿Y joven?

—Veinticinco.

—¿Pelo oscuro?

—Rubio tirando a castaño —respondió Oliver con misteriosa parquedad. En su mente, oía entretanto a Tiger elogiar encarecidamente a nuestro cortés doctor: «Nuestro genio en *offshore,* Oliver, uno de los principales nombres en lo que se refiere a compañías sin nombre, el único hombre en Suiza capaz de guiarte con los ojos cerrados por la legislación fiscal de veinte países distintos.»

—¿Tomas café? ¿De filtro, exprés? Ahora tenemos una máquina. ¡Hoy en día todo se hace a máquina! También hay descafeinado, si quieres. *Zwei Filterkaffee bitte, Frau Marty,* con veneno, por favor… ¿Azúcar, Oliver? *Zucker nimmt er auch…* Pronto las máquinas nos sustituirán también a los abogados. *Und kein Telefon, Frau Marty,* aunque llame la mismísima reina, *Tchüss.* —Todo esto mientras señalaba a Oliver una butaca frente a él, extraía unas gafas de montura negra de un bolsillo del cárdigan que llevaba para poner de relieve su informalidad, limpiaba las lentes con una gamuza sacada de un cajón, se inclinaba hacia adelante en su asiento, asomaba los ojos por encima del parapeto negro de las gafas y sometía a Oliver a un segundo escrutinio, lamentando de nuevo el fallecimiento de Winser—. En todo el mundo es igual, ¿eh? Ya nadie está a salvo ni siquiera aquí en Suiza.

—Es espantoso —convino Oliver.

—Hace dos días en Rapperswil, sin ir más lejos —prosiguió el doctor Conrad, su intensa mirada fija por algún motivo en la corbata de Oliver, una nueva, comprada por Aggie en el aeropuerto, porque «no voy a permitirte llevar puesta ni un momento más esa cosa naranja con manchas de jabón»—. Una *mujer respetable* muerta a tiros por un joven muy normal, un aprendiz de carpintero. El marido, subdirector de un banco.

—Horrible —convino Oliver.

—Quizá ocurrió lo mismo con el pobre Winser —sugirió el doctor Conrad, bajando la voz para conferir a su hipótesis una validez clandestina—. Hay *muchos* turcos en Suiza. De camareros en los restaurantes, de taxistas. Lo cierto es que *hasta la fecha* se han comportado bien, en general. Pero ya ves, ¿eh? Nunca se sabe.

—No, nunca, desde luego —repitió Oliver con convicción, y dejó el maletín sobre el escritorio, soltando los cierres a modo de preludio para empezar a hablar de negocios y de paso orientando debidamente el cierre de la derecha para transmitir.

—Y saludos de Dieter —añadió el doctor Conrad.

—¡Caramba, Dieter! ¿Cómo está? ¡Fantástico, tiene que darme su dirección! —Dieter, recordó Oliver, el sádico de cabello blanquecino que me ganó al pimpón por veintiuno a cero en el ático del club para millonarios que tenía Conrad en Küsnacht mientras nuestros padres tomaban coñac y charlaban de queridas y dinero en el soleado salón.

—Bien, gracias. Dieter tiene ya *veinticinco* años; estudia en la Yale School of Management, y espera no ver a sus padres *nunca* más; pero eso *de hecho* es una fase —explicó Conrad con orgullo. Un tenso silencio debido a que Oliver había olvidado el nombre de la esposa de Conrad, pese a que Aggie lo había escrito claramente en la chuleta que le había obligado a aceptar al salir del hotel, y que tenía aún guardada junto al corazón—. Y Charlotte también está muy bien —informó el doctor Conrad por propia iniciativa, sacando a Oliver del atolladero. A continuación deslizó una delgada carpeta desde un ángulo del escritorio hasta situarla ante sí y, separando los codos, apoyó en los bordes las yemas de los dedos como para evitar que se la llevase el viento.

Y fue entonces cuando Oliver notó que al doctor Conrad le temblaban las manos y que unas untuosas gotas de sudor habían aparecido sobre su labio como una visita inoportuna.

—Bueno, Oliver —dijo Conrad, irguiendo la espalda y acometiendo un nuevo comienzo—. Te haré una pregunta, ¿de acuerdo? Una pregunta *impertinente*, pero somos viejos amigos, y no te enfadarás. Somos abogados. Ciertas preguntas son ineludibles. No siempre obtienen respuesta, quizá, pero deben formularse. ¿No te importa?

—En absoluto —contestó Oliver cortésmente.

Conrad apretó los sudorosos labios y arrugó la frente en un gesto de exagerada concentración.

—¿A quién recibo hoy? ¿En calidad de qué? ¿Recibo acaso al preocupado hijo de Tiger? ¿Es por el contrario el representante de la Casa Single en el Sudeste asiático? ¿O quizá el brillante estudiante de lenguas asiáticas? ¿Es el amigo de Yevgueni Orlov? ¿O es un colega interesado en abordar los aspectos jurídicos de algún asunto, y en tal caso quién es su cliente? ¿Con quién tengo el honor de hablar esta tarde?

—¿Cómo me describía mi padre? —propuso Oliver con una obvia evasiva. Cada pregunta es una amenaza, pensó, observando cómo se juntaban y separaban las nerviosas manos del doctor Conrad. Cada gesto una decisión.

—De ningún modo, en realidad. Dijo *sólo* que vendrías —respondió el doctor Conrad con excesiva presteza—, que vendrías y que cuando vinieses, debía proporcionarte la información que fuese necesaria.

—Necesaria ¿para qué?

Conrad trató de tomarlo a broma, pero el miedo le heló la sonrisa.

—Para su *supervivencia,* de hecho.

—¿Eso dijo? ¿Con esas mismas palabras? ¿Su supervivencia?

El sudor se había extendido a sus sienes.

—Quizá salvación. Salvación o supervivencia. Por lo demás, nada dijo respecto a Oliver. Quizá se olvidó. Teníamos asuntos importantes que tratar. —Respiró hondo—. Así pues, ¿quién eres hoy, Oliver, por favor? —repitió con su voz cantarina—. Contéstame, por favor. Siento verdadera curiosidad por saberlo.

Entró frau Marty con el café y unos bollos azucarados. Oliver aguardó a que se marchase y después, con calma, sin una sola mentira fuera de sitio, recitó el Evangelio según Brock tal como se lo había expuesto a Kat, hasta el punto de su llegada a Inglaterra.

—Tras analizar la situación y hablar con el personal, comprendí que alguien debía tomar las riendas del negocio, y yo era el más indicado. Carecía de la experiencia y los conocimientos jurídicos de Winser, pero era el otro único socio, estaba allí, y conocía sus métodos de trabajo y los de Tiger. Sabía dónde estaban enterrados los cadáveres —dijo Oliver. El doctor Conrad abrió desmesuradamente los ojos delatando terror—. Quiero decir que me hallaba familiarizado con el funcionamiento interno de la firma —aclaró Oliver amablemente—. Si no sustituía yo a Winser, ¿quién iba a hacerlo? —Estaba sentado con la espalda recta. Dueño de sus ficciones, miró a Conrad a la cara buscando su aprobación y obtuvo sólo un evasivo gesto de asentimiento—. El problema es que no queda nadie en la empresa a quien pueda consultar, y no hay constancia de casi nada por escrito. Deliberadamente, Tiger ha desaparecido. Media plantilla ha tomado la baja por enfermedad...

—¿Y el señor Massingham? —lo interrumpió el doctor Conrad con una voz exenta de toda inflexión.

—Massingham ha emprendido una gira relámpago para tranquilizar a los inversores. Si lo hago volver, dará la impresión de que intentamos anticiparnos a la retirada de fondos. Además, Massingham no sirve de gran ayuda en la parte jurídica —adujo Oliver. El semblante de Conrad reflejaba únicamente un flatulento malestar—. Por otro lado, está la cuestión del estado de ánimo, salud, o como quiera llamarse... —Se permitió un instante de decorosa vacilación—. Vive bajo una abrumadora presión desde antes de Navidad.

—Presión —repitió Conrad.

—Es una persona de gran resistencia..., como sin duda debe de serlo usted..., pero todo el mundo puede padecer una crisis nerviosa en determinadas situaciones. Cuanto más fuerte es un hombre, más tiempo aguanta. Pero los síntomas son visibles para quien sepa interpretarlos. El hombre empieza a quedarse sin pilas.

—¿Cómo?

—Deja de actuar de una manera racional. Y ni siquiera es consciente de ello.

—¿Eres psicólogo, Oliver?

—No, pero soy hijo de Tiger, y su socio, y su mayor admirador, y, como usted dice, confía en mi ayuda. Y usted es su abogado. —Pero incluso esto, a juzgar por la rígida expresión del doctor Conrad, era más de lo que estaba dispuesto a admitir—. Mi padre está desesperado. He hablado con las personas que se hallaban más cerca de él durante las horas previas a su desaparición. Su única obsesión era hablar con Kaspar Conrad. Usted. Tenía que hablar con usted antes que con nadie. Mantuvo su visita en secreto. Ni a mí me informó.

—Entonces, Oliver, ¿cómo sabías que vino a verme?

Oliver se las arregló para no oír esa pregunta tan desagradablemente perspicaz.

—Debo encontrarlo cuanto antes. Ofrecerle toda la ayuda posible. No sé dónde está. Me necesita. —«Procura que Conrad te ponga al corriente de lo ocurrido en Navidad —había dicho Brock—. ¿Por qué lo visitó Tiger nueve veces en diciembre y enero?»—. Hace unos meses mi padre atravesó una situación crítica. En una carta que me envió se quejaba de una conspiración contra él. Decía que, aparte de mí, sólo podía confiar en usted. «Kaspar Conrad es nuestro hombre.» Y usted y él juntos salieron victoriosos. Derrotaron a esos individuos, quienesquiera que sean. Tiger saltaba de alegría. Hace un par de semanas le vuelan la cabeza a Winser, y mi padre corre de nuevo a verlo a usted. Después desaparece. ¿Adónde ha ido? Debió de decirle adónde se dirigía. ¿Cuál fue su siguiente movimiento?

14

Es una repetición de la escena, pensaba Oliver cuando Conrad empezó a hablar. Es un día de hace cinco años, y Tiger se halla de pie ante este mismo escritorio, y yo permanezco obedientemente detrás de él, empachado a causa de la cena entre padre e hijo de la noche anterior, a base de ternera picada y *Rösti* y tinto de la casa en el Kronenhalle, seguida de los placeres más privados del minibar de mi habitación del hotel. Tiger pronuncia uno de sus discursos sobre el estado de la nación, y como de costumbre yo soy la nación:

—Kaspar, mi buen amigo, permíteme que te presente a Oliver, mi hijo y recién incorporado socio, y desde hoy tu estimado cliente. Tenemos una instrucción que darte, Kaspar. ¿Estás preparado para recibirla?

—Tratándose de ti, Tiger, estoy preparado para cualquier cosa.

—La nuestra es una sociedad fundada en el afecto, Kaspar. Oliver tiene la llave de todos mis secretos, y yo la de los suyos. ¿Entendido y conforme?

—Entendido y conforme, Tiger.

Y se van a almorzar al Jacky's.

Es un día tres meses después, y esta vez son una multitud: Tiger, Mijaíl, Yevgueni, Winser, Hoban, Shalva, Massingham y yo. Entre café y café, nos solazamos con nuestra amistad, en espera de solazarnos con algo más sustancioso en el Dolder Grand, a un paso de aquí. Anoche, en Chelsea, hice el amor con Nina y llevo marcas de dientes en el hombro bajo la camisa de Turnbull & Asser. Yevgueni está en silencio y quizá dormido. Mijaíl observa las ardillas por la ventana, deseando cazarlas. Massingham sueña con William; Hoban nos detesta a todos, y el doctor Conrad describe la perfecta armonía. Seremos uno solo… casi. Una compañía *offshore* ilimitada… casi, aunque unos disfrutaremos de una situación más privilegiada que otros. Esas triviales diferencias se producen incluso en las familias mejor avenidas. Gozaremos de ventajosas condiciones tributarias, o dicho de otro modo, no pagaremos impuestos. Nos estableceremos en las Bermudas y en Andorra. Seremos beneficiarios casi a partes iguales de un archipiélago de compañías que se extenderá desde Guernsey hasta Grand Cayman y hasta Liechtenstein, y el doctor Conrad, el gran experto en derecho internacional será nuestro confesor, guardará nuestros fondos y llevará el timón de la nave, vigilando los movimientos de nuestro capital e ingresos con arreglo a instrucciones genéricas y globales transmitidas a él de vez en cuando por la Casa Single. Y todo va sobre ruedas —sólo nos separan del almuerzo unos cuantos párrafos más del brillante informe de funcionamiento del doctor Conrad— cuando, para estupefacción de Oliver, Randy Massingham introduce la elegante puntera de su zapato de gamuza en medio de esa intrincada, inasible y distante maquinaria y, desde su inmejorable lugar de influencia entre Hoban y Yevgueni, dice:

—Kaspar, seguramente dará la impresión de que hablo en contra de los intereses de Casa Single, pero ¿no sería todo un poco más democrático si las instrucciones que recibirás de nosotros fueran acordadas conjuntamente por Tiger y Yevgueni, en lugar de proceder sólo de mi incomparable director? Sólo pretendo prevenir fricciones de antemano, Ollie —explica Massingham en un aparte ofensivamente informal—. Es mejor resolver nuestras diferencias ahora que pagar las consecuencias más adelante. ¿No sé si sigues mi razonamiento?

Oliver lo sigue sin el menor esfuerzo. Massingham trata de equilibrar las fuerzas para beneficiarse él en su calidad de mediador y presentarse a la vez como el simpático del grupo. Pero Tiger es más rápido que él y ataja la sugerencia casi antes de que acabe de hablar:

—Randy, permíteme que te exprese mi más encarecido agradecimiento por la previsión, la presencia de ánimo y, me atrevo a decir, el valor de plantear a tiempo una cuestión de vital importancia. *Sí*, debemos constituir una sociedad democrática. *Sí*, conviene repartir el poder, y no sólo sobre el papel sino también en la práctica. Sin embargo aquí no hablamos de poder. Hablamos de la necesidad de hacer llegar al doctor Conrad una única voz clara y una única orden clara. ¡El doctor Conrad no puede recibir órdenes de una torre de Babel! ¿No es así, Kaspar? No puede recibir órdenes de un comité, ni aun tratándose de un comité tan armonioso como el nuestro. Kaspar, dime que estoy en lo cierto. O equivocado. No me importa.

Y naturalmente está en lo cierto, y sigue en lo cierto durante todo el camino hasta el Dolder Grand.

El doctor Conrad hablaba de falsos cortesanos. Cortesanos confabulados. Cortesanos que se aliaban y se volvían contra su benefactor. El miedo y la indignación que le inspiraban era palpable. Cortesanos rusos. Cortesanos polacos. Cortesanos ingleses. Hablaba de una manera elíptica y a veces en susurros, sus pequeños y brillantes ojos cada vez más abiertos y redondos. Sus cortesanos eran cortesanos anónimos embarcados en conspiraciones anónimas, en las que él no participaba en absoluto, palabra de honor. Pese a su cautela, la identidad de los cortesanos empezó a aflorar, y su cabecilla en la Navidad pasada había sido el doctor Mirsky...

—... que, te diré en confianza, tiene una pésima reputación y una bella esposa de piernas largas, en el supuesto de que sea su esposa, porque el doctor Mirsky es polaco, y con los polacos nunca se sabe. —Resopló y sacó un pañuelo de seda para enjugarse el sudor de la frente—. Te diré lo que me sea posible, Oliver. No te lo diré *todo*, pero te diré lo máximo que me permita mi conciencia profesional. ¿Lo aceptas?

—No me queda otro remedio.

—No lo adornaré, no especularé, no admitiré preguntas adicionales. Pese a que la conducta de ciertas personas ha sido absolutamente deplorable. Bien. Somos abogados. Nos pagan por respetar los instrumentos de la ley. No nos pagan por demostrar que lo negro es negro o lo blanco es blanco. —Volvió a secarse la frente—. Quizá el doctor Mirsky no sea la *locomotora* de este tren —insinuó, susurrando.

Oliver, confuso, movió la cabeza en un inteligente gesto de asentimiento.

—Quizá la locomotora esté enganchada *detrás*.

—Quizá —convino Oliver, más confuso todavía.

—Es un hecho sabido, y no violo por tanto el secreto profesional, que desde hace dos años ciertas cosas no han ido bien.

—¿Para Single?

—Para Single, para ciertos clientes. Mientras los clientes ganan dinero, Single lo administra. Pero ¿qué ocurre cuando los clientes dejan de poner huevos? Single no puede hervirlos.

—Claro.

—Es lógico. Sucede también a veces que los huevos se rompen. Eso es un desastre. —Una repugnante instantánea de la cabeza de Winser reventando como un huevo—. Los clientes de Single son también mis clientes. Estos clientes tienen intereses muy diversos. Yo ignoro qué intereses exactamente; eso no forma parte de mi trabajo. Si me dicen que son exportaciones, son exportaciones. Si son la industria del ocio, son la industria del ocio. Si son piedras preciosas, materia prima, componentes técnicos o electrónicos, lo acepto igualmente. —Se enjugó los labios—. A esto lo llamamos «multifacético». ¿De acuerdo?

—Sí —contestó Oliver, pensando: Habla claro; suéltalo ya, sea lo que sea.

—Era una sociedad sólida, había buen ambiente, y los clientes estaban satisfechos, así como los cortesanos. —¿Qué cortesanos? Una instantánea de Massingham con las mallas, las jarreteras amarillas y el jubón de Malvolio—. Se obtenían considerables sumas, se acumulaban los beneficios, iba en alza la industria del ocio, pueblos, urbanizaciones, hoteles, también importaciones y exportaciones, y qué sé yo. La estructura era excelente. Yo no soy tonto. Tu padre tampoco. Tomamos nuestras precauciones. Venimos del mundo académico pero tenemos también sentido práctico. ¿Lo aceptas?

—Totalmente.

—*Hasta…* —Conrad cerró los ojos, respiró hondo, pero mantuvo el dedo en el aire—. Al principio se trataba sólo de alguna que otra situación embarazosa. Indagaciones de entidades gubernamentales insignificantes. En España. En Portugal. En Turquía. En Alemania. En Inglaterra. ¿Orquestadas, quizá? No lo sabíamos. Donde antes todo era *aceptación,* ahora había *desconfianza.* Cuentas bancarias congeladas pendientes de investigación. Misteriosamente. Operaciones suspendidas sin previa explicación. Algunas detenciones, a mi juicio injustificadas. —El dedo descendió—. Incidentes aislados. Pero para cierta gente no tan aislados. Demasiadas preguntas, respuestas insuficientes. Demasiados accidentes que resultan no ser una mera coincidencia... en fin. —Nuevas idas y venidas del pañuelo de seda. El sudor brotando de él como rocío. Gotas de sudor como lágrimas en las bolsas de los ojos—. Ésas compañías no me pertenecen, Oliver. Yo soy abogado, no comerciante. Lo mío es lo que consta en el *papel,* no lo que viaja en el *barco.* No abro cada plátano para comprobar si es un plátano u otra cosa. Yo no redacto el... *manifest...* ¿Cómo se dice?

—Casi igual: «manifiesto».

—Por favor, si yo te vendo una caja, no soy responsable de lo que guardes en ella. —Se pasó el pañuelo por el cuello. Hablaba cada vez más deprisa y le faltaba el aliento—. Yo proporciono asesoría, basada en la información recibida. Cobro una minuta, y adiós muy buenas. Si la información no es correcta, ¿quién puede responsabilizarme? Puedo estar mal informado. No es un delito estar mal informado.

—Ni siquiera en Navidad —dijo Oliver, incitándolo a hablar del tema.

—Bien, Navidad —accedió Conrad, y tomó aire—. La Navidad pasada. Cinco días antes, para ser exactos. El 20 de diciembre el doctor Mirsky me envía por mensajero, sin más ni más, un ultimátum de sesenta y ocho páginas. Un *fait accompli* dirigido a la inmediata atención de tu padre, cliente mío. «Devuélvase en el acto copia contrafirmada, etcétera... Fecha límite, 20 de enero.»

—Exigiendo ¿qué?

—De hecho, el traspaso de toda la estructura de compañías creadas, *intacta,* a manos de Trans-Finanz Estambul, una compañía *nueva, offshore,* por supuesto, pero ahora además compañía matriz de Trans-Finanz Viena, como consecuencia de una enrevesada maniobra planeada por el doctor Mirsky y otros, siendo nombrado presidente de dicha compañía el doctor Mirsky, así como gerente y director ejecutivo. —Hablaba ya a toda velocidad—. ¿Nombrado por quién? Otra cuestión. Ciertos cortesanos de tu padre… cortesanos *desleales,* diría yo… poseen también acciones de esa nueva compañía. —Sobrecogido por su propio relato, Conrad volvió a secarse la frente y siguió adelante—. Un gesto típico, en realidad, propio de una mentalidad polaca. En Navidad nadie presta atención a nada, todo el mundo está preparando pasteles, comprando regalos para la familia… y entonces, firme aquí inmediatamente. —Le tembló la voz pero no por ello perdió impulso—. El doctor Mirsky no es una persona de fiar. Tengo muchos amigos en Zúrich. No actúa correctamente ni mucho menos. Y ese Hoban… —Movió la cabeza en un gesto de negación.

—Traspasar la estructura ¿cómo? Es una red enorme. Sería como traspasar el metro de Londres.

—¡Así es! *Genau.* Exactamente. El metro de Londres es una comparación perfecta. —Alzando el valeroso dedo una vez más, Conrad abrió una carpeta y extrajo un grueso documento encuadernado en tela roja, que sostuvo cerca de su estómago—. Me alegro de que hayas venido, Oliver, de verdad. Me alegro mucho. Haces unos comentarios muy acertados, como tu padre. —Empezó a hojear el documento, ofreciendo simultáneamente una versión del contenido— … todas las acciones y activos controlados por la Casa Single en representación de ciertos clientes deberán transferirse sin demora a Trans-Finanz Estambul… eso es un robo declarado… todas las operaciones *offshore* pasarían a ser administradas por el doctor Mirsky y su esposa y su perro completamente a su antojo… quizá desde Estambul, no lo sé, quizá desde lo alto del monte Cervino… ¿Por qué un polaco es el representante de un ruso en Turquía?... Casa Single, como signataria, renuncia a *todos* los derechos, atiende, por favor... *todas* las atribuciones respecto a los asuntos de la compañía serán redefinidas, a fin de excluir a Casa Single, naturalmente... reemplazada con mucho gusto por ciertos cortesanos, la elección de los cuales quedará al arbitrio de los señores Yevgueni y Mijaíl Orlov o las *personas nombradas* por ellos, quienes obviamente son ciertos cortesanos ya claramente identificados en el ultimátum... es un golpe de Estado en toda regla. Una conspiración palaciega, sin duda alguna.

—¿Y si no? —preguntó Oliver—. ¿Si Tiger se niega? ¿Si él y usted se niegan? ¿Qué pasa entonces?

—Haces bien en preguntarlo, Oliver. Es una pregunta totalmente lógica, diría. *Si no, ¿qué?* Era un chantaje. *Si* Casa Single no se aviene al plan maestro de Mirsky, ciertos cortesanos anónimos se negarán de inmediato a colaborar... lo cual naturalmente tendrá consecuencias catastróficas... en adelante estos cortesanos considerarán *nulo* cualquier acuerdo existente... si los demandamos, presentarán de inmediato una contrademanda por violación del secreto profesional, administración incompetente, falta de ética, y no sé cuántas cosas más. Por otro lado... es sólo una insinuación, diría, pero está en el ultimátum, entre líneas. —Se tocó una aleta de la reluciente nariz para indicar su desarrollado sentido del olfato, al tiempo que la velocidad de sus palabras seguía en aumento—. Por otro lado, decía, en el eventual caso de incumplimiento por parte de Casa Single, cierta información negativa acerca de las actividades en el extranjero de Casa Single puede llegar *casualmente* a oídos de ciertas autoridades internacionales y también nacionales. Es una auténtica vergüenza: un polaco amenazando a un inglés en Suiza.

—¿Y qué medidas tomaron, usted y Tiger, a la vista de ese ultimátum? ¿Qué hicieron?

—Habló con ellos.

—¿Mi padre?

—Naturalmente.

—¿Cómo?

—Desde esa misma butaca en la que tú estás sentado —dijo Conrad, señalando el teléfono que se hallaba entre ellos—, desde aquí, varias veces. A cuenta mía. No importa. A menudo durante horas.

—¿Con Yevgueni?

—Exacto. Con el mayor de los Orlov. —Empezaba a reducir la marcha—. Tu padre tuvo una actuación brillante, diría. Mostrándose encantador, pero a la vez firme. Incluso hizo un juramento. Sobre la Biblia literalmente. Aquí tenemos una, como es lógico, y frau Marty se la trajo. «Yevgueni, juro solemnemente que nadie te ha traicionado, que por parte de Casa Single no se ha cometido ninguna indiscreción; todo eso es una infame invención de Mirsky y los cortesanos anónimos.» El señor Yevgueni es muy influenciable, tengo la impresión. Ahora por un lado, ahora por otro, como un péndulo. Tu padre hizo también ciertas concesiones. Era inevitable. Se establecería tal acuerdo, se anularía tal otro; era un paquete de medidas. Aun así, dentro del paquete se incluía una situación humana muy precaria, muy frecuente, esto es, un anciano que no sabía a quién debía escuchar. El mayor de los Orlov cuelga el teléfono, ¿y a quién tiene delante? Los cortesanos. Cada uno con su correspondiente daga escondida tras la espalda. —El doctor Conrad, a modo de demostración, ocultó un puño tras su propia espalda—. ¿Cuánto durará el acuerdo? No mucho, creo. Sólo hasta que el anciano cambie de opinión persuadido por alguien, o suceda el próximo desastre.

—Y sucedió —apuntó Oliver tras otro tenso silencio, que sólo rompió el doctor Conrad, momentáneamente exhausto, para susurrar en repetidas ocasiones las palabras «Dios mío»—. El *Free Tallinn* fue abordado; se produjo un tiroteo; unos días después le volaron la cabeza a Winser, y mi padre, presa del pánico, vino aquí para apagar el fuego.

—Sólo que con este fuego ya no fue posible.

—¿Por qué?

—Ardía con demasiada violencia. Se había propagado mucho. Era más peligroso.

—¿Por qué?

—En primer lugar tenemos un *episodio*: un barco detenido en alta mar, material confiscado, miembros de la tripulación muertos, algunos quizá *capturados...*, no lo sabemos. Eran asuntos que no podían pasarse por alto, aunque no fuesen en modo alguno responsabilidad de tu padre, y menos aún mía, tal como el contenido de los cargamentos...

—¿Y en segundo lugar? —lo interrumpió Oliver.

—No obtuvimos respuesta.

—¿Cómo?

—Nadie nos contestó. Literalmente.

—¿Desde dónde? ¿Quiénes?

—Desde ninguno de los números de teléfono o fax de ninguna de las oficinas. Ni Estambul, ni Moscú, ni San Petersburgo. Probamos con Trans-Finanz de aquí, Trans-Finanz de allá, las líneas de teléfono particulares, las líneas generales, y nada, no hubo respuesta.

—¿Está diciéndome que ellos quedaron incomunicados?

Un gesto de cansancio.

—Topábamos con un muro. No era posible localizar al señor Yevgueni; tampoco a su hermano. Estaba en paradero desconocido; no había manera de ponerse en contacto con él. Se nos informó de que ya se habían establecido las pertinentes comunicaciones con Casa Single, y era sólo cuestión de que Casa Single cumpliese con sus obligaciones económicas o afrontase las consecuencias. Adiós y gracias.

—¿Quién dijo eso? Lo de afrontar las consecuencias... ¿quién lo dijo?

—El señor Hoban de Viena, salvo que no estaba en Viena. Hablaba por un teléfono móvil desde otra parte, no sé dónde, quizá desde un helicóptero, quizá desde la grieta de un glaciar, quizá desde la luna. Llamamos a eso la comunicación moderna.

—¿Y Mirsky?

—Tampoco era posible localizarlo. Otra vez el muro, a tu padre no le cabía la menor duda. Deseaban rodearlo de un muro de silencio. Presión y miedo. Es una combinación de sobra conocida. Muy eficaz, dicho sea de paso. A él y también a mí. —Conrad se amilanaba por momentos ante los ojos de Oliver. Se enjugaba los labios, se encogía de hombros y, como abogado escrupuloso, veía la fuerza de los argumentos de la otra parte, pese a quejarse de sus atrocidades—. Mira, en cierta medida es razonable. Han sufrido enormes pérdidas; Single ha proporcionado el servicio, y el servicio quizá no ha sido plenamente satisfactorio, así que responsabilizan a Single y exigen una indemnización. Objetivamente, ésa es una práctica comercial corriente. Fíjate en Estados Unidos, si no. Eres un trabajador, te rompes el dedo con vete a saber qué, y cien millones de dólares, por favor. Single pagará o no pagará. Quizá pague una parte. Quizá haya una negociación.

—¿Le ha dado mi padre instrucciones de negociar?

—Es imposible. Ya lo has oído. No contestan. ¿Cómo puede uno negociar con un muro? —Se puso en pie—. Te he hablado con franqueza, Oliver, tal vez con demasiada franqueza. No sólo eres abogado, sino también el hijo de tu padre. Y ahora adiós, ¿eh? Buena suerte. Como decimos por aquí, rómpete una pierna y el cuello.

Oliver permaneció inmóvil en la butaca, haciendo caso omiso de la mano que Conrad le tendía.

—¿Qué ocurrió, pues? Vino aquí. Telefoneó. No hubo respuesta. ¿Qué hicieron después?

—Tu padre tenía otros compromisos.

—¿Dónde se alojaba? Era ya última hora de la tarde. ¿Se molestó en preguntárselo? ¿Adónde fue? Usted es su abogado desde hace veinte años. ¿Sencillamente lo puso en la calle a esas horas?

—Por favor, Oliver, estás dramatizando. Eres su hijo. Pero también eres abogado. Escucha, por favor —dijo Conrad. Oliver escuchaba, pero tuvo que esperar un rato. Y el mensaje, cuando por fin llegó, incluía continuas pausas forzadas por una respiración entrecortada y anhelante—. También yo tengo mis problemas. El colegio de abogados suizo…, otras entidades oficiales…, la policía incluso…, se han dirigido a mí. No me acusan de nada, pero me han perdido el respeto y estrechan cada vez más el círculo. —Se humedeció los labios con la lengua y los apretó—. Por desgracia, tuve que informar a tu padre de que estos asuntos escapan a mis competencias profesionales. Dificultades con los bancos…, cuestiones fiscales…, cuentas congeladas, quizá…, de todo eso podemos hablar. Pero marineros muertos…, cargamentos ilegales…., un abogado asesinado, y acaso no sólo uno…, eso me sobrepasa. Por favor.

—Rechazó a mi padre como cliente, ¿es eso? ¿Se deshizo de él? ¿Adiós muy buenas?

—No fui desconsiderado con él, Oliver. Escúchame. No lo tratamos mal. Frau Marty lo acompañó en coche al banco. Quería ir al banco. Necesitaba ver con qué cartas debía jugar. Ésas fueron exactamente sus palabras. Me ofrecí a prestarle dinero. No mucho, porque no soy rico; unos cientos de miles de francos. Tengo amigos más ricos que yo. Quizá se presten a ayudarlo. Iba desaseado. Un abrigo marrón viejo, una camisa sucia. Tienes razón. No era el de siempre. Uno no puede dar consejos a un hombre fuera de sí. Por favor, ¿qué haces?

Todavía sentado, Oliver jugueteaba con el maletín. Una vez que hubo jugueteado a su entera satisfacción, se levantó, rodeó el escritorio y agarró a Conrad por la pechera del cárdigan y la camisa con la intención de arrastrarlo hasta la pared más cercana y mantenerlo allí en volandas mientras le hacía unas cuantas preguntas más. Pero ése era un acto más fácil de imaginar que de realizar. Como a Tiger le complace decir, pensó, carezco de instinto asesino. Así pues, soltó a Conrad y lo dejó acurrucado en el suelo, temblando y gimoteando. Y a modo de consuelo, cogió la carpeta que contenía las sesenta y ocho páginas del ultimátum navideño de Mirsky y la metió entre las suyas en el maletín. De paso, echó un vistazo en los cajones del escritorio, pero sólo llamó su atención un voluminoso revólver militar, probablemente una reliquia de los heroicos tiempos de Conrad al servicio del ejército suizo. Cerrando la puerta al salir, fue a la antesala donde frau Marty escribía a máquina con gran diligencia y se inclinó con actitud insinuante sobre su mesa.

—Quería darle las gracias por llevar a mi padre en coche al banco —dijo.

—Ah, no se merecen.

—¿No le mencionaría por casualidad adónde tenía pensado ir después?

—Pues no; lo siento, pero no.

Maletín en mano, recorrió a paso ligero el estrecho camino del jardín, llegó a la acera y se dirigió calle abajo. Derek lo siguió. La tarde estaba bochornosa. Descendieron por un callejón adoquinado en pronunciada pendiente con anchura para un solo coche. Oliver caminaba a zancadas, golpeando ruidosamente los adoquines con los tacones. La cabeza le daba vueltas. Pasaba ante pequeños chalets y rostros familiares. En un jardín vio a Carmen en un columpio con su vestido blanco de fiesta, balanceada por Sammy Watmore. En el chalet contiguo, Tiger cortaba el césped, observado por Jeffrey con su dorada melena al viento. Desde la ventana de una buhardilla, Zoya lo saludó con la mano. A su izquierda apareció una calleja. Dobló por ella. Corrió durante un rato, seguido de cerca por Derek. Llegó a una calle ancha y vio el Audi amarillo en un área de estacionamiento próxima a una parada de tranvía. Se abrió una de las puertas traseras. Derek entró detrás de él. Los nombres seleccionados para las chicas eran Pat y Mike. Ese día Pat era morena. Mike, la copiloto, llevaba un pañuelo atado a la cabeza.

—¿Por qué has desconectado el micrófono, Ollie? —preguntó Mike por encima del hombro cuando se pusieron en marcha.

—No he desconectado.

Descendían hacia el lago y el centro de la ciudad.

—Sí has desconectado, poco antes de salir.

—Quizá lo he golpeado sin querer o algo así —respondió Oliver con su legendaria vaguedad. Volviéndose hacia Derek, le entregó el maletín y dijo—: Conrad me ha dado un documento para leerlo.

—¿Cuándo? —insistió Mike desde el asiento delantero, sosteniendo la mirada de Oliver a través del retrovisor.

—Cuándo ¿qué?

—¿Cuándo te ha dado el documento?

—Simplemente me lo ha puesto en las manos —contestó Oliver con igual vaguedad—. No quería admitir que lo hacía, probablemente. Ha dejado a Tiger en la estacada.

—Esa parte ya la hemos oído —dijo Mike.

Lo dejaron a la orilla del lago, al principio de Bahnhofstrasse.

15

Oliver no estuvo del todo presente durante su visita al banco. Sonrió y mintió; sonrió y estrechó manos; se sentó y se levantó y sonrió y se volvió a sentar. Esperó la aparición de señales de pánico u hostilidad en sus anfitriones, pero no se produjeron. La creciente ira que lo había dominado a lo largo de la entrevista con Conrad había dado paso a una aletargada apatía. Flotando de despacho en despacho, todos ellos con las paredes revestidas de teca, recibiendo el parte de los últimos y espectaculares cambios en las vidas de antiguos conocidos que apenas recordaba —herr Tal está ahora al frente del Departamento de Préstamos pero le manda recuerdos, frau Cual es ahora directora regional para el cantón de Glarus y lamentará no haber tenido ocasión de saludarlo—, Oliver entró en un estado de consciencia intermitente que le trajo a la memoria la sala de recuperación por la que había pasado después de ser operado de apendicitis. Era una nulidad, sometido a la voluntad de los demás. Era una actor suplente que no se había aprendido el guión.

Desde el vestíbulo del banco subió en un ascensor de acero satinado sin panel de botones. Arriba le dio la bienvenida un hombre con el pelo de color zanahoria llamado herr Albrecht, a quien en un primer momento confundió con uno de los directores de sus muchos colegios.

—No sabe cuánto nos complace tenerlo otra vez aquí después de tantos años, señor Single, y siendo aún tan reciente la visita de su buen padre —dijo herr Albrecht, dándole la mano.

¿Y cómo estaba mi buen padre? ¿También usted lo ha dejado en la estacada como el cabrón de Conrad?, replicó Oliver. Pero era obvio que había formulado esas preguntas sólo en su imaginación, porque instantes después flotaba por un río de moqueta azul al lado de una afable matrona camino del despacho de herr Lilienfield, que haría una fotocopia de su pasaporte con arreglo a la reciente normativa.

—¿Muy reciente?

—Sí, *muy* reciente. Además, ha pasado mucho tiempo desde su última visita. Debemos asegurarnos de que es la misma persona.

También yo, pensó Oliver.

Herr Lilienfield necesitaba una muestra de la nueva firma de Oliver para reemplazar la de cinco años atrás, más redondeada y juvenil. Si le hubiese pedido una muestra de sangre, Oliver se la habría proporcionado también. Pero cuando la afable matrona lo acompañó de regreso al despacho del director de colegio Albrecht, allí estaba Tiger, sentado en la misma silla de palo de rosa que él había ocupado minutos antes. Ofrecía poco más o menos el aspecto que Oliver preveía, desarreglado, envuelto en su prenda de amor marrón. Sin embargo fue a Oliver, no a Tiger, a quien se dirigió herr Albrecht mientras detrás de él, en los monitores adosados a la pared, las cotizaciones mundiales caían en picado y repuntaban. Y fue un duendecillo de ojos redondos llamado herr Stämpfli, no Tiger, quien salió de las sombras para presentarse como actual responsable de la amplia familia de cuentas a nombre de Single.

Todo podía calificarse de satisfactorio, aseguró herr Stämpfli para tranquilidad de Oliver. La autorización original seguía vigente —era a perpetuidad— y naturalmente Oliver no requería autorización alguna para examinar su propia cuenta *personal,* que gozaba de excelente salud, se complació en informar herr Albrecht.

—Bien. Magnífico. Gracias. Excelente.

—Existe no obstante un ligero inconveniente —admitió herr Albrecht, el director de colegio, por encima de la calva de herr Stämpfli—. Ha pedido copia de toda la correspondencia y, sintiéndolo mucho, la autorización no incluye llevarse copias. La correspondencia bancaria no puede salir del banco más que en mano del propio señor Single padre. Esta limitación consta por escrito en las instrucciones, y debemos acatarla.

—Estoy autorizado a tomar notas, espero.

—Eso es precisamente lo que su padre esperaba que usted esperase —declaró herr Albrecht con tono solemne.

Así que existen órdenes expresas, pensó Oliver. No tengo por qué preocuparme. En esta ocasión el río de moqueta era anaranjado. Herr Stämpfli lo vadeó junto a Oliver, un carcelero acompañado del tintineo de sus llaves.

—¿Se llevó mi padre algún documento? —preguntó Oliver.

—Su padre posee un desarrollado instinto para cuestiones de seguridad. Pero se le habría permitido, naturalmente.

—Naturalmente.

La sala tenía reminiscencias de capilla. Sólo faltaba el cadáver de Tiger. Flores de cera, una mesa abrillantada para el difunto. Bandejas con listados en papel continuo de la documentación privada del ser querido. Montones de carpetas de piel sintética llenas de hojas de balance sujetas por varillas de latón. Una grapadora, un recipiente con compartimientos para alfileres, clips y gomas elásticas, y blocs de espiral. Y una pila de postales de obsequio que mostraban a un campesino del valle de Engadina enarbolando la bandera suiza en lo alto de una montaña verde que a Oliver le recordó a Belén.

—¿Le apetece un café, señor Oliver? —entonó herr Stämpfli, como ofreciéndole su última comida en este mundo.

Herr Stämpfli vivía en Solothurn. Estaba divorciado, cosa que lamentaba, pero su esposa había llegado a la conclusión de que prefería la soledad a su compañía, ¿y qué podía hacer él? Tenía una hija llamada Yvette que vivía con él, un poco obesa en el presente, pero contaba sólo doce años y al crecer, con un poco de ejercicio, adelgazaría. Eran las cinco de la tarde y el banco cerraba a esa hora, pero herr Stämpfli se honraría en quedarse hasta las ocho si Oliver lo deseaba; no tenía ninguna otra obligación pendiente y las tardes se le hacían interminables.

—¿No se preocupará Yvette si llega tarde?

—Yvette está jugando al baloncesto —respondió herr Stämpfli—. Los martes tiene siempre baloncesto hasta las nueve.

Oliver escribía, leía y tomaba demasiado café, todo al mismo tiempo. Oliver era Brock. Quiero a Bernard el calvo y sus malas compañías. Era Tiger, señor de las «cuentas satélite», conectadas a su vez por vía intravenosa a la cuenta matriz de Single Holdings Offshore. Era nuevamente Oliver, autorizado a perpetuidad a ejercer todos los poderes de que estaba investido su socio y padre. Era Bernard el calvo, dueño de una fundación llamada Derviche, con sede en Liechtenstein, valorada en treinta y un millones de libras, y una compañía llamada Skyblue Holdings, con sede en Antigua. «Bernard se cree a prueba de bala —dice Brock—.

Bernard cree que puede andar sobre el agua, y si me salgo con la mía, se hundirá para el resto de su miserable vida.» Era Skyblue Holdings, empresa propietaria no de una villa sino de catorce, todas ellas asignadas a igual número de compañías subsidiarias con nombres ridículos como Janus, Plexus o Mentor. «Bernard es el encargado de la nómina —había dicho Brock—. Bernard es la cabeza mayor de la Hidra.» Era otra vez Brock, hablando de funcionarios deshonestos que se aseguraban segundas pensiones de jubilación. Era Oliver, hijo de Tiger, escribiendo paciente y legiblemente bajo la mirada de herr Stämpfli, que invitaba a la cordura. Era un niño de doce años y estaba examinándose, vigilado no por herr Stämpfli, sino por el señor Ravilious. Era Yvette, en Solothurn, jugando al baloncesto hasta las nueve de la noche para mejorar la silueta. En una página estaba en Antigua, a la siguiente en Liechtenstein y a la otra en Grand Cayman. Estaba en España, Portugal, Andorra y el norte de Chipre, escribiendo. Era dueño de una cadena de casinos, hoteles, urbanizaciones y discotecas. Era Tiger, sumando su fortuna personal para calcular cuánto faltaba para llegar a los doscientos millones de libras esterlinas. Respuesta, salida de la cabeza de Tiger: faltaban ciento diecinueve mil millones de libras. «Cuenta de alta rentabilidad», leyó. Sin encabezamiento, sólo un número de seis cifras y las iniciales TS en lo alto de la hoja. Saldo actual de diecisiete millones de libras, con su correspondiente valor en moneda de distintos países. Dos cargos en las últimas dos semanas: uno de cinco millones y treinta libras recogido como «Transferencia»; otro de cincuenta mil libras recogido como «Pago al portador».

—¿Retiró mi padre esta suma en efectivo?

En efectivo, confirmó herr Stämpfli. El propio herr Stämpfli lo había ayudado a cargar el dinero en su bolsa de viaje.

—¿En qué moneda?

—Francos suizos, dólares, liras turcas —contestó herr Stämpfli como un reloj parlante suizo, y añadió con orgullo—: Fui a buscárselas personalmente.

—¿Podría conseguirme también a mí?

La pregunta, que sorprendió a Oliver, resultó estar determinada por dos factores externos: primero, que había encontrado casualmente su propia cuenta numerada, descubriendo que tenía un saldo de tres millones de libras; segundo, que le molestaba el hecho de que Brock le había prohibido llevar dinero mientras se hallase en el extranjero, con la insultante insinuación de que podía incurrir en una improvisada huida, posibilidad que había contemplado repetidas veces en los últimos tres días.

A herr Stämpfli no le estaba permitido dejar solo a Oliver con la documentación. Con extrema formalidad, telefoneó por tanto al cajero nocturno y solicitó de parte de Oliver treinta mil dólares estadounidenses, un par de miles de francos suizos, ah, y también algo en moneda turca, como su padre. Apareció una vestal, portando un fajo de billetes y un recibo. Oliver firmó el recibo y distribuyó los billetes entre los numerosos bolsillos de su traje de Hayward. Ningún mago habría llevado a cabo el reparto con mayor discreción. Para celebrarlo, cogió una de las postales del campesino abanderado, escribió al dorso un desenfadado mensaje para Sammy y se la guardó también en un bolsillo. Reanudó el escrutinio de las cifras. Cuando dieron las siete, empezaba a vencerle el desaliento.

—No deseo hacer esperar a Yvette por mi culpa —dijo a herr Stämpfli con una tímida sonrisa.

Con sumo cuidado, arrancó del bloc sus valiosas hojas manuscritas. Herr Stämpfli le ofreció un resistente sobre y se lo mantuvo abierto mientras las introducía. A continuación herr Stämpfli lo acompañó escalera abajo hasta la puerta principal.

—¿Mencionó mi padre adónde iba al salir de aquí?

Herr Stämpfli negó con la cabeza.

—Con las liras, quizá a Turquía.

Fuera, en la penumbra, lo esperaba Derek.

—Cambiáis de identidad —anunció mientras se dirigían a un taxi aparcado—. Órdenes de Nat. Sois los señores West y os alojáis en un nidito de amor para viajantes de comercio al otro lado de la ciudad.

—¿Por qué?

—Fisgones.

—Fisgones ¿de quién?

—Desconocidos. Podrían ser suizos, podrían trabajar para Hoban, podrían estar al servicio de Hidra. Quizá Conrad te ha delatado.

—¿Qué han hecho?

—Seguir a Aggie, preguntar en el hotel, olfatearte los calzoncillos. Son órdenes. Tenéis que pasar inadvertidos, quedaros entre bastidores, y volver a casa mañana en el primer vuelo.

—¿A *Londres*?

—El Mosquito ha pedido tiempo muerto. ¿Qué quieres que haga? ¿Atarte a un árbol y esperar a los lobos?

Sentado en el taxi junto a Derek, Oliver contempló las luces que orlaban el lago. En el vestíbulo de un edificio alto y deprimente que olía a caldo rancio, Derek habló con la habitación 509 a través de la línea interior mientras Mike y Pat miraban el tablón de anuncios. Aguardando el momento idóneo, Oliver hizo aparecer por arte de magia la postal para Sammy, anotó «a cargo de la 509» en el recuadro destinado al sello y la echó al buzón del hotel.

—Ella está esperándote —susurró Derek a Oliver, señalándole el ascensor—. Te prefiere a mí, colega.

Era una habitación muy pequeña con una cama de matrimonio. La cama era pequeña incluso para amantes pequeños, y ya no digamos para dos desconocidos altos y casados resueltos a no tocarse mutuamente. Tenía minibar y televisor. Encajados a los pies de la cama, había dos diminutos sillones, y la cama, introduciendo dos francos en una ranura de la cabecera, proporcionaba un masaje terapéutico. Aggie había deshecho las maletas. El otro traje de Oliver estaba colgado en el armario. Aggie llevaba un agradable perfume. Hasta ese momento Oliver no la asociaba con los perfumes, sino más bien con el aire libre. Reparó en todo eso antes de sentarse al borde de la cama de espaldas a Aggie mientras ella se retocaba el maquillaje en el cuarto de baño. En su equipaje había incluido a *Rocco* el mapache, y empezó a pasárselo por encima de los hombros, sin quitarse la chaqueta para no separarse del dinero oculto en los bolsillos.

—¿Puede hablarse aquí sin peligro?

—A menos que seas un paranoico —respondió ella a través de la puerta abierta.

Entretanto Oliver se descargó los bolsillos, se desabrochó la camisa y se colocó los billetes bajo la cinturilla.

—Todos se han confabulado contra él. Sólo Yevgueni está de su lado. Ni siquiera yo lo he apoyado —se lamentó a la vez que se metía un fajo de billetes de cien donde se estrechaba la espalda.

—¿Y?

—Se lo debo.

—¿*Qué* le debes? —dijo Aggie. Oliver supuso que apretaba los labios para extenderse el carmín o algo semejante, porque mascullaba como Heather—. Oliver, *no* nos debemos a todo el mundo.

—Tú, sí. —Tenía ya todo el dinero bajo la camisa. Se quitó la chaqueta y empezó a manipular a *Rocco* de

nuevo—. Te he observado. Actúas como una enfermera de ronda. Todos somos pacientes tuyos.

—Eso es una gilipollez —replicó Aggie, pero la «z»
final se quedó en el tintero a causa de lo que estuviese
haciendo con los labios—. Y deja de menear a ese animal, porque te estás menospreciando, y me revienta.

Nuestra primera pelea conyugal, pensó Oliver, fro-
tándole el hocico a *Rocco* y haciéndole muecas. Aggie
salió del cuarto de baño. Oliver entró, cerró la puerta y
echó el pestillo. Se sacó el dinero de la cintura y lo escondió detrás de la cisterna. Tiró de la cadena y abrió
los grifos. Regresó al dormitorio y miró alrededor en
busca de una camisa limpia. Aggie abrió un cajón y le
entregó una nueva a juego con la corbata que le había
elegido en Heathrow.

—¿Cuándo la has comprado?

—¿A qué iba a dedicarme el día entero?

Oliver se acordó de los fisgones y supuso que era
ése el motivo de su malhumor.

—¿Quién te ha seguido, pues? —inquirió con interés.

—No lo sé, Oliver, y no tuve ocasión de preguntárselo porque ni siquiera los vi. Los vio el equipo. Yo
no debo preocuparme de la vigilancia.

—Ah, sí. Claro. Perdona. —Oliver consideró que
quedaría ridículo entrar otra vez en el baño para ponerse la camisa nueva. Por otra parte, nunca estaba de
más demostrar al público que uno no escondía nada en
la manga cuando en efecto así era. Se desprendió de la
camisa vieja y encogió el vientre mientras rompía el celofán y buscaba inexpertamente los alfileres que sujeta-
ban la camisa nueva al cartón interior—. En el envolto-
rio debería venir indicado cuántos hay —protestó
cuando ella cogió la camisa y acabó la tarea por él—.
Uno podría atravesarse con un alfiler al ponérsela.

—Lleva puños corrientes, con botones —informó
Aggie—. Como a ti te gustan.

—No soy muy aficionado a los gemelos, ni a las cadenas en general —explicó él.

—Ya me he dado cuenta.

Se enfundó la camisa y volvió la espalda a Aggie para bajarse la cremallera de la bragueta y remeterse los faldones. Siempre se hacía mal el nudo de la corbata, y recordó que Heather insistía a menudo en rehacérselo usando el nudo Windsor, un truco que el gran mago nunca había llegado a dominar. Luego se preguntó cuántos hombres habrían pasado por la vida de Heather hasta que aprendió la técnica, y si Nadia le hacía el nudo de la corbata a Tiger, o Kat, y si Tiger llevaría corbata en ese momento, o si por ejemplo se había ahorcado con ella o lo habían estrangulado con ella o le habían volado la cabeza con la corbata puesta, porque la mente de Oliver rebotaba de un lado a otro de su cabeza como una bola de goma, y él no podía hacer nada al respecto, salvo actuar con naturalidad y mostrarse tan encantador como de costumbre y apoderarse de uno de los folletos con los horarios de aviones y trenes que había visto en un casillero situado junto a la recepción.

Su mesa era un rincón de amantes, con cencerros colgados sobre ella. En el resto del comedor, cenaban hombres intercambiables de traje gris y semblante inexpresivo. Pat y Mike, solas en una mesa pegada a la pared, eran desnudadas con disimulo por un centenar de solitarias miradas masculinas. Aggie pidió un filete de ternera de Estados Unidos y patatas fritas. Lo mismo para mí, por favor. Si hubiese pedido doblón de vaca y cebollas, también habría dicho «lo mismo para mí». Se sentía incapaz de tomar esas decisiones intrascendentes. Pidió una botella de medio litro de Dôle, pero Aggie bebería sólo agua mineral.

—Con gas —dijo al camarero—. Pero por mí no te prives, Oliver.

—¿Lo haces porque estás de servicio? —preguntó él.

—Hago ¿qué?

—No probar la bebida.

Aggie contestó, pero él no prestó atención. Eres preciosa, le decía con la mirada. Incluso bajo esta espantosa luz blanca haces gala de una belleza radiante, saludable y absurda.

—Es un esfuerzo inhumano —se quejó.

—¿El qué?

—Ser una persona todo el día y otra distinta por la noche. Ya no estoy seguro de quién soy.

—Sé tú mismo, Oliver. Sólo por una vez.

Oliver se rascó la cabeza.

—Ya, bueno, de mí mismo no queda ya mucho. Tiger y Brock no han dejado gran cosa.

—Oliver, si vas a seguir hablando así, creo que cenaré sola.

Le dio un respiro y luego volvió a la carga, recurriendo a las preguntas que empleaba con el personal femenino de Single en la fiesta navideña de confraternidad: ¿Cuáles eran sus mayores ambiciones? ¿Cómo le gustaría verse pasados cinco años? ¿Si quería tener hijos o una vida profesional o ambas cosas?

—La verdad, Oliver, es que no tengo la más remota idea —respondió ella.

La cena prosiguió tediosamente hasta el final, Aggie firmó la cuenta, y Oliver la observó: Charmian West. Después Oliver propuso tomar una copa en el bar, que se hallaba al otro lado de la recepción. Un ligero roce al pasar por delante, y asunto resuelto, pensaba. Ella accedió, viendo quizá en ello un buen pretexto para retrasar el regreso a la habitación.

—¿Qué demonios buscas? —preguntó Aggie.

—Tu abrigo —dijo Oliver. Heather siempre llevaba

345

abrigo o chaqueta cuando salían. Le gustaba que él la ayudase a quitárselo y ponérselo, y que lo colgase por ella entre actos.

—¿Por qué iba a coger un abrigo para bajar de la habitación al comedor y volver a subir?

Claro. Una tontería por mi parte. En recepción, Aggie preguntó al conserje si había algún mensaje para los West. No había mensajes, pero cuando reemprendieron el camino hacia el bar, Oliver tenía un manojo de horarios en el bolsillo de la chaqueta y el público no se había dado cuenta de nada. En el bar, Oliver pidió un coñac y Aggie otra agua mineral, y esta vez, cuando ella firmó la cuenta, él bromeó ambiguamente sobre el hecho de ser un hombre mantenido. Aggie no le rió la gracia. En el ascensor, del que dispusieron para ellos solos, Aggie permaneció distante; no era una Katrina. En la habitación, donde entró ella primero, lo tenía ya todo previsto. Oliver era más corpulento que ella, dijo, y por tanto le correspondía la cama. Ella se arreglaría perfectamente con los dos sillones. Ella se quedaría el edredón y dos almohadas; Oliver tendría la manta y la colcha, y el primer turno para el cuarto de baño. Oliver creyó advertir un asomo de desilusión en su mirada y se preguntó si el reparto de espacio habría sido más conciliatorio en caso de atenerse él al papel asignado, en lugar de seguir sus propios planes. Se quitó la camisa, pero se dejó puestos el pantalón y los zapatos. Colgó la chaqueta en el armario, extrajo los horarios, se los metió bajo el brazo, se echó un albornoz al hombro, cogió el neceser y, comentando entre dientes que se daría un baño por la mañana, se encerró en el lavabo. Sentado en la tapa del inodoro, consultó los horarios. Recuperó el dinero oculto detrás de la cisterna, lo guardó en el neceser y, con gran aparato, dejó correr el agua y se cepilló los dientes, añadiendo entretanto los últimos detalles a su plan. Al otro lado de la puerta oyó la marcial fanfarria de los informativos de un canal de televisión norteamericano.

—Si es el hijo de puta de Larry King, apaga la tele —exclamó en un alarde de interpretación.

Se lavó la cara, limpió el lavabo, golpeó la puerta con los nudillos, oyó «Adelante», y salió de nuevo al dormitorio, donde Aggie esperaba envuelta hasta el cuello en un albornoz y con el pelo recogido en un gorro de ducha. De inmediato entró en el cuarto de baño, cerró la puerta y corrió el pestillo. La televisión mostraba las últimas catástrofes en el África negra, ofrecidas por gentileza de una mujer muy maquillada con chaleco antibalas. Oliver aguardó el sonido del agua, pero no se produjo. La puerta se abrió, y Aggie, sin dirigirle la mirada, salió a buscar su peine y cepillo para el pelo y volvió a encerrarse en el cuarto de baño. Oliver oyó el ruido de la ducha. Se puso la camisa, echó el neceser en una bolsa de lona y metió a continuación a *Rocco*, calcetines, calzoncillos, otro par de camisas, las sacas de arena para sus malabarismos y el tratado de Brearly sobre los globos. Seguía oyéndose la ducha. Definitivamente convencido, se puso la chaqueta, agarró la bolsa y se encaminó con sigilo hacia la puerta. Tras rodear la cama, se detuvo para dejar un mensaje a Aggie en el taco de papel colocado junto al teléfono: «Lo siento, pero tengo que hacerlo. Te quiero, O.» Con la conciencia ya más tranquila, apoyó la mano en el pomo de la puerta y lo hizo girar, confiando en que el sonido quedase ahogado por la catástrofe en la selva africana. La puerta cedió, y Oliver volvió la cabeza para echar una última ojeada a la habitación y vio que Aggie, sin el gorro de ducha, lo observaba desde la puerta del baño.

—Cierra inmediatamente. Con suavidad.

Oliver cerró la puerta.

—¿Adónde carajo te crees que vas? No levantes la voz.

—A Estambul.

—¿En avión o en tren? ¿Lo has decidido ya?

—En realidad no. —Desesperado por eludir su mirada iracunda, Oliver lanzó un vistazo a su reloj—. A las 22.33 sale de la estación de Zúrich un tren que llega a Viena alrededor de las ocho de la mañana. Me daría tiempo de tomar el vuelo Viena-Estambul de las 10.30.

—¿Y si no?

—A las veintitrés horas con destino a París y salida del aeropuerto Charles de Gaulle a las 9.55.

—¿Y cómo piensas ir a la estación?

—En tranvía o a pie.

—¿Por qué no en taxi?

—Sí, bueno, en taxi si encuentro alguno. Depende.

—¿Por qué no tomas un vuelo desde Zúrich?

—He supuesto que el tren es un medio más anónimo, esas cosas. Mejor coger el avión en otra parte. En cualquier caso, tendría que esperar hasta la mañana.

—Muy inteligente. Derek está al otro lado del pasillo y Pat y Mike entre nuestra habitación y el ascensor. ¿Tienes eso en cuenta?

—He pensado que estarían dormidos.

—¿Y crees que en recepción se alegrarán mucho al verte pasar disimuladamente a estas horas con una bolsa de viaje en la mano?

—Bueno, si es por la cuenta, aún te tienen a ti para pagarla, ¿no?

—¿Y con qué dinero vas a viajar? —preguntó Aggie, pero antes de que él respondiese, añadió—: No, no me lo digas. Sacaste dinero del banco. Eso escondías en el cuarto de baño.

Oliver se rascó la coronilla.

—Me voy de todos modos.

Mantenía la mano en el pomo de la puerta y se hallaba erguido cuan alto era, y esperaba aparentar la misma determinación que sentía, porque si ella intentaba detenerlo —alertando a Derek y las chicas, por ejemplo—, estaba decidido a impedirlo de una u otra manera. Volviéndole la espalda, Aggie se despojó del albornoz —quedando por un instante magníficamente desnuda— y empezó a vestirse. Y Oliver cayó en la cuenta, como siempre demasiado tarde, de que una chica que se propone pasar una casta noche durmiendo en dos sillones se llevaría al cuarto de baño el pijama o el camisón a fin de reaparecer con el obligado decoro, y sin embargo no era eso lo que Aggie había hecho.

—¿Qué haces? —preguntó, contemplándola boquiabierto como un idiota.

—Irme contigo, ¿tú qué crees? No llegarías sano y salvo ni a la acera de enfrente.

—¿Y qué dirá Brock?

—No estoy casada con Brock. Pon esa bolsa en la cama y ya me ocuparé yo de hacer el equipaje como es debido.

Oliver la observó hacer el equipaje como era debido. La vio añadir cosas suyas, no todas, para no tener que cargar con más de un bulto. La vio guardar el resto de su ropa en una segunda bolsa para que «Derek lo encuentre todo a punto cuando se levante por la mañana», dijo en un susurro, y notó que no la preocupaba demasiado causarle problemas a Derek. Se paseó inútilmente por la pequeña habitación mientras Aggie regresaba al cuarto de baño y a través del delgado tabique la oyó pedir un taxi en voz baja por el teléfono del cuarto de baño y encargar que preparasen la cuenta porque debían marcharse inmediatamente. Aggie salió y le ordenó que cogiese la bolsa y la siguiese procurando pisar con cuidado. Hizo girar el pomo de la puerta, lo levantó ligeramente, y la puerta se abrió en silencio, cosa que no había ocurrido antes. Al otro lado del pasillo había una puerta con el rótulo SERVICIO. Aggie la abrió y le indicó que la siguiese. Bajaron por una siniestra escalera de piedra que a Oliver le recordó la escalera de la parte de atrás del edificio de Curzon Street. Oliver la observó mientras pagaba en recepción, y ella inconscientemente colocó las caderas tal como le había visto hacer en el jardín de Camden, apoyando el peso en una pierna y alzando el costado opuesto. Advirtió que todavía llevaba el pelo suelto y que incluso bajo aquella horrible luz, podía imaginarla montando a caballo, trepando por una cañada y ofreciendo el aspecto de una chica de anuncio de ropa impermeable mientras pescaba salmones con caña.

—¿Ha llegado ya el taxi, Mark? —preguntó Aggie por encima del hombro mientras firmaba.

Oliver, que seguía soñando, miró alrededor servicialmente en busca de Mark hasta recordar que era él.

Se trasladaron en silencio a la estación. Al llegar, Oliver dejó la bolsa en el suelo y verificó varias veces el número de andén, porque no conseguía fijarlo en su memoria, mientras ella compraba los billetes. Y de pronto allí estaban, convertidos en un matrimonio West como otro cualquiera, empujando su bolsa de viaje común por el andén e intentando localizar sus literas.

16

Hasta aquella tarde Brock jugaba simultáneamente con todas las cartas para mantener a Massingham a la mesa, presentándose sin previo aviso a horas intempestivas del día o la noche, lanzando enigmáticas preguntas y dejando en el aire otras sin formular pero más elocuentes, y a la vez alimentando con promesas sus esperanzas: sí, caballero, su inmunidad está estudiándose en estos momentos... no, caballero, no hostigaremos a William, ¿y podría entretanto echarnos una mano con este pequeño problema? Cualquier táctica con tal de inducirlo a seguir hablando, decía Brock a Aiden Bell, cualquier cosa con tal de mantener despierto su interés hasta que llegase la información.

—¿Por qué no lo estampas contra una puerta y ahorras tiempo? —sugirió Bell.

—Porque hay cosas que lo asustan más que nosotros —respondió Brock—. Porque ama a William y sabe dónde está escondida la bomba. Porque cambia de chaqueta con mucha facilidad, y ésos son los peores. Porque no entiendo qué motivos lo llevaron a acudir a nosotros, ni sé qué nos oculta. Como tampoco me explico por qué los pragmáticos Orlov, en la vejez, deciden de pronto dedicarse al asesinato ritual.

Sin embargo esa tarde Brock sabía que estaba un

paso por delante de Massingham, y dio sus órdenes en consonancia, aunque seguía experimentando aquella misteriosa inseguridad que lo había atenazado en sus entrevistas anteriores: algo no encajaba, faltaba alguna pieza. Había escuchado la conversación entre Oliver y el doctor Conrad, digitalmente codificada en el consulado británico de Zúrich aquella misma tarde. Con sincero agradecimiento, había examinado las notas tomadas por Oliver en el banco, y si bien sabía que los analistas necesitarían meses para exprimir hasta la última gota, había visto a través de los ojos de Oliver la prueba palpable —si alguna duda le quedaba— de que Single pagaba sustanciosa y regularmente a la Hidra por sus servicios y Porlock ejercía de tesorero e interventor. Bajo el brazo, dentro de un sobre oficial marrón precintado con cinta de la policía de aduanas, llevaba el ultimátum de sesenta y ocho páginas del doctor Mirsky, enviado a Londres en el último vuelo del día. Fue al grano de inmediato, tal como tenía previsto, formulando su primera pregunta antes de sentarse.

—Dígame, caballero, ¿dónde pasó las últimas Navidades? —inquirió, blandiendo la palabra «caballero» como una cuchilla de cortar carne.

—Esquiando en las Rocosas.

—¿Con William?

—Naturalmente.

—¿Dónde estaba Hoban?

—¿Qué tiene que ver él con esto? Con su familia, supongo.

—¿Qué familia?

—Su familia política, probablemente. No creo que tenga padres. Por alguna razón, me lo imagino como un niño huérfano —respondió Massingham con tono apático, oponiendo un intencionado contrapunto a la premura de Brock.

—Así que Hoban estaba en Estambul, con los Orlov. Hoban pasó las Navidades en Estambul. ¿Es así?

—Supongo. Con Alix, nunca puede ponerse la mano en el fuego. Del agua mansa líbreme Dios..., ¿no dice así el refrán?, que de la brava me libro yo.

—El doctor Mirsky también pasó las Navidades en Estambul —apuntó Brock.

—¡Qué asombrosa coincidencia! Considerando que la ciudad tiene el doble de habitantes que Londres, debían de estar tropezándose a todas horas.

—¿Le sorprende saber que el doctor Mirsky y Alix Hoban son viejos amigos?

—No especialmente.

—¿En qué cree que se basaba la relación entre ellos... en el pasado?

—Amantes no eran, desde luego, si es eso lo que insinúa.

—No, no es eso. Insinúo que los unían otros factores, y le pregunto cuáles eran esos factores.

No le ha gustado, percibió Brock con renovado ánimo. Intenta ganar tiempo. Echa una ojeada al sobre que he dejado en la mesa. Levanta otra vez la mirada. Se humedece los labios. Se pregunta qué sabe el hijo de puta que tiene delante y qué le conviene decir.

—Hoban era un prometedor *apparatchik* soviético —admitió Massingham tras unos instantes de reflexión—. Mirsky era eso mismo en Polonia. Hacían negocios.

—Cuando dice *apparatchik*, ¿a qué clase de aparato se refiere?

Massingham hizo un gesto de desdén.

—A un poco de todo. Pero me pregunto si está usted autorizado a acceder a esa información —añadió con insolencia.

—Inteligencia, pues. Pertenecían a los servicios de inteligencia de sus respectivos países, uno soviético, el otro polaco.

—Dejémoslo en policías de a pie —propuso Massingham, intentando una vez más poner a Brock en su sitio.

—Durante su etapa en la embajada británica de Moscú, ¿no era usted una de las personas que trataba bajo mano con el Servicio de Inteligencia soviético?

—Iniciamos algunos sondeos. Era una operación muy informal, bastante romántica y sumamente secreta. Buscábamos un terreno común. Objetivos con un interés potencial. Estudiamos las posibilidades de colaboración. No me está permitido entrar en mayores detalles, lo siento.

—¿Qué clase de objetivos?

—El terrorismo. Allí donde no eran los rusos quienes lo financiaban, claro está —dijo Massingham, regodeándose.

—¿Actos delictivos?

—Allí donde los rusos no estaban implicados.

—¿Drogas?

—¿No se incluye eso entre los actos delictivos?

—Dígamelo usted —replicó Brock, y para su satisfacción notó que había marcado un tanto, ya que Massingham se llevó los dedos a los labios para taparse la boca y desvió la mirada hacia la estantería—. ¿Y no era Alix Hoban una de las personas del lado soviético que ustedes sondearon?

—Eso no es asunto suyo, francamente. No puedo seguir hablando, lo lamento. Antes debo pedir autorización a mis antiguos superiores.

—Sus antiguos superiores no le dirigirían la palabra ni pagándoles. Pregunte a Aiden Bell. ¿Formaba parte Hoban del equipo soviético o no?

—De sobra sabe que sí.

—¿Cuál era su área de experiencia?

—Actos delictivos.

—¿El crimen *organizado*?

—Esa expresión es contradictoria en sí misma, querido. Está *desorganizado* por definición.

—¿Y mantenía Hoban contactos con bandas mafiosas soviéticas?

—Las *encubría*.

—Lo tenían en nómina, ¿es eso lo que quiere decir?

—No sea tan remilgado. Ya conoce las reglas del juego. Es un toma y daca entre el policía y el ladrón. Todas las partes han de obtener algún beneficio o no hay trato.

—¿Mirsky estaba ya metido por esas fechas?

—Metido ¿dónde?

—En los asuntos que usted y Hoban se traían entre manos. —El siguiente gesto de Brock obedeció a una súbita inspiración. No lo había planeado; no se le había siquiera pasado por la cabeza hasta aquel momento. Cogió el sobre y lo abrió. Extrajo el documento encuadernado en tela roja y lo echó de nuevo sobre la caja de embalaje. A continuación arrugó el sobre y, reducido a una bola de papel, lo lanzó con absoluta precisión a la papelera que se hallaba en el extremo opuesto de la buhardilla. Y por un rato el documento rojo ardió como las brasas de una hoguera en la habitación oscura—. Le preguntaba si conoció al doctor Mirsky durante su paso por Moscú a finales de los años ochenta —recordó Brock a Massingham.

—Nos vimos un par de veces.

—Un par.

—Es usted un tanto retorcido. Mirsky asistió a las reuniones. Yo asistí a las reuniones. Eso no significa que jugásemos a médicos a la hora del almuerzo.

—Y Mirsky se hallaba allí en representación del Servicio de Inteligencia polaco.

—Si quiere darle más importancia de la que tuvo, sí, así es.

—¿Qué hacía el Servicio de Inteligencia polaco en unas conversaciones secretas entre agentes de los servicios británico y ruso?

—Hablar sobre la utilidad de hablar de colaboración. Exponer el punto de vista polaco. Había también checos, húngaros, búlgaros… —Ahora dirigiéndose a Brock en tono suplicante—. Insistimos nosotros en la comparecencia de todos ellos, Nat. De nada servía plantear nuestra proposición a los países satélites si los soviéticos no daban luz verde. Así que ¿por qué no ahorrarnos trabajo teniendo a bordo a los satélites desde el principio?

—¿Cómo conoció usted a los hermanos Orlov?

Massingham dejó escapar un estúpido chillido de burla.

—¡No sea bobo! ¡Eso ocurrió muchos años después!

—Seis. Usted alcahueteaba para Single. Tiger quería a toda costa la conexión con los Orlov, y usted se la consiguió. ¿Cómo? ¿Por mediación de Mirsky o de Hoban?

La mirada escrutadora de Massingham se posó de nuevo en el documento rojo abandonado sobre la caja de embalaje. Al cabo de un instante, volvió a dirigirla hacia Brock.

—Hoban.

—¿Estaba ya Hoban casado con Zoya por aquel entonces?

—Es posible —con expresión hosca—, pero ¿quién cree aún en el matrimonio hoy en día? Alix se había fijado como meta las hijas de Yevgueni y no ponía reparos a ninguna. El yerno también medra —añadió con una nerviosa sonrisa.

—Y fue Hoban quien presentó a Mirsky a los hermanos.

—Probablemente.

—¿Se opuso Tiger a la entrada de Mirsky en el negocio?

—¿Por qué iba a oponerse? Mirsky es un tipo de gran talento. Era un importante abogado polaco, se las sabía todas, poseía una organización de primera. Si los hermanos pretendían abrirse camino más al oeste, Mirsky era la persona indicada. Conocía a las autoridades portuarias. Gdansk era su territorio; era capaz de abrir cualquier puerta. ¿Qué más podía pedir Yevgueni?

—Querrá decir Hoban, ¿no?

—¿Por qué? La operación seguía en manos de los Orlov.

—Pero Hoban la dirigía. En el fondo, era todo un montaje de Hoban y Mirsky. Por entonces Yevgueni era sólo la cabeza visible. Detrás estaban Hoban, *Massingham* y Mirsky —concluyó Brock, apoyando un dedo en el documento rojo—. Es usted un granuja, señor Massingham. Está metido en esto hasta el cuello. No se dedica simplemente a blanquear dinero. Es usted uno de los jugadores clave en el juego más vil del planeta. Caballero.

A Massingham le temblaban las cuidadas manos. Por segunda vez en poco más de un minuto se aclaró la garganta.

—Eso no es verdad en absoluto. Es una absoluta falsedad. El dinero era un asunto entre Tiger y Yevgueni y el transporte era un asunto entre Hoban y Mirsky. Toda comunicación se realizaba mediante entregas en mano, y yo no vi una sola carta. Era correspondencia confidencial a nombre de Tiger.

—¿Puedo preguntarle una cosa, Randy?

—No si pretende cargarme a mí toda la responsabilidad.

—¿En alguna ocasión..., pongamos al principio de todo, por ejemplo cuando Hoban lo llevó a usted a lo alto de la montaña, o Mirsky, o cuando usted los llevó a ellos, y se mostraron sus respectivos reinos, o cuando se llevó usted a Tiger aparte para eso mismo, o lo llevó él a usted…, no quiero señalar a nadie…, en alguna ocasión, alguno de ustedes, mencionó una sola vez, en alto, a título privado, la palabra «drogas»?

Massingham se encogió de hombros en un gesto socarrón, dando a entender que la pregunta carecía de fundamento.

—¿O cabezas nucleares y no nucleares? —prosiguió Brock—. ¿O materiales fisibles? ¿Tampoco?

Massingham negaba con la cabeza una y otra vez.

—¿Heroína?

—¡Por Dios, no!

—¿Cocaína? ¿Y cómo resolvieron ese espinoso problema léxico, si no es indiscreción? ¿Tras qué hoja de parra escondieron su vergüenza, y perdone la vulgaridad?

—Ya se lo he dicho y se lo he repetido. Nuestra tarea consistía en pasar del lado negro al lado blanco el dinero de los Orlov. Nosotros interveníamos después del hecho. No antes. Ése era el trato.

Brock se inclinó hacia Massingham y, casi a modo de ruego, preguntó:

—En ese caso, caballero, ¿qué hacemos aquí? Si es usted tan inocente, ¿a qué viene esa urgencia por llegar a un acuerdo?

—Usted ya sabe por qué. Ya ha visto de qué son capaces. Yo seré su próxima víctima.

—*Usted*. No Tiger. Usted. ¿Por qué usted? ¿Qué ha hecho usted que no ha hecho Tiger? ¿Qué sabe usted que Tiger no sabe? ¿Qué lo asusta tanto? —No hubo respuesta. Brock aguardó y siguió sin recibir respuesta. Su ira adquirió un filo mortal. Si Massingham estaba aterrorizado, ¿por qué no aterrorizarlo un poco más? ¿Por qué no ofrecerle un vislumbre de la miserable vida que le esperaba?—. Quiero la lista negra. La agenda donde Tiger tiene anotados los nombres de personas en altos cargos. No polacos corruptos de Gdansk ni alemanes corruptos de Bremen ni holandeses corruptos de Rotterdam. Ésos me interesan pero sin entusiasmarme. Quiero los nombres de ingleses corruptos. La fauna autóctona, con mucho poder del que abusar. Individuos como usted. Cuanto más alta sea su posición, tanto más me interesan. Y ahora me dirá que sólo Tiger conocía a esa gente, no usted. Y yo le contestaré que no me creo una sola palabra. Tengo la impresión de que sólo dice verdades a medias y, en cambio, espera que yo sea generoso y le garantice plena inmunidad. No cuente con ello. No destaco por mi generosidad. No pienso dar un solo paso más para conseguirle la inmunidad hasta que me facilite esos nombres y números de teléfono.

En una nueva convulsión de miedo y rabia, Massingham logró zafarse de la hipnótica mirada de Brock.

—Es Tiger quien sabe moverse en los bajos fondos, no yo. Es Tiger el defensor de maleantes, el amigo de la policía. ¿Dónde aprendió el oficio? En Liverpool, entre inmigrantes y drogadictos. ¿Cómo ganó el primer millón? En rigor, sobornando a los concejales. Por más que usted lo niegue, Nat, ésa es la verdad.

Pero Brock había cambiado ya de enfoque.

—Verá, señor Massingham, lo que me pregunto una y otra vez es *por qué*.

—Por qué ¿qué?

—¿Por qué el señor Massingham acudió a mí? ¿Quién lo envió? ¿Quién es el titiritero que mueve sus hilos? Y entonces un pajarito se inclina en su rama y me susurra: es Tiger. Tiger quiere saber qué sé y cómo lo he averiguado. Y por mediación de quién. De manera que me envía a su imponente jefe de personal en el papel de súbdito británico asustado mientras él toma el sol en algún agradable paraíso fiscal sin convenios de extradición. Usted es el chivo expiatorio, señor Massingham. Porque si no consigo atrapar a Tiger, tendré que conformarme con usted —advirtió Brock. Sin embargo Massingham había recobrado la calma. Una sonrisa de incredulidad se dibujaba en sus labios tensos—. Y si no es Tiger Single quien lo envía, son los hermanos Orlov. Esos arrieros seudogeorgianos siempre se sacan algo de la manga, de eso no cabe duda —prosiguió Brock, tratando de adoptar un tono triunfal, pero la sonrisa de Massingham se tornó aún más amplia—. ¿Por qué se trasladó Mirsky a Estambul? —preguntó Brock, empujando el documento rojo hacia el otro lado de la caja de embalaje con un ademán colérico.

—Por razones de salud, querido —respondió Massingham—. El muro de Berlín se venía abajo. Temía que pudiese caerle encima algún ladrillo.

—Oí rumores de un posible proceso contra él.

—Dejémoslo en que el clima turco le sentaba bien.

—¿Posee usted acciones de Trans-Finanz Estambul, por casualidad? —inquirió Brock—. ¿Usted o cualquier compañía nacional u *offshore* en la que tenga participación?

—Me acojo a la Quinta Enmienda —dijo Massingham.

—Aquí no tenemos —contestó Brock, y con este último intercambio de palabras se produjo entre interrogador e interrogado una de esas misteriosas treguas que preceden siempre a un renovado y más encarnizado combate—. Mire, Randy, no me cuesta entender que haya engañado a Tiger. Si yo trabajase para Tiger, lo engañaría a placer. Puedo entender asimismo su conciliábulo con un par de maleantes salidos de los antiguos servicios de inteligencia del Este. Nada de eso me molesta. Puedo entender que Hoban y Mirsky indujesen a Yevgueni a excluir del negocio a Tiger y que usted les echase una mano, por no decir algo peor. Pero cuando eso falló, y después de todo no vino Papá Noel, ¿qué demonios ocurrió? —Estaba tan cerca. Brock lo presentía. Estaba allí, en aquella habitación. Estaba frente a él, al otro lado de la caja de embalaje. Estaba dentro del cráneo de Massingham, deseando salir... hasta que en el último instante se dio media vuelta y huyó en busca de refugio—. Sí, muy bien, el *Free Tallinn* fue descubierto —concedió Brock, ahondando en su perplejidad—. Mala suerte. Los Orlov perdieron unas cuantas toneladas de droga, y también unos cuantos hombres. Esas cosas pasan. E implicaba un desprestigio. Ya había demasiados *Free Tallinns*. Alguien debía recibir su castigo. Tenía que exigirse una compensación. Pero ¿qué papel juega usted en todo eso, señor Massingham? ¿De qué lado está, aparte del suyo propio? ¿Y qué demonios lo retiene ahí sentado, soportando mi sarta de insultos?

Pero a pesar de que Brock insistió una y otra vez, planteó la pregunta de diez maneras distintas, obligó a leer a Massingham las sesenta y ocho páginas del documento con pruebas patentes de su infamia, y a pesar de que Massingham, unas veces con grosería y otras con descaro, contestó a una serie de preguntas menos agobiantes inspiradas en las visitas de Oliver al doctor Conrad y al banco, Brock regresó a su despacho del Strand con mayor sensación de frustración y fracaso que antes. «La tierra prometida sigue ahí y está aún por conquistar», dijo a Tanby con amargura, y Tanby le aconsejó que durmiese un rato. Pero Brock desoyó el consejo. Telefoneó a Bell y sostuvo con él la conversación de siempre. Telefoneó a un par de informadores de lugares lejanos. Telefoneó a su esposa y escuchó complacido sus disparatadas opiniones sobre cómo debía actuarse con los irlandeses del Norte. Ninguno de estos diálogos lo acercó a la clave para descifrar el código de Massingham. Se quedó traspuesto y despertó de pronto con el auricular ya junto al oído.

—Una llamada de Derek por línea abierta desde Zúrich —anunció Tanby con su lúgubre acento del sudoeste del país—. La pareja nupcial ha ahuecado el ala. Paradero desconocido.

17

La cima del monte era un mar mágico suspendido sobre el *smog*. Las cúpulas de las mezquitas flotaban en él como tortugas al sol. Los minaretes se alzaban como los blancos fijos del campo de tiro de Swindon. Aggie apagó el motor del Ford de alquiler y escuchó el zumbido decreciente del aire acondicionado. Abajo, en algún lugar, se extendía el Bósforo, oculto por el *smog*. Bajó la ventanilla para dejar entrar el aire. Del asfalto ascendió una bocanada de calor, pese a que ya atardecía. El hedor del *smog* se mezclaba con el aroma de la hierba mojada. Subió la ventanilla y continuó en estado de alerta. Unos cúmulos grises se congregaron resueltamente en el cielo. Empezó a llover. Aggie encendió el motor y puso en marcha el limpiaparabrisas. Dejó de llover; los cúmulos adquirieron una tonalidad rosada, y los pinos de alrededor se ennegrecieron hasta que las piñas parecieron gruesas moscas atrapadas en la tracería del follaje. Volvió a bajar la ventanilla y esta vez penetró en el coche la fragancia de los limeros y el jazmín. Oía el chirrido de las cigarras y los eructos de una rana o un sapo. Sobre un cable, vio unos cuervos de pecho gris en posición de firmes. Una explosión celeste la hizo saltar del asiento. Una ráfaga de chispas pasó sobre ella y se alejó valle abajo antes de que advirtiese que eran fuegos artificiales lanzados desde una casa cercana. Las chispas se desvanecieron y aumentó la oscuridad.

Vestía unos vaqueros y una cazadora de cuero, la misma ropa con la que había emprendido la fuga. No iba armada porque no había establecido contacto con la familia de Brock. Ningún paquete envuelto en papel de regalo le había llegado al hotel; ningún voluminoso sobre le había sido entregado por debajo de la reja de la sección de visados con un adusto «Firme aquí, señora West». Excepto Oliver, nadie en el mundo conocía su paradero, y la quietud que reinaba en lo alto de aquel monte era como el letargo en que había entrado su vida. Estaba desarmada, enamorada y en peligro, y mantenía la vista fija en una solitaria verja de hierro turca engastada en un muro a prueba de bomba a unos cien metros pendiente abajo. Detrás del muro se veía el tejado plano de la moderna fortaleza de ladrillo del doctor Mirsky, que para el ojo avezado de Aggie era sólo la casa de otro abogado sin escrúpulos, con buganvillas, sistema de alarma con focos de detección, fuentes, cámaras de seguridad, perros alsacianos, estatuas, y dos hombres fornidos en el patio que vestían pantalón negro, camisa blanca y chaleco negro y no hacían nada en particular. Y en algún lugar dentro de esa fortaleza se hallaba su amante.

Habían llegado allí tras una infructuosa visita al bufete del doctor Mirsky en el centro de la ciudad. «El doctor Mirsky no se encuentra hoy aquí —les había informado una atractiva recepcionista sentada tras una mesa de color malva—. Si son tan amables, dejen su nombre y vuelvan mañana.» No dejaron ningún nombre, pero una vez en la calle Oliver se revolvió los bolsillos hasta dar con un papel donde tenía anotada la dirección particular de Mirsky, extraída del documento que había robado en el despacho del doctor Conrad.

Pararon a un venerable caballero que los tomó por alemanes y, señalando a lo lejos con el dedo, indicó a voz en grito: «*Dahin, dahin.*» En la ladera del monte siguieron las instrucciones de otros venerables caballeros hasta que milagrosamente se hallaron en el camino particular correspondiente, pasaron frente a la fortaleza correspondiente y llamaron la atención de los perros, cámaras y guardaespaldas correspondientes.

Aggie habría dado cualquier cosa por entrar en la casa con Oliver, pero él se había negado. Prefería un mano a mano entre abogados, adujo. Quería que aparcase a cien metros de la entrada y esperase. Le recordó que era el padre de él a quien buscaban, no el de ella. «Y en todo caso, ¿de qué vas a servirme, con o sin pistola, sentada allí como un florero? Es mucho mejor que esperes a ver si salgo, y si no salgo, gritas.» Se hace responsable de su propia vida, pensó Aggie. Y también de la mía. No sabía si sentirse alarmada u orgullosa, o lo uno y lo otro a la vez.

Estaba en un solar abandonado donde había aparcados también un camión rosa con una botella de limonada pintada en el flanco y seis Volkswagen escarabajo, todos vacíos. Se requeriría una cámara de vigilancia muy potente, pensó Aggie, o un guardaespaldas muy sagaz, para advertir mi presencia a esta distancia. Además, ¿quién iba a fijarse en una mujer dentro de un utilitario marrón sin antenas, hablando por un teléfono móvil al anochecer? En realidad, no hablaba. Escuchaba uno por uno los mensajes de Brock. Nat, sereno como un buen capitán de barco en plena tempestad, sin reproches, sin alboroto: «Charmian, soy yo otra vez, tu padre; desearíamos que nos telefonearas en cuanto recibas este mensaje, por favor... Charmian, necesitamos tener noticias tuyas, por favor... Charmian, si no puedes comunicarte con nosotros por alguna razón, ponte en contacto con tu tío, por favor...

Charmian, os queremos aquí de regreso lo antes posible, por favor.» Donde dice «tío» léase el «representante británico más cercano».

Mientras escuchaba, recorrió con la mirada la verja de hierro, los árboles y setos de los jardines circundantes, y las luces que traspasaban el *smog* gris azulado. Y cuando acabó de escuchar a Brock, escuchó la voces contradictorias de su compleja naturaleza, intentando comprender qué le debía a Brock, qué a Oliver y qué a sí misma, si bien estas dos últimas deudas se reducían a una sola, porque cada vez que pensaba en Oliver, volvía a verlo entre sus brazos, riendo, moviendo la cabeza en un gesto de incredulidad, sudando copiosamente a causa de la exagerada calefacción del coche cama, y en apariencia tan despreocupado y entusiasta que Aggie tenía la sensación de que había dedicado la vida entera a intentar sacarlo de la cárcel, y de que si lo abandonaba, volvería a encerrarlo en ella sin remisión. El Servicio contaba con un centro de recepción de mensajes, y Aggie sabía el número de memoria. Movida por su natural tendencia a contemporizar, se planteó telefonear para decir que Oliver y Aggie estaban sanos y salvos y que no se preocupasen. Sin embargo una parte más fuerte de ella sabía que incluso el menor mensaje era una traición.

Casi era noche cerrada; el *smog* empezaba a disiparse; los focos de detección proyectaban un cono blanco sobre la fortaleza, y los faros de los coches que cruzaban los puentes del Bósforo parecían collares móviles contra la negrura del agua. Aggie descubrió que estaba rezando, y que la oración no disminuía su capacidad de observación. Todo su cuerpo se tensó de pronto. Las dos hojas de la verja se separaban, un chaleco negro junto a cada una. Los haces de luz de unos faros ascendían hacia ella por la pendiente. Vio cambiar las luces largas por las cortas y oyó a lo lejos un sonoro claxon. El coche dobló ante la casa y cruzó la verja abierta. Antes de que la verja se cerrase, Aggie identificó un Mercedes plateado, con chófer. Un hombre corpulento viajaba en el asiento trasero, pero a aquella distancia, con tan fugaz visión y sin más referencia que las fotografías de Mirsky que le habían mostrado en Londres, a un millón de kilómetros de allí, le fue imposible reconocerlo.

Oliver llamó al timbre y, para su desconcierto, oyó una voz de mujer, lo cual le recordó que cuando se está obsesionado con una mujer, todas las demás conducen a ella. La mujer contestó primero en turco, pero en cuanto Oliver se dirigió a ella en inglés, cambió a un euronorteamericano para informarle de que su marido no estaba en ese momento en casa y sugerirle que probase en el bufete. A lo cual Oliver respondió que ya había probado sin éxito en el bufete, que había tardado más de una hora en encontrar la casa, que era amigo del doctor Conrad, que tenía mensajes confidenciales para el doctor Mirsky, que su chófer se había quedado sin gasolina, y que quizá la señora Mirsky podía decirle cuándo regresaría aproximadamente su marido. Y dedujo que, mientras hablaba, su voz debía de haberle transmitido algo especial a aquella mujer, quizá una mezcla de autoridad y residual galanteo dejado por su reciente contacto amoroso con Aggie, porque a continuación ella, con un ronroneo relajado, casi poscoital, preguntó:

—¿Es usted inglés o norteamericano?

—Inglés hasta la médula. ¿Representa eso algún inconveniente?

—¿Y es cliente de mi marido?

—Todavía no, pero me propongo serlo, tan pronto como me reciba —contestó Oliver efusivamente.

La mujer permaneció unos segundos en silencio y finalmente sugirió:

—Siendo así, ¿por qué no entra y toma una limonada mientras espera a Adam?

Y enseguida un hombre de chaleco negro abrió la verja lo suficiente para dar paso a un peatón, mientras otro hombre, hablando en turco, mandaba callar a los dos perros alsacianos. Y a juzgar por las expresiones de ambos vigilantes, habría podido pensarse que Oliver acababa de aterrizar procedente del espacio exterior, ya que primero miraron con perplejidad a uno y otro lado de la carretera y luego observaron los zapatos de Oliver, sin una mota de polvo. Oliver señaló pendiente abajo con el pulgar y soltó una carcajada.

—El chófer ha ido por gasolina —dijo con la esperanza de que si no lo entendían, lo interpretasen al menos como explicación.

La puerta de entrada estaba ya abierta cuando Oliver llegó. La custodiaba un boxeador profesional vestido con traje negro. Era fachendoso, poco amigable y de la estatura de Oliver, y mantuvo las manos parcialmente cerradas a los costados mientras registraba a Oliver con la mirada.

—Bienvenido —dijo por fin, y lo guió a través de un patio exterior hasta una segunda puerta, que a su vez daba a un jardín con una piscina iluminada y un patio interior enlosado, adornado con campánulas y bombillas de colores, donde había balancines suspendidos de vigas. En un balancín se sentaba una niña parecida a como sería Carmen cuando alcanzase la madura edad de seis años, con trenzas y una doble mella donde deberían haber estado los incisivos superiores. Se apretujaba contra ella un Romeo de ojos de azabache, dos años mayor, cuyo rostro resultó a Oliver misteriosamente familiar. La niña, provista de una cuchara, comía helado de un plato común. Esparcidos por el suelo, había cuentos para colorear, tijeras de recortar, lápices de colores y fragmentos de guerreros desmontables. Una mujer rubia de piernas largas, en las dos últimas semanas de embarazo, estaba sentada frente a los niños. Y el doctor Conrad no había mentido: era preciosa. A un lado tenía un ejemplar abierto de *Peter Rabbit,* de Beatrix Potter, en inglés.

—Niños, éste es el señor West, de Inglaterra —anunció con cómica solemnidad, extendiendo una mano hacia él—. Le presento a Friedi y Paul. Friedi es nuestra hija; Paul es nuestro amigo. Acabamos de descubrir que las lechugas son somníferas, ¿verdad, niños?… Ah, y yo soy la señora Mirsky… Paul, ¿qué significa «somnífero»?

Oliver supuso que era sueca y estaba aburrida, y recordó que Heather, a partir del quinto mes de embarazo, coqueteaba con toda persona de sexo masculino mayor de diez años. Friedi, que era Carmen a los seis, sonrió y se llevó otra cucharada de helado a la boca; Paul, por su parte, miró a Oliver y mantuvo la mirada fija en él para acusarlo. Pero ¿de qué delito? ¿Contra quién? ¿Dónde? El boxeador del traje negro apareció con un granizado de limón.

—Que da sueño —contestó Paul al cabo de un rato, cuando ya nadie recordaba la pregunta, y de pronto Oliver cayó en la cuenta: ¡Por Dios, pero si es Paul! ¡El Paul de Zoya! ¡Ese Paul!

—¿Ha llegado hoy? —preguntó la señora Mirsky.

—De Viena.

—¿Estaba allí por negocios?

—Algo así.

—El padre de Paul también viaja mucho a Viena por negocios —dijo, articulando lenta y claramente en atención a los niños pero mirando a Oliver con una expresión ponderativa en sus enormes ojos—. Vive en Estambul, pero trabaja en Viena, ¿no, Paul? Es un gran comerciante. Hoy en día todo el mundo es comerciante. Alix es nuestro mejor amigo, ¿eh que sí, Paul? Lo admiramos mucho. ¿También usted es comerciante, señor West? —preguntó lánguidamente, ciñéndose el chal en torno al pecho.

—Más o menos.

—¿Comercia con alguna mercancía en particular, señor West?

—Básicamente con dinero.

—El señor West comercia con dinero. Y ahora, Paul, dile al señor West qué idiomas hablas… ruso naturalmente, turco, un poco de georgiano, inglés. Contesta, Paul. El helado no es *somnífero*.

Paul es el niño triste de todas las fiestas, pensó Oliver, identificándose con él. Inconsolable como su madre. Paul el melancólico, el repudiado, el eterno hijastro, aquel a quien ruegas una sonrisa, aquel cuyos ojos empañados se iluminan cuando entras en la habitación, y permanecen fijos en ti llenos de reproche cuando llega la hora de marcharte con tus trucos a otra parte. Paul, intentando rescatar de su turbulenta memoria de ocho años un borroso encuentro con un monstruo loco llamado Cartero, de los tiempos en que el abuelo y la abuela vivían en un castillo rodeado de árboles en las afueras de Moscú, donde había una moto que el Cartero montó mientras mamá me abrazaba contra su pecho y me tapaba el oído con la mano.

Inclinándose de pronto en su balancín, Oliver cogió del suelo un cuento de colorear y unas tijeras y —cuando Paul dio su consentimiento con un gesto— arrancó una página doble del cuento. Tras plegarla varias veces, recortó y agujereó con las tijeras hasta crear una hilera de felices conejos unidos hocico con cola.

—¡Es fantástico! —exclamó la señora Mirsky, la primera en hablar—. ¿Tiene hijos, señor West? Porque si no tiene hijos, ¿cómo puede ser tan experto? ¡Es usted un genio! Paul, Friedi, ¿qué le decís al señor West?

Pero a Oliver le preocupaba mucho más qué diría el señor West al doctor Mirsky. Y qué diría a Zoya y Hoban cuando pasasen a recoger a su hijo. Hizo aviones y, para deleite de todos, volaban realmente. Uno cayó al agua, de modo que enviaron un avión de rescate en su busca, y luego pescaron los dos con un palo para dejarlos en tierra firme. Hizo un pájaro, y Friedi se negó a echarlo a volar porque era precioso. Sacó de la oreja de Friedi por arte de magia un billete de cinco francos suizos, y se disponía a extraer otro de la boca de Paul cuando el estridente graznido bitonal de un claxon y el alegre «¡Papá!» de Friedi anunciaron que el buen doctor Mirsky había vuelto a casa.

Alboroto en el patio exterior, rápidas pisadas de criados, el ruido de las puertas de un coche al cerrarse, un gutural aullido de perros felices y un relajante clamor de saludos polacos, mientras un hombre enérgico y bullicioso de pelo negro y amplias entradas irrumpe en el jardín, se quita la corbata, la chaqueta, los zapatos y todo lo demás y, con un bramido de satisfacción, se lanza en cueros a la piscina y recorre dos largos bajo el agua. Asomando a la superficie como un oso semiafeitado, agarra un albornoz multicolor que le tiende el boxeador, se envuelve en él, abraza a su esposa y a su hija, saluda a Paul —«¡Hola, Pauli!»— y le revuelve afectuosamente el pelo, vuelve a inclinarse ante su esposa y por último, con manifiesto desagrado, ante Oliver.

—Siento muchísimo haberme presentado de este modo —se disculpó Oliver con su más encantadora voz de clase alta—. Soy un antiguo amigo de Yevgueni y le traigo recuerdos del doctor Conrad.

Por única respuesta, el doctor Mirsky clavó en él su mirada, varios siglos más vieja que la de Paul y embutida entre los párpados hinchados.

—Si no le importa que hablemos en privado… —dijo Oliver.

Oliver siguió la espalda multicolor y los talones descalzos del doctor Mirsky. El boxeador del traje negro siguió a Oliver. Cruzaron un pasillo, subieron por una corta escalera y entraron en un despacho con vistas panorámicas del montañoso paisaje nocturno, salpicado de inquietas luces. El boxeador cerró la puerta y se apoyó contra ella, llevándose una mano al corazón bajo la chaqueta.

—Veamos, ¿qué carajo quiere? —dijo Mirsky con voz grave, casi una descarga de artillería.

—Soy Oliver, el hijo de Tiger Single y socio adjunto de Single & Single de Curzon Street. Busco a mi padre.

Mirsky masculló una orden en polaco. El boxeador puso las manos cariñosamente bajo las axilas de Oliver, las exploró y descendió luego por el pecho hasta la cintura. Obligó a Oliver a volverse y, en lugar de besarlo y arrastrarlo a la cama como Zoya, le palpó la entrepierna como Kat y prolongó la caricia hasta los tobillos. Le sacó la cartera del bolsillo y se la entregó a Mirsky. Luego hizo lo mismo con el pasaporte a nombre de West y la variada morralla de sus bolsillos, que como de costumbre habría sido la vergüenza de un colegial de doce años. Ahuecando las manos, Mirsky cargó con todo y lo llevó al escritorio. A continuación se puso unas rebuscadas gafas. Dos mil francos suizos —había dejado el resto en la bolsa de viaje—, calderilla, una fotografía de Carmen en una silla de playa, un recorte todavía sin leer de una revista llamada *Abracadabra* que ofrecía «trucos recientes y recientemente desvelados», un pañuelo limpio por mandato de Aggie. Mirsky inspeccionaba el pasaporte a la luz de una lámpara.

—¿De dónde carajo ha sacado esto?

—Me lo ha proporcionado Massingham —respondió Oliver, acordándose de su visita a Nightingales para hablar con Nadia y lamentando no estar allí en ese momento.

—¿Es amigo de Massingham?

—Somos colegas.

—¿Lo envía Massingham?

—No.

—¿Lo envía la policía inglesa?

—He venido por propia iniciativa, para encontrar a mi padre.

Mirsky volvió a pronunciar unas palabras en polaco. El boxeador contestó. Siguió una entrecortada conversación, por lo visto acerca del modo en que Oliver había llegado, y el boxeador fue reprendido y obligado a abandonar el despacho.

—Pone usted en peligro a mi esposa y mi familia, ¿no se da cuenta? Ha hecho mal en venir aquí, ¿comprende?

—Le escucho.

—Quiero que salga de esta casa. Ahora mismo. Si vuelve a aparecer por aquí, que Dios le ayude. Llévese esa mierda. No la quiero. ¿Quién lo ha traído hasta aquí?

—Un taxi.

—¿Una mujer conduciendo un taxi en Estambul?

La han visto, pensó Oliver, impresionado.

—La ha puesto a mi disposición la agencia de alquiler de coches del aeropuerto. Hemos tardado una hora en encontrar la casa. Tenía otro encargo pendiente y no le quedaba gasolina —dijo Oliver. Mirsky lo observó con aversión mientras guardaba de nuevo su morralla en los bolsillos—. Tengo que encontrarlo —insistió Oliver, metiéndose la cartera en el bolsillo interior de la chaqueta—. Si usted no conoce su paradero, dígame a quién puedo preguntar. Está en apuros. Debo ayudarlo. Es mi padre.

En el patio se oyó la alegre charla de la señora Mirsky y los niños cuando los dejaba en manos de una criada para acostarlos. El boxeador regresó y aparentemente informó de que las órdenes se habían cumplido. Dio la impresión de que Mirsky, de mala gana, ordenaba algo distinto. El boxeador puso reparos, y Mirsky lo hizo callar de un bramido. El boxeador se marchó y volvió con unos vaqueros, una camisa a cuadros y unas sandalias. Mirsky se despojó del albornoz, quedándose desnudo, y a continuación se puso los vaqueros y la camisa y se calzó las sandalias. Lanzó un juramento y, dejando al boxeador de nuevo en retaguardia, precedió a Oliver por un pasillo trasero hasta el patio de entrada. Aguardaba allí un Mercedes plateado de cara a la verja cerrada, con un chófer al volante. Mirsky abrió la puerta del chófer, lo hizo salir de un tirón y dio otra orden a gritos. El boxeador extrajo una pistola de la axila izquierda y se la entregó a Mirsky, que, moviendo la cabeza en un gesto de desaprobación, se la colocó al cinto con el cañón hacia arriba. El boxeador escoltó a Oliver hasta la puerta del pasajero, sujetándolo del brazo, y lo obligó a sentarse rápidamente. La verja se abrió. Con Mirsky al volante, salieron a la carretera, doblaron a la izquierda y descendieron hacia las luces de la ciudad. Oliver deseó volver la cabeza con la esperanza de ver a Aggie, pero no se atrevió.

—¿Es usted buen amigo de Massingham?

—Massingham es un hijo de puta —repuso Oliver, presintiendo que aquél no era momento para medias verdades—. Engañó a mi padre.

—¿Y qué? Todos somos unos hijos de puta, y hay hijos de puta que ni siquiera saben jugar al ajedrez.

Mirsky frenó en seco en medio de la carretera, bajó la ventanilla y aguardó. A su derecha, un tortuoso camino de tierra subía hacia la cima del monte, donde se alzaba un grupo de antenas con luces intermitentes en la punta. El cielo estaba plagado de estrellas; una reluciente luna mitigaba la negrura del horizonte, y su resplandor cabrilleaba en las aguas del Bósforo. Mirsky seguía esperando, atento a los retrovisores, pero ninguna Aggie descendió por la carretera hacia ellos. Mascullando una palabra malsonante, Mirsky arrancó bruscamente, abandonó la carretera y enfiló el camino, tomó una curva a toda velocidad, recorrió quinientos metros a través de la hierba y los escombros que invadían el camino y paró en un ensanchamiento. Estaban rodeados de altos árboles. Oliver recordó su rincón secreto de Abbots Quay y se preguntó si aquél sería el de Mirsky.

—No tengo la menor idea de dónde carajo está su padre, ¿de acuerdo? —dijo Mirsky con tono de reacia complicidad—. Es la verdad. Le digo la verdad, y usted desaparece de mi vida, se aleja de mi casa, mi esposa y mis hijos, vuelve a su jodida Inglaterra o a donde le dé la gana, me importa una mierda. Soy un padre de familia. Creo en los valores de la familia. Su padre me caía bien, ¿de acuerdo? Siento mucho que haya muerto, ¿de acuerdo? Lo siento. Así que vuelva a su país, funde una nueva dinastía y olvídese de él. Soy un abogado respetable. Eso es lo que quiero ser. Ya no me dedico a los negocios sucios, ni lo haré a menos que sea necesario.

—¿Quién lo mató?

—Puede que aún no lo hayan matado. Puede que lo maten mañana, esta noche, ¿qué más da? Cuando lo encuentre, estará muerto, y conseguirá que lo maten también a usted.

—¿Quién lo matará?

—Todos. La familia entera. Yevgueni, Tinatin, Hoban, todos los primos, tíos, sobrinos…, ¿qué sé yo quién lo matará? Yevgueni ha reinventado el odio de sangre, ha declarado la guerra a toda la especie humana sin exención alguna. Es un hombre del Cáucaso. Todo el mundo tiene que pagar. Tiger, el hijo de Tiger, el perro del hijo, y hasta su canario.

—¿Y todo a causa del *Free Tallinn*?

—Con el *Free Tallinn* se jodió todo. Hasta Navidad… sí, de acuerdo, tomamos ciertas medidas…, Massingham, yo y Hoban… Estábamos ya un poco hartos de los errores de los demás y pensamos que era ya hora de reorganizarse, modernizarse, mejorar la seguridad.

—Deshacerse de los viejos —matizó Oliver—. Apropiarse del negocio.

—Claro —concedió Mirsky, magnánimo—. Mandarlos a la mierda de una vez. Así son los negocios, ¿qué tiene de raro? Intentamos tomar el poder. Un golpe incruento. ¿Por qué no? Por medios pacíficos. Yo soy un hombre pacífico. He recorrido un largo camino. Un mocoso harapiento de Lvov, estudia para llegar a ser un buen comunista, aprende a follar en cuatro idiomas a la edad de catorce años, *magna cum laude* en derecho, llega a ser un pez gordo del Partido, con influencias, un buen tenderete, ve por dónde van los tiros, se convierte en un buen católico, recibe el bautismo, una fiesta por todo lo grande, se afilia a Solidaridad pero el remedio no es eficaz al ciento por ciento, los nuevos mandamases creen que conviene meterme en la cárcel, así que vengo a Turquía. Aquí soy feliz. He abierto un nuevo bufete, me he casado con una diosa. Quizá algún día me convierta al islam. Me adapto a todo… y soy *pacífico* —repitió categóricamente—. Hoy en día hay que ser pacífico, no existe otra opción, hasta que un ruso chiflado decide empezar por su cuenta la tercera guerra mundial, y a joderse.

—¿Adónde lo han llevado?

—Al sitio adonde lo hayan llevado. ¿Qué sé yo? ¿Dónde está Yevgueni? En el sitio adonde llevaron el cadáver. ¿Dónde está Alix? En el sitio adonde fue Yevgueni. ¿Dónde está Tiger? En el sitio adonde lo haya llevado Alix.

—¿Qué cadáver?

—¡El cadáver de Mijaíl, joder! ¿Quién iba a ser? Mijaíl, el hermano de Yevgueni. ¿Tiene serrín en la cabeza o qué? Mijaíl, por Dios, que murió en el tiroteo del *Free Tallinn*. ¿Por qué cree que Yevgueni se ha propuesto iniciar una guerra? Estaba obsesionado con recuperar el cadáver. Pagó una fortuna por él. «Traedme el cadáver de mi hermano. En un ataúd de acero, con mucho hielo. Luego mataré al mundo entero.»

Oliver percibió muchas cosas simultáneamente. Que veía las imágenes en negativo, y no en positivo, de manera que por unos segundos la luna fue un círculo negro en el cielo blanco. Que se hallaba sumergido bajo el agua, privado del habla y el oído. Que Aggie le tendía una mano pero él se estaba ahogando. Cuando recobró sus facultades, Mirsky hablaba otra vez de Massingham.

—Alix informa a Randy sobre el cargamento, y Randy se lo sopla a sus antiguos jefes, el jodido Servicio Secreto británico. Sus antiguos jefes lo notifican a Moscú. Moscú moviliza a la marina rusa en pleno, organiza un nuevo Pearl Harbor, mata a cuatro hombres, confisca el barco, tres toneladas de mierda de primera calidad vuelven a Odessa para que los de aduanas se hagan de oro. Yevgueni enloquece, ordena que le vuelen la cabeza a Winser. Eso sólo para empezar. Ahora viene lo serio.

Oliver habló con tono inexpresivo, la vista al frente, fija en las luces de la ciudad a través de los árboles.

—¿Qué hacía Mijaíl en el *Free Tallinn*?

—Viajar con la carga. Protegerla. Como favor a su hermano. Ya se lo he dicho. Estaban perdiendo demasiada mercancía. Demasiados errores, demasiadas cuentas congeladas, demasiado dinero tirado por el desagüe. Había ya mucho malestar. Todos echaban las culpas a todos. Mijaíl quiere comportarse como un héroe ante su hermano, así que embarca con el cargamento, armado de su Kalashnikov. La marina rusa aborda el barco, Mijaíl mata a un par de marineros, se crea mal ambiente. Ellos lo matan a él, y ahora tiene que pagarlo todo el mundo. Es lógico.

—Tiger vino a verlo —dijo Oliver con el mismo tono mecánico de antes.

—¡Y un carajo!

—Vino a Estambul hace sólo unos días.

—Quizá sí, quizá no. Me llamó por teléfono. A la oficina. Eso es lo único que sé. No sonaba como un teléfono normal. Tampoco él hablaba como un hombre normal. Parecía que tuviese una cebolla en la boca. Quizá era una pistola. Mire, lo siento, ¿de acuerdo? Ya sé que es su padre, joder.

—¿Qué quería?

—Me insultó. Me acusó de intentar robarle en Navidad. «Robarle yo, lo dudo —dije—. En cambio, por esas fechas sí teníamos la clara impresión de que usted nos robaba a nosotros. En todo caso, ganó usted, así que poco importa.» Entonces me dice que debo retirar esa descabellada reclamación de doscientos millones de libras. Hable con Yevgueni, le digo. Hable con Hoban. Esa reclamación no es idea mía. Quéjese al cliente, no a mí. Son ellos quienes han tomado la decisión. Y entonces me dice: «Si se presenta ahí mi hijo Oliver, no hable con él, es un lunático de mierda. Dígale que deje de joder, que no me siga. Dígale que se largue de Estambul y se busque una madriguera donde esconderse. Dígale que el juego ha terminado.»

—Eso no se parece en nada a la manera de hablar de mi padre.

—Es su mensaje. En palabras mías. También es mi mensaje. Soy abogado. Transmito lo esencial. Lárguese de Estambul ahora. ¿Quiere que lo lleve a alguna parte? ¿El aeropuerto? ¿La estación de tren? ¿Tiene dinero? Lo dejaré en una parada de taxis.

Mirsky puso el motor en marcha.

—¿Por quién se ha enterado de que el traidor fue Massingham?

—Por Hoban. Alix está bien informado. Aún conserva contactos en Moscú, gente que forma parte del sistema. Espías.

Sin encender las luces, Mirsky quitó el freno de mano y dirigió el coche lentamente hacia la carretera, dejando que la luna le alumbrase el camino.

—¿Por qué le dijo Hoban que fue Massingham quien delató al *Free Tallinn*?

—Me lo dijo, sin más. Porque somos amigos. Porque nos metimos juntos en negocios cuando corrían malos tiempos y éramos un par de agentes secretos, trabajando por el bien del comunismo y embolsándonos un pavo bajo mano.

—¿Dónde está Zoya?

—En las nubes. No la moleste, ¿me oye? Las rusas están locas. Alix tiene que volver a Estambul e internarla en un sanatorio o algo así. Alix está descuidando sus deberes conyugales.

Habían llegado ya al pie del monte. Mirsky miraba sin cesar por los retrovisores. Oliver los miraba también. Vio acercarse el Ford por detrás, y cuando Mirsky aminoró la velocidad para arrimarse a la acera, vio pasar de largo a Aggie, con expresión tensa y las manos firmemente sujetas al volante.

—Es usted un buen tipo. Espero no verle nunca más la cara. —Se sacó la pistola de la cintura—. ¿Quiere una de éstas?

—No, gracias —respondió Oliver.

Mirsky detuvo el coche poco antes de una rotonda. Oliver se apeó y aguardó en el bordillo. Apretando el acelerador, Mirsky dio una vuelta completa a la rotonda y emprendió el regreso a casa, sin volver a mirar a Oliver. Transcurrido un tiempo prudencial, lo sucedió Aggie.

—Mijaíl era el Sammy de Yevgueni —comentó Oliver con la mirada perdida. Habían aparcado cerca del agua. Oliver había dado el parte de su misión a Aggie.

—¿Quién es Sammy? —preguntó ella, marcando ya el número de Brock en el teléfono móvil.

—Un niño que conozco. Me ayudaba con mi magia.

Elsie Watmore oyó el timbre en sueños, y después del timbre oyó decir a su difunto marido Jack que volvían a reclamar la presencia de Oliver en el banco. A continuación, ya no era Jack sino Sammy quien, con la luz del pasillo encendida y envuelto en su batín, le decía que dos policías de paisano llamaban a la puerta, que debía de haberse cometido un asesinato, y que uno de ellos era calvo. Últimamente Sammy tenía una marcada propensión a las ideas morbosas. Muerte y desastres, ésos eran sus temas preferidos, y nunca parecía cansarse de ellos.

—Si van de paisano, ¿cómo estás tan seguro de que son policías? —preguntó Elsie mientras se ponía la bata—. ¿Qué hora es?

—Han venido en un coche de policía —respondió Sammy, siguiéndola escalera abajo—. Un coche que lleva escrita la palabra POLICÍA.

—No te quiero rondando por aquí, Sammy, así que no vengas conmigo. Es mejor que te quedes arriba.

—No pienso quedarme arriba —repuso Sammy.

Ésa era otra de las cosas que preocupaban a Elsie: la rebeldía de Sammy desde que Oliver se había marchado. Había aparecido junto con la incontinencia de orina por las noches y el deseo de que todo el mundo muriese en algún desastre. Acercó el ojo a la mirilla. El que estaba más cerca de la puerta llevaba sombrero. El otro iba descubierto y lucía una calva tan monda como la de un luchador, y Elsie nunca antes había visto a un policía completamente calvo. Su liso cuero cabelludo relucía bajo la lámpara del porche, y Elsie sospechó que se aplicaba algún ungüento especial. Detrás de ellos, aparcado justo al lado de la furgoneta mágica de Oliver, se hallaba su Rover blanco. Elsie abrió la puerta, pero no quitó la cadena.

—Es la una y cuarto de la madrugada —dijo por la abertura.

—Lo sentimos mucho, señora Watmore, se lo aseguro. Porque es usted la señora Watmore, ¿verdad?

Hablaba el del sombrero; el calvo sólo observaba. Una voz londinense, cultivada, pero no tanto como él desearía.

—¿Y qué si lo soy? —replicó.

—Soy el sargento Jenning, de la Brigada de Investigación Criminal, y mi compañero es el agente Ames. —Agitó ante ella una tarjeta plastificada, pero podría haber sido su pase de autobús—. Actuamos sobre la base de información recibida acerca de cierta persona con la que nos gustaría hablar antes de que se cometa otro delito. Creemos que quizá usted pueda ayudarnos en nuestras pesquisas.

—¡Vienen por Oliver, mamá! —exclamó Sammy con un ronco susurro desde el codo izquierdo de Elsie, y ella estuvo a punto de darse media vuelta y ordenarle que cerrase aquella bocaza.

Retiró la cadena de la puerta, y los policías pasaron al vestíbulo, uno pegado a los talones del otro. Debe de ser cosa de esa ex esposa suya, pensó; seguro que lo ha demandado para exigirle la pensión. O ha pillado una de sus borracheras y le ha dado una paliza a alguien. Se representó a Oliver encogido en el suelo, de costado, tal como lo había encontrado aquella vez en su habitación, con la mirada fija en la pared de una celda.

El policía del sombrero se descubrió. Ojos lagrimosos de alcohólico. Por alguna razón, avergonzado de sí mismo. El de la calva reluciente, en cambio, no se avergonzaba de nada. Había visto el registro de entradas del Reposo y, encorvado sobre él, lo hojeaba como si fuese suyo. Hombros de matón. Culo desproporcionadamente pequeño.

—Un tal West —dijo el agente calvo, humedeciéndose el pulgar con la lengua para pasar otro hoja—. ¿Conoce a algún West?

—Supongo que alguno se ha alojado aquí de vez en cuando. Es un apellido bastante corriente.

—Enséñasela —propuso el agente, y siguió pasando páginas mientras el sargento del sombrero extraía de su cartera un sobre de papel encerado y mostraba a Elsie una fotografía de Oliver a lo Elvis Presley, con el pelo ahuecado y los párpados hinchados, de la época en que se dedicaba a aquello de lo que había huido.

Sammy, de puntillas, trataba de echar una ojeada a la foto y decía:

—A mí, a mí.

—Nombre de pila, Mark —informó el sargento—. Mark West. Más de metro ochenta, cabello oscuro.

Elsie Watmore tenía sólo intuición, y el recuerdo de las contenidas llamadas telefónicas de Oliver, como mensajes de SOS de un barco a punto de hundirse: «¿Qué tal, Elsie? ¿Cómo está Sammy? Yo estoy bien, Elsie; no te preocupes por mí. Pronto volveremos a vernos.» Sammy había cambiado su súplica por un «Enséñamela, enséñamela», y chasqueaba los dedos bajo la nariz de su madre.

—No es él —dijo Elsie con voz quebrada, como una declaración formal ensayada demasiado a menudo.

—No es *¿quién?* —inquirió el agente calvo, irguiéndose a la vez que se volvía hacia ella—. ¿*Quién* no es quién?

Tenía los ojos muy claros y la mirada vacía, y fue ese vacío lo que la asustó: la convicción de que por más amabilidad que una vertiese en aquellos ojos, se desperdiciaría hasta la última gota. No cambiaría de expresión ni aun viendo agonizar a su madre, pensó.

—No conozco al hombre de la fotografía, así que no es él, ¿no? —repuso, devolviendo la fotografía—. Debería darles vergüenza andar despertando así a personas decentes.

Sammy no soportaba ya más su exclusión. Apartándose de las faldas de su madre, avanzó con paso firme hacia el sargento y tendió resueltamente la mano.

—Sammy, vete a la cama, por favor. Hablo en serio. Mañana tienes colegio.

—Enséñasela —mandó el agente, si bien sus labios no se movieron. Un agente dando órdenes a un sargento.

El sargento entregó la fotografía a Sammy, y éste la examinó con gran alarde de concentración, primero con un ojo, luego con los dos.

—Ningún Mark West ha estado aquí —dictaminó por fin, y la devolvió con un gesto de desdén, como si fuese una inmundicia. A continuación, subió ruidosamente por la escalera sin mirar atrás.

—¿Y un tal Hawthorne? —preguntó el agente calvo, consultando de nuevo el registro de entradas—. O. Hawthorne. ¿Quién es?

—Ése es Oliver —respondió Elsie.

—¿Quién?

—Oliver Hawthorne, un huésped de la pensión. Trabaja en el mundo del espectáculo. Para niños. El tío Ollie.

—¿Está aquí en este momento?

—No.

—¿Dónde está?

—Ha ido a Londres.

—Para qué.

—A actuar. Tenía un compromiso. Un viejo cliente. Uno muy especial.

—¿Y un tal Single?

—«Y un tal… y un tal…» ¿No sabe decir otra cosa? —Por fin le brotaba la ira, esa clase de ira intensa y diáfana que tan buen resultado le daba—. No tienen derecho a hacer esto. No han traído ninguna orden judicial. Salgan de aquí.

Abrió la puerta y la mantuvo abierta para que se fuesen, creyendo notar que se le hinchaba la lengua tal como ocurría a los mentirosos, según le decía siempre su padre. El agente calvo se acercó a ella y le echó a la cara su aliento a whisky y jengibre.

—¿Alguna persona de este establecimiento, varón, ha viajado recientemente a Suiza, por placer o por negocios?

—No que yo sepa.

—¿Por qué, pues, ha enviado alguien a su hijo Samuel una postal con una imagen de un campesino suizo agitando una bandera? ¿Una postal donde ese alguien anuncia que regresará pronto a casa? ¿Y por qué el sello de dicha postal se cargó a la cuenta de la habitación del señor Mark West?

—No lo sé. Yo no he visto esa postal, ¿no?

Los ojos de mirada vacía aún más cerca, los efluvios del whisky más tibios y hediondos.

—Si está mintiéndome, señora, como así creo, usted y el chismoso de su hijo desearán no haber nacido —dijo el agente, y luego le dio las buenas noches con una sonrisa y se dirigió hacia el coche con su compañero.

Sammy esperaba en la cama de su madre.

—He hecho bien, ¿verdad, mamá? —preguntó.

—Tenían mucho más miedo ellos que nosotros, Sammy —aseguró Elsie, y empezó a temblar.

18

Una vez, dejándose arrastrar por la fogosidad de
su ya lejana juventud, Brock había hecho llorar a un
hombre a golpes. Aquellas lágrimas, tan inesperadas,
le causaron desconcierto y vergüenza. Al entrar en la
Zahúrda de Plutón menos de una hora después de su
conversación con Aggie, recordó ese incidente, como
siempre que volvía a asaltarlo la tentación, y juró que
se atendría a la lección aprendida en el pasado. Carter
abrió la puerta de acero y, por el semblante de Brock,
adivinó que se había producido alguna novedad signi-
ficativa. Mace, atrapado en el pasillo, se apretó respetuosamente contra la pared para dejar paso a Brock.
En la calle, Tanby aguardaba en su taxi, con el taxíme-
tro corriendo y la radio de operaciones abierta. Eran
las diez de la noche, y Massingham, sentado en un sillón, cenaba comida china con un tenedor de plástico y
veía a un grupo de risueños periodistas de televisión
felicitarse mutuamente por su ingenio. Brock desen-
chufó el televisor desde la puerta y ordenó a Massingham que se pusiese en pie. Él obedeció. La debilidad
reflejada en el rostro de Massingham era una mancha
que en los últimos días se había oscurecido más y más
tras cada interrogatorio. Brock echó el cerrojo desde
dentro y se guardó la llave en el bolsillo, sin poder ex-

plicarse ni entonces ni más tarde por qué lo hacía.

—He aquí la situación, señor Massingham —dijo, amable y tranquilo, actitud que se proponía mantener—. Mijaíl Ivánovich Orlov murió en el intercambio de disparos del *Free Tallinn*. Usted lo sabía, pero no consideró oportuno revelárnoslo. —Con la pausa que hizo a continuación no pretendía invitar a Massingham a hablar, sino darle tiempo para que tomase plena conciencia de la acusación—. ¿Por qué no, me pregunto? —Al no recibir respuesta, aparte de un gesto de indiferencia poco convincente, añadió—: También ha llegado a mi conocimiento que Yevgueni Orlov los considera a usted y a Tiger Single culpables por igual de la muerte de su hermano. ¿Coincide esa información con la suya?

—Fue cosa de Hoban.

—¿Disculpe?

—Hoban me cargó a mí el muerto.

—¿Ah, sí? ¿Y cómo accedió usted a esa información si puede saberse?

Un prolongado silencio, seguido de unas palabras casi inaudibles:

—Eso es asunto mío.

—¿Se enteró por casualidad mediante su versión personalizada de la cinta de vídeo con las imágenes del asesinato de Alfred Winser? ¿Algún mensaje o posdata dirigido específicamente a usted para advertirle del peligro que corría?

—Me dijeron que yo era el siguiente de la lista. Mijaíl estaba muerto; yo lo había traicionado. Yo y mis seres queridos, William en especial, pagaríamos con sangre —explicó Massingham con la voz cascada—. Fue un montaje. Hoban jugaba con dos barajas.

—Más bien con tres, ¿no? Al fin y al cabo, usted y él engañaban ya a Tiger.

Massingham no respondió, pero tampoco lo negó.

—Usted participó de manera entusiasta en un plan

anterior, allá por Navidad aproximadamente, concebido para despojar a su jefe, Single, de todos sus activos y crear una nueva entidad controlada por Hoban, Mirsky y usted mismo. ¿Es así, señor Massingham? ¿Tendrá la bondad de decir «sí»?

—Sí.

—Gracias. Dentro de un momento pediré a los señores Mace y Carter que entren y lo acusaré formalmente de varios delitos, entre ellos, obstaculizar la acción de la justicia ocultando información y destruyendo pruebas, y confabularse con personas conocidas y desconocidas para importar sustancias prohibidas. Si colabora conmigo ahora, subiré al estrado en su juicio y abogaré en favor de una reducción de la draconiana pena que le espera. Si no colabora ahora conmigo, presentaré su participación en este asunto de modo tal que se le apliquen las penas máximas en todos los cargos y sentaré a William a su lado en el banquillo, acusado de complicidad antes, después y durante el hecho. Además, negaré bajo juramento haber dicho lo que acabo de decir. ¿Qué será, señor Massingham? ¿Sí, colaboro; o no, no colaboro?

—Sí.

—Sí ¿qué?

—Sí, colaboro.

—¿Dónde está Tiger Single?

—No lo sé.

—¿Dónde está Alix Hoban?

—No lo sé.

—¿Veré a William en el banquillo de los acusados junto a usted?

—No, no lo verá. Estoy diciendo la verdad.

—¿Quién informó a las autoridades rusas acerca del *Free Tallinn*? Conteste con mucho cuidado, por favor, porque ya no tendrá oportunidad de rectificar la declaración.

—El muy hijo de puta me metió en eso —susurró Massingham.

—¿Y quién es el hijo de puta en cuestión?

—¡Maldita sea! Ya se lo he dicho. Hoban.

—Me gustaría entender la lógica de eso. Esta noche tengo la cabeza un poco espesa. ¿Qué se ganaba, desde el punto de vista de Hoban y usted, con la confiscación por parte de las autoridades rusas del *Free Tallinn* y unas cuantas toneladas de heroína refinada de la mejor calidad... y ya no digamos con la muerte de Mijaíl?

—¡Yo no sabía que Mijaíl viajaba en el condenado barco! Hoban no me lo dijo. Si hubiese sabido que Mijaíl estaba a bordo, no me habría prestado por nada del mundo a seguirle el juego.

—Seguirle el juego ¿respecto a qué?

—Hoban quería poner la gota que colma el vaso. Un último fracaso espectacular tras una larga serie. Y eso hizo.

—Pero también usted lo hizo.

—¡De acuerdo, lo hicimos los dos! Él lo propuso, y yo vi sentido a la idea. Le seguí el juego. Me dejé engañar como un imbécil. ¿Contento? Si se confiscaba el *Free Tallinn*, sería el factor decisivo y Hoban estaría en condiciones de mover a Yevgueni.

—«Mover» ¿en qué sentido? Y levante la voz, por favor. No le oigo bien.

—Mover en el sentido de persuadir. ¿Es que hablo en chino? Hoban tiene cierto ascendiente sobre Yevgueni. Está casado con Zoya. Es padre del único nieto varón de Yevgueni. Puede sacar provecho de esa situación. Si fracasaba la operación del *Free Tallinn*, no habría ya más resistencia ni más cambios de planes en el último momento por parte de Yevgueni. Ni siquiera Tiger conseguiría disuadirlo con sus zalamerías.

—Y Hoban, para mayor seguridad, puso a Mijaíl

en el barco sin informarle a usted. El razonamiento empieza a debilitarse otra vez, me temo.

—Ponerlo en el barco, no creo. Seguramente lo decidió Mijaíl. Pero Hoban sabía de antemano que se había revelado la naturaleza del cargamento, y no se lo impidió.

—Así que Mijaíl resultó muerto, y usted, en lugar de beneficiarse de un derrocamiento comercial, se vio envuelto en un mayúsculo odio de sangre a la georgiana.

—Fue una trampa. Yo soy el traidor, y por lo tanto el principal objetivo. Pero, según la versión de Hoban, Tiger me incitó a la traición, y por lo tanto tan culpable como yo.

—He vuelto a perderme. ¿*Por qué* es usted el traidor? ¿Cómo llegó a esa posición? ¿Por qué no dio Hoban personalmente el soplo sobre el *Free Tallinn*? ¿Por qué no hacía Hoban su trabajo sucio?

—El soplo debía proceder de Inglaterra. Si procedía de Hoban, sus antiguos camaradas lo descubrirían tarde o temprano y Yevgueni acabaría enterándose.

—¿Ése es el razonamiento tal como Hoban se lo presentó a usted?

—¡Sí! Y tenía sentido. Si el soplo procedía de Inglaterra, podía deducirse que procedía de Tiger. Si pasaba yo la información, lo hacía por orden de Tiger. Tiger, pues, engañaba a Yevgueni. Delatar a Tiger formaba parte del plan.

—Y también delatarlo a usted.

—Al final… resultó ser así…, sí. Interpretado a la manera de Hoban, sí. Interpretado a mí manera, no —contestó Massingham. Había recobrado la voz, y con ella cierta farisaica indignación.

—¿Le siguió el juego, pues?

Massingham no respondió. Brock dio medio paso hacia él, y con medio paso bastó.

—Sí. Le seguí el juego. Pero no sabía que Mijaíl estaba a bordo. No sabía que Hoban se volvería contra nosotros. ¿Cómo iba a saberlo?

Brock parecía absorto en sus reflexiones. Asentía vagamente con la cabeza, se tocaba el mentón.

—Así que accedió a dar el soplo —dijo por fin, pensando en voz alta—. Pero ¿cómo? —No hubo respuesta—. Déjeme adivinar. El señor Massingham acudió a sus viejos amigos de lo que llamamos el Foreign Office. —Siguió sin haber respuesta—. ¿A alguien que yo conozco? Repito: ¿A alguien que yo conozco?

Massingham negó con la cabeza.

—¿Por qué no? —preguntó Brock.

—¿Qué iba a decirles cuando me preguntasen cómo había averiguado que el *Free Tallinn* salía de Odessa con ese cargamento? ¿Que lo había oído casualmente en un bar? ¿Que había escuchado una conversación telefónica gracias a un cruce de líneas? Se me habrían echado encima en cuestión de segundos.

—Sí, sin duda —concedió Brock después de pensarlo por un instante—. Les habría despertado más curiosidad *usted* que el *Free Tallinn.* Eso no habría dado resultado, ¿verdad? Usted necesitaba un aliado pasivo que no hiciese preguntas, y no a un miembro pensante del Servicio de Inteligencia. Así pues, ¿a quién acudió, señor Massingham? —Brock estaba tan cerca de él y su actitud era tan reflexiva que no era necesario ni pertinente alzar la voz mucho más allá de un susurro. Por eso mismo, su repentino grito resultó aún más desconcertante—. ¡Señor Mace! ¡Señor Carter! ¡Entren, por favor! ¡Deprisa! —Y los dos hombres debían de estar justo al otro lado de la puerta, ya que, encontrándola cerrada con llave y sospechando que Brock estaba en peligro, la echaron abajo y se colocaron a ambos lados de Massingham casi antes de que Brock hubiese terminado de dar la orden—. Señor Massingham —prosiguió Brock—. Deseo que me diga, delante de estos dos caballeros, a qué departamento de seguridad británico informó, con la mayor reserva, del cargamento ilegal que se hallaba a bordo del buque *Free Tallinn* cuando zarpó de Odessa.

—A Porlock —susurró Massingham con la respiración entrecortada—. Tiger me dijo que… si alguna vez necesitaba ayuda de la policía, me dirigiese a Porlock… que Porlock tenía una red… podía arreglar cualquier cosa… si violaba a alguien… si pescaban a William esnifando… si alguien chantajeaba a alguien o si necesitaba quitar a alguien de en medio… fuera lo que fuese, Porlock cooperaría… Porlock trabajaba para él.

De pronto, para bochorno de ambos, rompió a llorar, acusando a Brock con sus lágrimas. Pero Brock no tenía tiempo para remordimientos de conciencia. Tanby se había asomado a la puerta con un mensaje que comunicar, y Aiden Bell, al frente de un puñado de hombres muy duros, permanecía en estado de alerta en el aeropuerto de Northolt.

Habían cruzado el estrecho por un largo puente y, siguiendo las contradictorias instrucciones de Oliver, exploraban otra serie de colinas —«la próxima a la izquierda, no a la derecha… ¡No, espera un momento, a la *izquierda*!»—, pero Aggie no se quejaba, sino que daba rienda suelta a la intuición de Oliver, erguido en el asiento contiguo como un sabueso, olfateando, arrugando la frente, intentando recordar. Pasaba de medianoche y no había ya venerables caballeros a quienes preguntar. Había pueblos y restaurantes en elevadas atalayas y juerguistas nocturnos en coches rápidos que se echaban de pronto sobre ellos como aviones de combate enemigos, los adelantaban como exhalaciones y de inmediato se perdían de vista en el valle. Había negras hondonadas de campos yermos y pequeñas nubes de bruma que aparecían súbitamente ante ellos, los envolvían y los dejaban salir poco después.

—Un azulejo de color azul —dijo Oliver—. Una especie de azulejo musulmán con unas palabras escritas en letra muy recargada, y los números tres y cinco en blanco.

Había anotado varias aproximaciones de la dirección, y él y Aggie, sentados hombro con hombro dentro del coche aparcado en alguna área de descanso, habían escrutado primero un mapa de carreteras y luego un callejero, buscando en el índice toponímico. —«¿Podría ser éste, Oliver? ¿Y ese otro, Oliver?»—, y Aggie apenas había recurrido a su recién nacida intimidad, excepto para guiarle el dedo sobre el plano alguna que otra vez y, en una única ocasión, para besarle la sien, que tenía mojada de sudor frío y temblorosa. Desde una cabina telefónica, Aggie había tratado en vano de encontrar en el servicio de información a una operadora anglófona que pudiese proporcionarle la dirección y el número de teléfono de Orlov, Yevgueni Ivánovich u Hoban, Alix, patronímico desconocido. Pero debía de ser día festivo o el cumpleaños de alguien o simplemente una de tantas noches de descanso para las operadoras telefónicas de Estambul, ya que sólo obtuvo promesas en un inglés macarrónico y la cortés sugerencia de que volviese a intentarlo por la mañana.

—Procura recordar lo que se veía desde las ventanas —instó Aggie, deteniendo el coche en un mirador para turistas y apagando el motor—. Algún elemento especial del paisaje, cualquier cosa. Estaba en el lado europeo. Mirabas hacia Asia. ¿Qué veías?

Oliver estaba tan distante, tan ensimismado. Era el Oliver del día que lo conoció en la casa de Camden con su abrigo de color gris lobo, dolido, mirando alrededor con fiereza, desconfiando de todos.

—Nieve —respondió Oliver—. Era un paisaje nevado. Palacios en la orilla opuesta. Barcos, luces de colores. Había una verja —continuó a medida que las imágenes cobraban forma en su memoria—. Una verja bajo una torre de entrada —precisó—. Al fondo del jardín. El terreno descendía en terrazas, y al fondo del jardín se levantaba una tapia con una verja, y sobre la verja estaba esa torre de entrada. Y al otro lado pasaba una calle estrecha. Adoquinada. Nos acercamos hasta allí.

—¿Quiénes?

—Yevgueni, yo y Mijaíl. —Un instante de silencio por Mijaíl—. Dimos un paseo por el jardín. Mijaíl estaba orgulloso de él. Le gustaba tener una finca grande. «Como Belén», decía una y otra vez. Había luz en la torre de entrada. Vivía alguien allí. Gente de Hoban. Guardias o lo que fuese. Mijaíl no les tenía mucho aprecio. Escupió y puso cara de pocos amigos cuando los vio en una ventana.

—¿Y el aspecto?

—No llegué a verlos.

—No me refiero a esa gente, Oliver. Hablo de la torre de entrada.

—Almenada.

—¿Qué demonios significa eso? —preguntó Aggie con tono jocoso, tratando de sacarlo de su abismo.

—Torrecillas. Dientes de piedra. —De manera imprecisa, dibujó la forma en el vaho del parabrisas y repitió—: Almenada.

—¿Y la calle adoquinada?

—¿Qué?

—¿Estaba en un pueblo, quizá? Los adoquines hacen pensar en un pueblo. ¿Viste farolas al otro lado de la tapia cuando contemplaste el jardín nevado?

—Vi semáforos —contestó Oliver, todavía ausente—. A la izquierda de la torre de entrada. La villa se

393

encontraba en el ángulo de un cruce. Al fondo, la calle adoquinada, apenas un camino vecinal; a un lado, una carretera de verdad, y los semáforos estaban donde el camino confluía con la carretera. ¿Por qué ha dicho que hablaba como si tuviese una cebolla en la boca? —dijo Oliver, pensando en voz alta mientras ella buscaba en el mapa—. ¿Por qué daba por supuesto que lo seguiría? Probablemente estaba enterado de mi visita a Nadia.

—Concéntrate en esto —aconsejó Aggie.

—Había dos carreteras —prosiguió Oliver, consultando con su memoria—. Una costera y una de montaña. A Mijaíl le gustaba la carretera de montaña porque le permitía exhibir sus dotes de conductor. Había una tienda de porcelanas y un supermercado. Y un letrero luminoso de una marca de cerveza.

—¿Qué cerveza?

—Efes. Turca. Y una mezquita. Tenía un viejo minarete con una antena en lo alto. Oímos al almuecín.

—Y viste la antena —dijo ella, poniendo el coche en marcha—. De noche. Elevándose por encima de una tapia con una torre de entrada y una calle adoquinada y un pueblo y el Bósforo más abajo y Asia al otro lado. Y sabemos que es el número treinta y cinco. Vamos allá, Oliver. Necesito tus ojos. No te duermas, no es el momento.

—La tienda de porcelana.

—¿Qué tiene de especial?

—Se llamaba Jumbo Jumbo Jumbo. Me vino a la cabeza la imagen de tres elefantes en una tienda de porcelana.

En otra cabina encontraron una guía telefónica hecha jirones y la dirección de Jumbo Jumbo Jumbo, pero cuando consultaron el plano, resultó que la calle no existía, o si existía, había cambiado de nombre. Sorteando socavones, deambularon por la zona hasta que de repente Oliver echó hacia adelante la cabeza y agarró del hombro a Aggie. Habían llegado a una confluencia. Ante ellos nacía una calle adoquinada. A la izquierda, corría paralela una tapia de ladrillo. A media calle, los afilados dientes negros de una antigua torre se hincaban en el cielo estrellado. A su derecha se alzaba una mezquita. Incluso había una antena en el minarete, aunque Aggie se preguntó si no sería en realidad un pararrayos. Más adelante brillaban los discos rojos de un par de semáforos. Dejando encendidas sólo las luces de posición, Aggie avanzó hacia ellos bajo la sombra de la torre almenada. No se veía luz en la ventana en forma de arco. Al llegar al semáforo, dobló a la izquierda colina arriba, dejando atrás un indicador donde se leía ANKARA.

—Ahora otra vez a la izquierda —ordenó Oliver—. Para aquí. A unos cien metros por este camino hay una verja alta de dos hojas y un patio. Allí, donde se ven aquellos árboles. La casa está debajo de los árboles.

Aggie aparcó silenciosamente en un arcén de arena, esquivando las latas y botellas esparcidas por el suelo. Apagó las luces. Eran dos amantes en busca de intimidad. El Bósforo volvía a extenderse bajo ellos.

—Entraré solo —anunció Oliver.

—Yo también voy —dijo Aggie. Tenía su bolso en el regazo y hurgaba en él. Extrajo el teléfono móvil y lo escondió bajo el asiento—. Dame el dinero turco que lleves.

Oliver le entregó un fajo; ella le devolvió la mitad y ocultó el resto bajo el asiento, junto con los pasaportes a nombre de Single. Retiró la llave del contacto y la separó del llavero con la etiqueta de identificación de la agencia de alquiler. Salió del coche. Oliver se apeó también. Aggie abrió el maletero, cogió el juego de herramientas, sacó la llave fija para las tuercas de las ruedas y se la colocó al cinto con la palanqueta hacia abajo.

Cerró el maletero y, con una pequeña linterna, empezó a escudriñar la arena del arcén.

—Por si la necesitas, te informo de que llevo mi navaja suiza —comentó Oliver.

—Cállate, Oliver. —Aggie se agachó y recogió una lata oxidada sin tapa. Cerró el coche con llave y a continuación sostuvo en alto la lata y la llave—. ¿Ves esto? Si nos separamos o surgen problemas, se lleva el coche el primero que llegue. Sin esperar al otro. —Puso la llave dentro de la lata, y la lata junto a la cara interna de la rueda delantera del lado izquierdo—. Punto de encuentro, la base del minarete. Alternativa en caso de emergencia, el vestíbulo de la principal estación de tren cada dos horas a partir de las seis de la mañana. Oliver, te adiestraron para este trabajo.

—No me pasa nada. Estoy bien.

—En el supuesto de que nos separemos, el primero que llegue al coche, avisa a Nat lo antes posible por la línea caliente. Pulsa el uno y luego la tecla SEND, encendiendo antes el teléfono, claro está. ¿Atiendes, Oliver? Tengo la sensación de estar hablando sola. Ven aquí. —Abocinó las manos en torno al oído de Oliver—. Acabo de darte instrucciones para la operación. Haz el favor de tenerlas en mente hasta el final. Muchas personas, cuando se equivocan, creen que son unos héroes, y en realidad son unos auténticos gilipollas. Ése es un error garrafal. ¿Me oyes, Oliver? Ve tú delante, conoces el terreno. ¡Vamos!

Oliver encabezó la marcha; Aggie lo siguió. Era un camino sin asfaltar, embarrado y lleno de charcos. Desde detrás, el delgado haz de la linterna alumbraba sus pasos. Oliver olía a zorro o tejón y a relente nocturno. Aggie apoyaba la mano en su hombro. Oliver se detuvo y se volvió hacia ella, incapaz de verla en la oscuridad pero percibiendo preocupación en su mirada. Eso mismo se refleja en la mía, pensó. Oyó un búho, luego un gato y después música bailable. Una opulenta villa apareció más arriba, a su derecha, con todas las luces encendidas y gran número de coches aparcados en el camino de acceso. Las sombras de los asistentes a la fiesta danzaban en las ventanas.

—¿Quiénes son ésos? —susurró Aggie.

—Millonarios corruptos.

La deseaba intensamente. De buena gana habría tomado el Orient-Express con ella en la antigua estación de Estambul y le habría hecho el amor durante todo el trayecto hasta París. Recordó entonces que el Orient-Express no llegaba ya a Estambul. Un búho de alas blancas alzó el vuelo ruidosamente entre las ramas de los cinamomos, dándole un susto de muerte. Oliver se acercaba ya a la verja, con Aggie pegada a él. La verja se hallaba a quince metros del camino, al pie de una empinada rampa de asfalto. A un lado había una garita de guardia. Luces de seguridad iluminaban la verja; gruesas cadenas mantenían sujetas las dos hojas, y una espiral de alambre de espino la coronaba. En cada pilar resplandecía el número 35, grande y blanco sobre un fondo morisco. Atravesando rápidamente la rampa seguido de Aggie, Oliver llegó a una segunda entrada, más modesta, para el servicio y los repartos: dos hojas de acero de un metro ochenta de altura, rematadas con púas para empalar mártires cristianos, le impedían el paso. Al otro lado se extendía la fachada posterior de la villa, una maraña de tuberías, chimeneas y gárgolas. No se veía luz en ninguna ventana. Aggie examinó la cerradura enfocándola con la linterna y luego, empuñando la llave fija, introdujo el extremo con forma de palanqueta en el intersticio entre las dos hojas de la puerta, tanteó y la retiró con cuidado. Un cable eléctrico asomaba por un diminuto agujero abierto junto a la cerradura. Se humedeció el dedo con la lengua, tocó el cable y movió la cabeza en un gesto de negación. Metió la llave fija bajo la cinturilla del pantalón de Oliver, apoyó la espalda contra la tapia y entrelazó las manos ante el abdomen con las palmas hacia arriba.

—Así —susurró.

Oliver obedeció, y Aggie se encaramó a sus manos pero no pasó mucho tiempo sobre ellas. Oliver notó una breve presión mientras trepaba y luego la vio volar hacia las estrellas por encima de las púas para mártires. Oyó su correteo al caer al otro lado y el pánico se adueñó de él. ¿Cómo voy a seguirla? ¿Cómo saldrá ella de ahí? Una de las hojas de la puerta de acero chirrió y se abrió. Oliver se deslizó por el hueco. Una vez dentro del recinto, se orientó en el acto. Un pasadizo enlosado discurría entre la villa y la tapia. Había jugado allí al escondite con las nietas de Yevgueni. Un arbotante formaba un arco contra el cielo. Enormes tuberías de desagüe, semejantes a cañones viejos, atravesaban el pasadizo a ras de tierra. Las niñas saltaban sobre ellas como si fuesen las piedras de un arroyo. Oliver actuó de guía, apoyando una mano en la tapia para mantener el equilibrio. Recorrió el pasillo acristalado que comunicaba el ático de Tiger con el ascensor a través del terrado, y su renqueante paso por él con un pie descalzo. Habían llegado a la parte delantera de la villa. A la luz de la luna, las terrazas descendentes del jardín se extendían lisas como naipes. Abajo, la tapia y la torre de entrada parecían murallas recortables de una fortaleza de juguete.

Aggie le rodeó la cintura con los brazos y, con delicadeza, recuperó la llave fija.

—Espera aquí —indicó.

Oliver no tenía otra alternativa. Aggie se movía ya sigilosamente a lo largo de la fachada, atisbando el interior a través de cada cristalera, cruzando ante ellas con felinos saltos, mirando de nuevo y avanzando, deteniéndose y volviendo a asomarse. Al llegar al extremo opuesto, hizo una señal a Oliver, y él se encaminó hacia allí, consciente de su torpeza. A la luz de la luna se veía con igual claridad que de día pero en blanco y negro. En la primera ventana no advirtió nada familiar. La habitación estaba vacía. Había flores marchitas esparcidas por el suelo: rosas, claveles, orquídeas, trozos de papel de plata. Un par de maderos clavados en forma de cruz descansaban en un rincón apoyados contra la pared. Algo más abajo de su intersección, Oliver vio otro madero de menor longitud clavado perpendicularmente en el palo vertical y recordó la forma de la cruz ortodoxa. En el centro se alzaba una estrecha mesa de caballetes como las que usan los pintores, pero Oliver no detectó manchas ni salpicaduras. Aggie le indicaba que siguiese adelante.

Oliver avanzó hasta la segunda cristalera. Allí vio una cama de niño y una mesilla de noche, una lámpara de lectura, un montón de libros y una pequeña bata colgada de una percha. Pasó a la tercera ventana y estuvo a punto de echarse a reír a carcajadas. Adosados contra las paredes, estaban algunos de los muebles de abedul de los que se preciaba Yevgueni. En el centro del suelo de parquet, ocupando el lugar de honor, dormía la BMW bajo su funda, como un poni de Shetland envuelto en una manta. Deseando dirigir la atención de Aggie hacia esa cómica visión, volvió la cabeza y vio que ella se había quedado inmóvil, con la espalda pegada a la pared y las manos extendidas, señalando repetidamente con el mentón hacia la cristalera más próxima a ella, la última de la fachada. Se agachó y se dirigió hacia allí. Quedándose en el lado opuesto de esa misma cristalera, observó la habitación. Zoya estaba sentada en la mecedora de Tinatin. Llevaba un largo vestido negro, como un traje de noche, y unas botas rusas negras. Tenía el pelo recogido en un descuidado moño, y su rostro era un icono de sí misma, demacrado, los ojos desorbitados. Mantenía la vista fija en la alta cristalera, pero con la mirada tan lúgubre y perdida que Oliver dudó que viese algo aparte de los demonios de su propia mente. Una vela parpadeaba en una mesa junto a ella. Sostenía una Kalashnikov sobre las rodillas, con el dedo índice de la mano derecha doblado en torno al gatillo.

En un primer momento Aggie no comprendió qué intentaba decirle Oliver mediante gestos, y él tuvo que repetir varias veces su mensaje mímico, al principio sin levantar los brazos, luego con las manos en alto. Finalmente Aggie se sacó la llave maestra del cinturón, se puso en cuclillas y le indicó que hiciese lo mismo. Encogiendo los brazos parcialmente ante el pecho, formó una cuna, y Oliver la imitó. A continuación Aggie lanzó la llave con la fuerza necesaria para salvar el metro y medio de anchura de la cristalera, y Oliver la atrapó en el aire con una sola mano, contraviniendo por completo sus instrucciones. Con una serie de gestos, trató de explicarle a Aggie otras cosas. Se dio palmadas en el pecho, señaló en dirección a Zoya, asintió con la cabeza y alzó el pulgar para que Aggie no se preocupase: somos viejos amigos. Luego extendió las palmas de las manos y las movió hacia el suelo indicando lentitud: vamos a tomarnos esto con calma. Volvió a señalarse él mismo: esta vez llevo yo la voz cantante; entro *yo*, y tú te quedas fuera. Se tocó la sien sin mucha convicción para dar a entender el posible trastorno mental de Zoya y luego, frunciendo el entrecejo en expresión de duda, ladeó la cabeza a izquierda y derecha para poner en tela de juicio su vulgar diagnóstico. Con actitud reverencial, representó un abrazo: fui su amante; ella es responsabilidad mía. Era difícil saber qué había entendido Aggie de todo aquello pero, a juzgar por su docilidad, Oliver supuso que la mayor parte porque ella, tras observarlo atentamente, se besó las yemas de los dedos y sopló el beso en dirección a él.

Oliver se irguió y supo que si hubiese estado allí solo, se habría apoderado de él el miedo, y probablemente también el desconcierto; sin embargo, gracias a la presencia de Aggie, veía las cosas con absoluta claridad y no albergaba la menor duda acerca de lo que debía hacer. Sabía que las ventanas de la casa eran de cristal blindado, porque Mijaíl le había mostrado con satisfacción las bisagras y cierres reforzados que se requerían para sostener el enorme peso. Por consiguiente, la improvisada palanca no era su primer recurso, sino más bien el último. En todo caso era innegable que Aggie, entregándole la llave, dejaba en sus manos la tarea, como él quería. La idea de hacer entrar a Aggie en batalla por él, de ver a Aggie abatida por una salva de balas de Kalashnikov en premio a sus esfuerzos y convertida en un cadáver más en la catastrófica estela que él dejaba a su paso, le resultaba insoportable. El cristal blindado era una cosa. Una ráfaga de metralleta a alta velocidad a una distancia de menos de dos metros era otra muy distinta.

De modo que se colocó la llave maestra bajo el cinturón, estilo Aggie, y con movimientos rígidos, caminando de costado, se desplazó hasta el centro de la cristalera y luego un poco más allá para que Zoya le viese toda la cara a través de un panel, y no dividida en dos por el marco. Llamó al cristal blindado con los nudillos, primero con suavidad, después con golpes más enérgicos. Cuando ella levantó la cabeza y pareció fijar en Oliver la mirada, él forzó una débil sonrisa y con voz lo bastante alta, esperó, para traspasar el cristal, dijo:

—Zoya, soy Oliver. Déjame entrar.

Lentamente, Zoya abrió aún más los ojos hasta que parecieron a punto de salírsele de las órbitas y de pron-

to, en un arrebato de febril actividad, comenzó a ma-
nosear el arma que sostenía en el regazo como preludio
del proceso de apuntar el cañón hacia él. Oliver golpeó
el cristal con las palmas de las manos y acercó la cara
tanto como pudo sin llegar a ofrecer una imagen cómica.

—¡Zoya! ¡Déjame entrar! ¡Soy Oliver, tu amante!
—anunció a voz en grito, sin acordarse en ese momento, bien está admitirlo, de la presencia de Aggie. Pero
habría dicho eso mismo en cualquier caso, y era obvio
que la propia Aggie lo habría instado a decirlo, ya que
Oliver, con el rabillo del ojo, vio que ella asentía enérgicamente con la cabeza en muestra de apoyo.

Sin embargo la reacción de Zoya fue idéntica a la de
un animal cuando oye un sonido recordado sólo a medias: lo reconozco… casi… pero ¿es amigo o enemigo?
Se había puesto en pie, vacilante —Oliver tuvo la impresión de que estaba desnutrida—, pero sujetaba aún
el arma. Y después de observar a Oliver por unos instantes, lanzó una severa mirada alrededor, escudriñando la habitación, como si sospechase que su aparición
en la ventana era sólo un señuelo para atraer hacia allí
su atención mientras le tendían una emboscada por la
espalda.

—¿Puedes abrir esta puerta, Zoya, por favor? —insistió Oliver—. Necesito entrar. ¿Hay alguna llave en
la cerradura? Si no, podrías ir a la puerta principal y de-
jarnos entrar por allí. Sólo estoy yo, Zoya. Yo y una
amiga. Te caerá bien. Nadie más, te lo prometo. ¿Por
qué no intentas hacer girar la llave? Es una de esas llaves de latón pequeñas y redondas, si no recuerdo mal.
Hay que dar tres o cuatro vueltas.

Pero Zoya sostenía aún el arma y había conseguido
dirigir el cañón hacia la entrepierna de Oliver, y se ad-
vertía tal letargo en sus movimientos, tal desesperación
en su semblante, tan absoluta indiferencia a la vida y la

muerte, que tan probable parecía que disparase como que no. Se produjo, pues, un largo silencio durante el cual Oliver se mantuvo firme ante la cristalera, Aggie observó entre bastidores, y Zoya trató de reconciliarse con la idea de tener a Oliver de nuevo ante ella después de tantos años padeciendo lo que la vida le hubiese deparado. Finalmente Zoya, apuntándolo todavía con el arma, dio un paso al frente, luego otro, hasta que se hallaron cara a cara separados por el cristal, y ella pudo examinarle los ojos y tomar una decisión sobre lo que veía en ellos. Manteniendo el arma empuñada con la mano derecha, extendió la izquierda y trató de descorrer el cerrojo, pero su delgada muñeca carecía de la fuerza necesaria. Optó por dejar el arma y, tras arreglarse el pelo para recibirlo, empleó las dos manos para franquearle el paso. Aggie entró inmediatamente después, se agachó a recoger la Kalashnikov y se la metió bajo el brazo.

—¿Podrías decirme, por favor, quién más hay en la casa? —preguntó Aggie a Zoya con tranquilidad, como si se conociesen de toda la vida.

Zoya negó con la cabeza.

—¿Nadie?

No hubo respuesta.

—¿Dónde está Hoban? —dijo Oliver.

Zoya cerró los ojos en expresión de repudio.

Oliver la cogió de los codos y la atrajo hacia sí. Le extendió los brazos y se los colocó alrededor de sus propios hombros. Luego la abrazó él a su vez, estrechando su cuerpo frío, dándole palmadas en la espalda y meciéndola. Entretanto Aggie comprobó el cargador de la Kalashnikov, la amartilló y, sosteniéndola cruzada ante el pecho, salió con sigilo de la habitación para inspeccionar la casa. Después de marcharse Aggie, Oliver mantuvo a Zoya entre sus brazos largo rato, esperando a que se relajase y entrase en calor contra su cuerpo, a que distendiese los puños y le soltase las solapas de la chaqueta, a que levantase la cabeza y le rozase la mejilla. Oliver notaba los latidos de Zoya contra el pecho y el temblor de su descarnada espalda, y las sacudidas de sus costillas cuando al cabo de unos minutos empezó a sollozar con prolongadas exhalaciones, expulsando de su pecho bocanada tras bocanada de dolor. Su extrema delgadez lo sobrecogió, pero supuso que no era algo nuevo en ella. Tenía el rostro cadavérico, y cuando alzó la barbilla y apretó la sien contra la mejilla de Oliver, él notó que su piel se deslizaba sobre el hueso como la de una anciana.

—¿Cómo está Paul? —preguntó Oliver con la esperanza de que si la persuadía a hablar de su hijo, conseguiría abrir la puerta a todo lo demás.

—Paul es Paul.

—¿Dónde está?

—Paul tiene *amigos* —explicó Zoya, como si ese fenómeno diferenciase a Paul del resto de los niños—. Ellos lo protegerán. Le darán de comer. Lo dejarán dormir. No habrá funerales para Paul. ¿Quieres ver el cadáver?

—¿Qué cadáver?

—Quizá ya no está.

—¿Qué cadáver, Zoya? ¿El cadáver de mi padre? ¿Lo han matado?

Las habitaciones delanteras de la villa estaban comunicadas entre sí. Aferrándose al brazo de Oliver con las dos manos, Zoya lo guió a través de la habitación con los muebles de Catalina la Grande y la moto cubierta y del dormitorio vacío de Paul hasta el cuarto con flores esparcidas por el suelo, la mesa de caballetes en el centro y los maderos clavados en forma de cruz ortodoxa.

—Es nuestra tradición —dijo Zoya, situándose junto a la mesa.

—¿Qué tradición?

—Primero lo ponemos en un ataúd abierto. Los aldeanos preparan el cuerpo. Aquí no tenemos aldeanos, así que lo preparamos nosotros mismos. No es fácil vestir a un cadáver con muchas heridas de bala. También la cara había quedado dañada. Aun así, llevamos a cabo la tarea.

—La cara ¿de quién?

—Junto al cadáver, colocamos sus objetos preferidos. Su paraguas. Su reloj. Su cinturón. Sus pistolas. Pero conservamos su cama arriba para él. Le reservamos un sitio a la mesa. Comemos por él a la luz de una vela. Cuando los vecinos vienen a despedirse de él, les damos la bienvenida y bebemos todos por él. Pero aquí no tenemos vecinos. Somos exiliados. También forma parte de la tradición dejar la ventana abierta para que el alma parta como un pájaro. Quizá su alma partió, pero eran días muy calurosos. Cuando el cadáver abandona la casa, se dan tres vueltas a las manecillas de los relojes contra su dirección natural, su mesa se pone patas arriba, se retiran todas las flores, y antes de que el ataúd emprenda su viaje se golpea la puerta tres veces con él.

—El cadáver de Mijaíl —dijo Oliver, y Zoya lo confirmó con prolongados y lúgubres gestos de asentimiento.

—Quizá deberíamos hacerlo, pues —propuso Oliver, disimulando su alivio con un resuelto ánimo.

—¿Cómo?

—Volver la mesa del revés.

—No fue posible. Cuando se fueron, me quedé sola, y yo no tengo fuerza suficiente.

—Juntos sí tenemos fuerza suficiente. Ya verás. Déjame a mí. ¿Qué te parece si simplemente la pliego?

—Recuerdo que eres muy amable —dijo Zoya, y sonrió con admiración mientras Oliver doblaba las patas bajo la mesa, las encajaba en su alojamiento y ponía la mesa boca abajo en el suelo de parquet.

—Quizá también deberíamos limpiar esto de flores. ¿Dónde hay una escoba? Necesitamos una escoba y un recogedor, será lo mejor. ¿Dónde guardas las escobas? —La cocina le recordó a la de Nightingales: amplia, con vigas vistas y olor a fría piedra—. Enséñamelas.

Al igual que Nadia, Zoya abrió varios armarios antes de encontrar lo que buscaba. Al igual que Nadia, Zoya explicó entre dientes la ausencia de los criados. Regresaron a la habitación delantera, y Zoya barrió distraídamente las flores mientras Oliver le sostenía el recogedor. Al cabo de un rato, le retiró la escoba de las manos y la apoyó contra la pared, porque se había echado a llorar de nuevo, y esta vez Oliver tuvo la impresión de que su compañía la había reanimado y esas lágrimas ejercían un efecto catártico. Y Oliver puso de sí cuanto pudo para atenderla: sus sentimientos, su compasión y su fuerza de voluntad se concentraron en ella. Para arrancarla con ternura de su estado de catatonia y devolverla a la vida, Oliver se vio obligado a imponerse la disciplina de no pensar en nada más; porque de lo contrario la habría apartado de un empujón, dejándola con sus lágrimas y convulsiones, para correr de vuelta a la cocina y mirar en el segundo armario de la izquierda, donde había una bolsa de viaje marrón a juego con su abrigo —«de mano», había dicho Nadia—, con el nombre «Señor Tommy Smart» escrito de puño y letra de Tiger en la etiqueta, abandonada entre botas mohosas, chanclos de goma y números atrasados de periódicos en ruso.

—A mi padre lo traicionó el tiempo —anunció Zoya, apartándose de él—. Y también Hoban.

—¿Cómo ocurrió?

—Hoban no quiere a nadie, así que no traiciona a

nadie. Cuando traiciona, en realidad es leal consigo mismo.

—¿A quién ha traicionado Hoban, además de a ti?

—Ha traicionado a Dios. Cuando vuelva, lo mataré. Es necesario.

—¿Cómo ha traicionado a Dios?

—Eso no importa. Quizá nadie lo sepa. A Paul le gusta mucho el fútbol.

—A Mijaíl también le gustaba el fútbol —dijo Oliver, recordando algún que otro partidillo en el jardín y a Mijaíl, todavía con la pistola en la caña de la bota, saltando a por la pelota—. ¿Cómo ha traicionado Hoban a Dios?

—No importa.

—Pero estás dispuesta a matarlo por ello.

—Traicionó a Dios en el partido de fútbol. Yo estaba presente. No me gusta el fútbol.

—Pero fuiste.

—Paul y Mijaíl irán a ver el partido; ya está todo previsto. Hoban ha conseguido las entradas. Ha comprado demasiadas.

—¿Aquí en Estambul?

—Era de noche. Sobre el estadio de Inönü brillaba la luna llena. —Zoya desvió la mirada hacia la ventana. Volvía a temblar, y Oliver la abrazó—. Hoban ha conseguido cuatro entradas, y por tanto hay un problema. A Mijaíl no le gusta Hoban. No quiere que Hoban vaya. Pero si voy yo también, Mijaíl no lo resistirá, porque me quiere. Esto Hoban también lo sabía. Yo nunca había presenciado un partido de fútbol. Estaba asustada. El estadio de Inönü tiene capacidad para treinta y cinco mil espectadores. Es imposible conocerlos a todos. En el fútbol hay un descanso. En este descanso, los jugadores se retiran y hablan. Nosotros también hablamos. Llevábamos pan y embutido. Y vodka para Mijaíl. Yevgueni apenas permite tomar vodka a Mijaíl, pero

Hoban ha traído una botella. Yo ocupo un asiento en un extremo del grupo. A mi lado se sienta Paul y más allá Mijaíl. En la otra punta está Hoban. Los focos dan una luz muy intensa. No me gustan los focos.

—Y hablasteis —dijo Oliver con delicadeza, guiándola.

—Hablo de fútbol con Paul. Me explica las sutilezas del juego. Está contento. Es raro que su padre y su madre asistan juntos a un acontecimiento como ése. Se habla también del *Free Tallinn*. Hoban propone a Mijaíl que haga un viaje por mar en el *Free Tallinn*. Lo tienta como el diablo. Será una hermosa travesía. El paso por el Bósforo desde Odessa es hermoso. Mijaíl disfrutará mucho. No se lo contarán a Yevgueni. Será un secreto, un regalo para sorprenderlo.

—¿Y Mijaíl accedió?

—Hoban fue muy sutil. Los diablos siempre son sutiles. Plantó la idea en la cabeza de Mijaíl, la fomentó, pero en su conversación se aseguró de que la idea saliese de Mijaíl. Felicitó a Mijaíl por su buena idea. Se volvió hacia mí. Mijaíl ha tenido una excelente idea. Viajará a bordo del *Free Tallinn*. Hoban es perverso. Es lo normal en él. Aquella noche estuvo más perverso de lo que es normal en él.

—¿Le has contado eso a Yevgueni o Tinatin?

—Hoban es el padre de Paul.

Habían regresado a la sala de estar, y allí se puso de manifiesto que Aggie, en alguna etapa de su adiestramiento, había adquirido nociones de enfermería, porque había preparado un consomé con pastillas de caldo y dos huevos, y en ese momento, sentada en el brazo del sillón que Zoya ocupaba, le daba el consomé con una cuchara, le tomaba el pulso, le frotaba las muñecas y le humedecía la cara con agua de colonia que había encontrado en el cuarto de baño. E inevitablemente Oliver se acordó de Heather en las ocasiones en que él padecía sus accesos de fiebre galopante y escalofríos, pero en tanto que Heather sentía una especie de poder sobre él al impartirle sus cuidados, Aggie simplemente parecía sentirse responsable de todo el universo, lo cual complacía a Oliver pero a la vez lo desconcertaba, porque hasta entonces había supuesto que a ese respecto él era un caso único. Oliver había ido a buscar la bolsa de Tiger y no le había revelado nada, excepto que dondequiera que estuviese o no estuviese, carecía de ropa para cambiarse. Tras desmontar la Kalashnikov, Aggie la había dejado en un rincón apoyada contra la pared y había traído velas nuevas porque, al igual que Oliver, tendía de manera instintiva a preservar el ambiente y no quería sobresaltar a Zoya con la aspereza de la luz eléctrica.

—¿Quién eres? —preguntó Zoya a Aggie.

—¿Yo? Soy sólo la nueva chorba de Oliver —respondió ella, y soltó una alegre risotada.

—¿«Chorba»? ¿Qué significa eso, por favor?

—Estoy enamorado de ella —explicó Oliver, y observó mientras Aggie tapaba a Zoya con una manta, le ahuecaba las almohadas que había bajado de los dormitorios, y le humedecía la frente con un paño empapado en colonia—. ¿Dónde está mi padre?

Siguió un largo silencio durante el cual Zoya pareció recomponer su memoria. De pronto, para asombro de Oliver, se echó a reír.

—Fue absurdo —dijo, moviendo la cabeza con macabro humor.

—¿Por qué?

—Nos habían traído a Mijaíl. Desde Odessa. Primero lo llevaron a Odessa. Luego Yevgueni les pagó y nos lo mandaron aquí a Estambul. El ataúd era de acero. Parecía una bomba. Compramos hielo. Yevgueni hizo una cruz. Estaba fuera de sí. Lo colocamos en la mesa dentro de su ataúd, envuelto en hielo.

—¿Se encontraba ya aquí mi padre?

—No.

—Pero vino a esta casa.

Zoya rió de nuevo.

—Fue de lo más teatral. Ridículo. Sonó el timbre de la puerta. No había criadas. Abrió Hoban, pensando que traían más hielo. No era hielo; era el señor Tiger Single con un abrigo. Hoban estaba encantado. Lo llevó a la habitación y dijo: «Mirad. Por fin nos visita un vecino. El señor Tiger Single ha venido a presentar sus respetos al hombre que ha asesinado.» A Yevgueni le pesaba demasiado la cabeza. No pudo levantarla. Hoban tuvo que llevarlo ante él para que le creyese.

—¿Cómo? Llevarlo ¿cómo?

Zoya dobló el brazo tras la espalda, con la mano tan arriba como le fue posible. Luego alzó la barbilla e hizo una mueca de dolor.

—Así —añadió.

—¿Y después?

—Después Hoban dijo: «¿Lo saco al jardín y le pego un tiro?»

—¿Dónde estaba Paul? —preguntó Oliver, experimentando de pronto una inexplicable inquietud por el niño.

—Con Mirsky, gracias a Dios. Cuando llegó el cadáver de Mijaíl, envié a Paul a casa de Mirsky.

—Sacaron a mi padre al jardín, pues.

—No. Yevgueni dice: «No, no lo mates. Si estamos en presencia de los muertos, estamos también en presencia de Dios.» Así que lo ataron.

—¿Quién lo ató?

—Hoban tiene a sus hombres. Rusos de Rusia, rusos de Turquía. Mala gente. No sé cómo se llaman. A veces Yevgueni los echa, pero más tarde se olvida o se arrepiente.

—¿Y después de atarlo? ¿Qué hicieron entonces con él?

—Lo obligaron a contemplar a Mijaíl en la mesa. Le enseñaron los orificios de bala. No le gustó lo que veía. Lo forzaron a mirar. Luego se lo entregaron a un guardián para que lo encerrase en una habitación.

—En la buhardilla hay una cama individual —informó Aggie—. Está empapada.

—¿De sangre?

Aggie negó con la cabeza y arrugó la nariz.

—¿Cuánto tiempo lo mantuvieron encerrado en esa habitación? —preguntó Oliver a Zoya.

—Quizá una noche, quizá más. Quizá seis. No lo sé. Hoban es como Macbeth: ha asesinado el sueño.

—¿Dónde está ahora? —dijo Oliver, refiriéndose a su padre.

—Hoban repite a todas horas: «Lo mataré. Déjame matarlo. Es un traidor.» Pero a Yevgueni no le queda voluntad. Está destruido. «Mejor será que lo llevemos con nosotros. Hablaré con él.» Lo bajan. Alguien le ha golpeado, quizá Hoban. Le vendo las heridas. Es tan pequeño… Yevgueni apela a su honor: «Te llevaremos de viaje. Hemos alquilado un avión. Tenemos que enterrar a Mijaíl, su cuerpo está ya corrompido. No debes resistirte, eres un prisionero. Debes acompañarnos como un hombre, o si no Hoban te matará de un balazo o te tirará del avión.» Yo no lo oí. Es lo que Hoban me contó. Quizá sea mentira.

—¿Adónde iba el avión?

—A Senaki, en Georgia. Es un secreto. Lo enterrarán en Belén. Temur se encarga de los preparativos desde Tiflis. Será un doble funeral. Cuando Hoban mató a Mijaíl, mató también a Yevgueni. Es lo normal.

—Pensaba que Yevgueni no era bienvenido en Georgia.

—Su situación allí es precaria. Si está callado, si no compite con las mafias, lo toleran. Si manda grandes cantidades de dinero, lo toleran. Últimamente no ha podido mandar mucho dinero, así que su situación es precaria. —Zoya dejó escapar un profundo suspiro y cerró los ojos por un rato. Luego los abrió lentamente—. Yevgueni no tardará en morir, y Hoban será el rey de todo. Pero tampoco entonces estará satisfecho. Mientras quede un solo hombre inocente en la tierra, no estará satisfecho. —Una bella sonrisa asomó a sus labios—. Así que ten cuidado, Oliver. Tú eres el último hombre inocente.

Percibiendo el ambiente algo más distendido, Oliver se puso en pie, sonrió, se desperezó, se rascó la cabeza, movió los brazos en círculo, enarcó la espalda, e hizo en general todo aquello que solía hacer cuando llevaba mucho tiempo sentado en una misma posición, o cuando pensaba en tantas cosas a la vez que los motores de su cuerpo necesitaban liberar un poco de presión. Formuló unas cuantas preguntas —con aparente despreocupación—, como por ejemplo cuál era el apellido de Temur y qué día habían partido exactamente. Y mientras se paseaba por la habitación y tomaba nota mentalmente de las respuestas de Zoya, no pudo resistir la tentación de realizar un breve peregrinaje hasta la BMW de la habitación contigua, donde levantó la funda y contempló con una sonrisa sus resplandecientes contornos, constatando al mismo tiempo a través de la puerta que Aggie, con su inquebrantable solicitud, aprovechaba su ausencia para darle más caldo a su paciente.

Escapando de la línea de visión de Aggie, se acercó en silencio a la cristalera, agarró la llave y, con toda la suavidad posible, la hizo girar hasta descorrer completamente el pasador. A continuación empujó las puertas un par de centímetros, comprobando para su satisfacción que, como la cristalera de la sala de estar, se abrían hacia afuera. Y en ese punto se adueñó de él un sentimiento de culpabilidad casi insufrible, que prácticamente lo impulsó a regresar a la sala de estar, bien para confesar lo que acababa de hacer, bien para invitar a Aggie a acompañarlo. Pero le estaba vedado tanto lo uno como lo otro, porque si lo hacía, no estaría ya protegiéndola, cosa que, dados los riesgos de su empresa, consideraba lo más decente. Furtivamente, pues, como un colegial haciendo novillos, echó otra ojeada a través de la puerta que comunicaba las dos habitaciones y, una vez confirmado que Zoya y Aggie habían entablado conversación, abrió de par en par las puertas de la cristalera, retiró la funda de la moto, plegó la patilla, montó, dio al contacto, apretó el botón de arranque y, con un rugido que pareció surgir de las entrañas mismas de su ser, se adentró en la noche estrellada y atravesó el puente del Conquistador camino de Belén.

19

A Oliver le entusiasmaban las motos desde que Tiger las había decretado propias de la clase baja. En sueños, había huido en ellas, dotándolas de alas y otros poderes mágicos; en el pueblo cercano a Nightingales, había montado detrás de los hijos de los granjeros y probado el elixir de la velocidad; en la adolescencia, había soñado con chicas de piernas largas yendo de paquete detrás de él. Pero si bien el viaje hasta Ankara cumplía muchas de sus expectativas más exóticas —una luna brillante, el cielo nocturno, la carretera sinuosa y vacía a cualquier parte—, no pudo dejar de atormentarse con los peligros que se hallaban ante él, y con los que había dejado atrás.

Al pasar junto al Ford, se había detenido sólo el tiempo suficiente para coger dinero de la bolsa de viaje y escribir una nota que dejó sujeta bajo una de las varillas del limpiaparabrisas: «Lo siento, pero no me creía con derecho a meterte en esto, Oliver.» Pasadas unas horas, ese texto se le antojaba tan inadecuado que deseaba ponerse en contacto con ella por teléfono, regresar y explicarse mejor. La ropa, el teléfono móvil, los pasaportes a nombre de Single y el resto del dinero los había dejado en su sitio. Había decidido tomar la carretera a Ankara porque había visto el indicador, y porque supuso que la primera medida de Brock en cuanto recibiese la noticia sería vigilar los vuelos con salida de Estambul. Pero eso no significaba que Ankara fuese totalmente segura, ni que pudiese embarcarse libremente en un vuelo de Ankara a Tiflis. Por otra parte, el señor West no disponía de visado para entrar en Georgia, y Oliver sospechaba que lo necesitaría. Pero estas preocupaciones no eran nada en comparación con la imagen grabada en su mente de Tiger con el brazo doblado tras la espalda, obligado a andar por Alix Hoban; de Tiger golpeado, sangrando, forzado a contemplar el cadáver destrozado de Mijaíl; de Tiger orinándose de terror mientras esperaba la hora de ser conducido a Belén y asesinado. «Es tan pequeño…», había dicho Zoya.

Al principio continuó por la carretera. No tenía alternativa. Avanzaba deprisa, pero los baches eran su continuo temor. A ambos lados veía pasar montes negros salpicados de ciudades satélite con altos edificios, semejantes a plataformas petrolíferas iluminadas. Llegó a un túnel. Lo atravesó y, al salir, vio poco más adelante una viga horizontal azul con luces blancas y unos números saltaron hacia él a la altura de la cabeza. Era un peaje. Milagrosamente, frenó a tiempo, echó un billete de cincuenta millones de liras al estupefacto hombre de la ventanilla y siguió adelante. Dos veces, o quizá más, tuvo que detenerse en controles policiales por orden de unos hombres con blusones amarillos de plástico y bandas plateadas fosforescentes en el pecho. Provistos de linternas, escrutaban su rostro y su pasaporte en busca de algún rasgo kurdo o algún otro trastorno semejante. En una ocasión, se metió de pleno en un considerable socavón y estuvo a punto de rodar por el suelo. En otra ocasión, frenó derrapando al borde mismo de un profundo despeñadero. Se quedó sin gasolina y tuvo que parar a un coche para que lo llevase, descubriendo que había una estación de servicio a sólo quinientos metros. Pero estas penalidades quedaron atrás como un sueño, y cuando despertó, se encontraba ante el mostrador de información del aeropuerto de Ankara, donde le comunicaron que la única manera de viajar en avión a Tiflis era volver a Estambul y tomar el vuelo de las ocho de la tarde, es decir, a catorce horas vista. Pero Estambul era el lugar donde había dejado a Aggie, y a las ocho de la tarde Hoban ya podía haber librado a Tiger de sus sufrimientos.

Oliver recordó entonces que era rico, y que llevaba consigo parte de sus riquezas, y que el dinero, como Tiger solía decir, era la herramienta de utilidad general más eficaz del mundo. Así pues, descendió a las catacumbas administrativas del aeropuerto y, con cinco billetes de cien dólares sobre la mesa entre ambos, habló lentamente en inglés con un grueso caballero que combatía el nerviosismo deslizando con los dedos unas cuentas ensartadas en un hilo y que finalmente abrió una puerta y dio un grito a un subordinado que regresó acompañado de un hombre ojeroso que vestía un mugriento mono verde con alas en el bolsillo y se llamaba Farouk, y Farouk era dueño y piloto de un avión de transporte que se hallaba en reparación en el hangar pero estaría listo en una hora, convertida al final en tres. Y Farouk aceptaría el servicio por la módica suma de diez mil dólares, siempre y cuando Oliver no se mareara en su avión ni dijese a nadie que Farouk lo había llevado a Tiflis. Oliver sondeó la posibilidad de viajar a Senaki, pero Farouk no se dejó tentar por Senaki, ni siquiera a cambio de otros cinco mil dólares.

—Senaki demasiado prohibido. Demasiados rusos. Abjasia da muchos problemas.

Una vez cerrado el trato, el caballero grueso con la sarta de cuentas para los nervios no pareció muy contento. Un arraigado instinto burocrático le decía que el trámite había sido demasiado fluido y demasiado rápido.

—Debe rellenar papeles —informó a Oliver, ofreciéndole una pila de formularios viejos en turco. Oliver rehusó el ofrecimiento. El caballero grueso buscó otros pretextos para demorarlo, pero finalmente se rindió.

El avión despegó, se sacudió en el aire y pasó rozando sobre las montañas, y durante la segunda mitad del viaje Oliver afortunadamente durmió, y quizá también Farouk durmió, ya que aterrizaron en Tiflis con tal brusquedad y rodaron tan corta distancia por la pista que dio la impresión de que el piloto hubiese despertado de un profundo sueño en el último momento. En el aeropuerto de Tiflis era obligatorio presentar un visado de entrada en vigor, y la ley no podía tomarse a la ligera. Ni el mariscal de campo de Inmigración, ni su colega el almirante de Seguridad, ni ninguno de los muchos edecanes, auxiliares y navegantes podían contemplar siquiera la posibilidad de permitir la entrada de Oliver en el país por menos de quinientos dólares en metálico, y sólo se aceptaban billetes pequeños. Por entonces era ya última hora de la tarde. Oliver cogió un taxi y dio al conductor la dirección de Temur, que era una puerta con diez timbres y ni un solo nombre junto a los botones. Apretó uno, luego otro, y por último todos a la vez, y si bien se veía luz en varias ventanas del edificio, nadie bajó, y cuando llamó a Temur a gritos, algunas de las luces se apagaron. Telefoneó desde un café, pero también fue inútil. Empezó a caminar. Barría la ciudad un gélido viento norte procedente del Cáucaso. Las casas de madera crujían y vibraban como barcos viejos. En los callejones, hombres y mujeres con abrigos y pasamontañas se apretujaban alrededor de neumáticos de coche en llamas buscando un poco de calor. Regresó a la casa de Temur y llamó otra vez a todos los timbres. Nada. Se echó a caminar de nuevo, manteniéndose en el centro de las estrechas callejas porque en la total oscuridad lo asaltó de pronto un miedo irracional. Bajó por una cuesta y, para alivio suyo, reconoció el mosaico dorado de la puerta de los antiguos baños termales. Una anciana cogió su dinero y lo acompañó a una habitación vacía revestida de azulejos blancos. Un hombre esquelético en calzoncillos lo sumergió en una bañera de agua sulfurosa, lo hizo tenderse desnudo sobre un tajador y le restregó con una esponja de *luffa* hasta dejarlo en carne viva desde el cuello hasta los pies. Con todo el cuerpo escocido, fue a una discoteca y, después de volver a telefonear a Temur en vano, preguntó dónde podía alojarse y le dieron instrucciones para llegar a una pensión sin nombre. Aunque se hallaba a sólo dos calles de distancia, la oscuridad era tal que estuvo a punto de perderse. Pasó junto a una fila de espectrales trolebuses y recordó que en Tiflis los trolebuses se paraban en el acto cuando se producía un corte en el suministro eléctrico, cosa que ocurría la mayor parte del día. Llamó a la puerta de la pensión con el puño y aguardó, oyendo descorrerse los cerrojos. Apareció un viejo con bata y redecilla en el pelo y le habló en georgiano, pero Oliver tenía ya muy olvidadas las clases de Nina. El viejo probó en ruso, y fue aún peor, así que Oliver juntó las manos y apoyó la cabeza en ellas simulando dormir. El viejo lo guió hasta una celda de la buhardilla con un catre del ejército, una lámpara con la pantalla estampada de ninfas retozonas y remendada, y un lavabo provisto de un trozo de jabón del ejército y un pañuelo muy grande o una toalla muy pequeña. Sonaron sirenas a lo largo de toda la noche. ¿Un incendio? ¿Un golpe de Estado? ¿Un asesinato político? ¿O una niña muerta en un accidente de tráfico y llamada Carmen? Aun así, concilió el sueño, con la camisa y el pantalón y los calcetines puestos, y el resto de su ropa amontonado sobre la cama para darle calor, y la piel dolorida, y el viento sacudiendo los aleros de madera mientras echaba en falta a

Aggie y temía por Tiger, y en sus sueños lo vio ir llori- queando de un lado a otro de Belén en tanto Hoban y Yevgueni intentaban ponerse de acuerdo sobre cuál era el mejor sitio para volarle la cabeza. Despertó y descu- brió que estaba aterido de frío. Despertó de nuevo y sudaba azufre. Despertó una tercera vez y marcó el número de teléfono de Temur, y éste contestó de inme- diato, la eficiencia personificada. ¿Un taxi, un helicóp- tero? No hay problema, Oliver. Tres mil dólares en efectivo, pásate por aquí a las diez de la mañana.

—¿Te espera esa gente allí arriba? —inquirió Temur.

—No.

—Quizá los avise. Así no se pondrán nerviosos.

De todas las órdenes que Brock podía haber dado a Aggie en aquel momento, la peor con diferencia era, decidió, exigirle que se quedase de brazos cruzados es- perando nuevas instrucciones. Si le hubiese pedido que saltase al Bósforo, si la hubiese reprendido severamen- te, si le hubiese mandado que se presentase con la ca- beza rapada en castigo ante la puerta trasera de la em- bajada para su repatriación inmediata, como mínimo habría sentido menos la humillación. Sin embargo el mensaje recibido, con aquel acento sensato y ecuánime de Liverpool, era: «¿Dónde estás, Charmian? ¿Puedes hablar libremente con nosotros? ¿Y a qué hora ocurrió, lo recuerdas? Bien, quédate donde estás, Charmian, por favor, y no hagas nada hasta que tengas noticias mías o de tu madre…» Razón por la cual Aggie llevaba dos horas enjaulada en aquel mísero restaurante con el techo de hojalata, bancos vacíos, pollos de cuello des- plumado, y un perro escrofuloso de pelaje amarillo lla- mado *Apolo* que mantuvo la cabeza apoyada en la ro- dilla de Aggie y la miró con ojos tiernos hasta que ella le compró otra hamburguesa.

Y todo es culpa mía, se repetía Aggie sin cesar. Ha sido un accidente que esperaba el momento de ocurrir, a cámara lenta, con mi consentimiento, así que ha ocurrido. Aggie había visto la motocicleta, había percibido las intenciones de Oliver, había notado que pese a mostrarse solícito con Zoya estaba muy pensativo. Y cuando lo contempló alejarse como una enorme liebre plateada a través de la hierba iluminada por la luna hasta llegar al camino y perderse de vista detrás de la casa, su primer pensamiento fue: Hijo de puta impaciente, si hubieses esperado un segundo, ahora estaría encima de esa moto contigo.

Pero era una crisis, y Aggie la había superado como tantas veces. Hizo todo lo que debía hacer, meticulosa y concienzudamente, como si se preparase para emprender el viaje más largo de su vida, que por alguna razón era como se sentía. Corrió al coche y leyó la nota de Oliver, que la enfureció como correspondía hasta que recordó su voz diciendo a Zoya sin la menor afectación: «Estoy enamorado de ella.» Telefoneó al número directo de Brock, contestó Tanby, y le ofreció el mínimo indispensable en el más desapasionado de los tonos: «Primo ha robado una moto y, según parece, viaja rumbo a Georgia. Más información dentro de dos horas. Corto y fuera.» Corrió nuevamente al lado de Zoya, a quien la marcha de Oliver parecía haberle devuelto el ánimo, ya que sonreía complacida de una manera que en otras circunstancias habría molestado considerablemente a Aggie. Pero Aggie tenía trabajo pendiente y promesas que cumplir, aunque se las hubiese hecho a sí misma. Acompañó a Zoya al piso superior, permaneció a su lado mientras se lavaba, y juntas buscaron un camisón y ropa que ponerse a la mañana siguiente. Tomándose todas esas molestias por Zoya, Aggie se vio obligada asimismo a escuchar consejos de discutible sabiduría sobre la relación entre Oliver y ella misma, impartidos por Zoya con la autoridad de los desquiciados. Prometiendo que lo tendría muy en cuenta, Aggie pensó qué más podía hacer por ella. Un papel autoadhesivo con el número particular de Mirsky pegado a la pared junto al teléfono le proporcionó la respuesta. Marcó el número y salió el contestador automático de Mirsky. Se describió a sí misma como una amiga neozelandesa de Zoya que pasaba por allí, y dijo que si bien no deseaba entrometerse, ¿sería posible que los Mirsky ofreciesen a Zoya atención urgente, como por ejemplo conseguirle un médico y llevársela a otra parte durante una temporada? Quitó el cerrojo de la Kalashnikov y se lo guardó en el bolso. Luego subió otra vez al dormitorio para asegurarse de que Zoya estaba acostada y, para su satisfacción, la encontró dormida. Volvió de inmediato al Ford.

Mientras se dirigía al aeropuerto de Estambul, la atormentó una nueva pesadilla. ¿Se habría encaminado Oliver hacia la franja montañosa de Turquía? Lo creía capaz de todo. En la terminal de salidas, después de devolver el Ford a la agencia de alquiler, recurrió a un calculado ataque de remordimientos y desesperación. Puso el corazón en ello, lo cual no le exigió un gran esfuerzo. Era Charmian West y estaba aterrorizada, explicó al joven empleado de mirada comprensiva que se hallaba tras el mostrador de las aerolíneas turcas. Le mostró el pasaporte, acompañado de su más sugerente sonrisa. Ella y Mark llevaban casados exactamente seis días, y la noche anterior se habían enzarzado en una pelea sin motivo alguno, la primera, y cuando despertó por la mañana, encontró una nota donde él le anunciaba que salía de su vida para siempre… Tecleando tiernamente en su ordenador, el empleado dijo que, tal como ella temía, ninguna de las listas de pasajeros de los vuelos de salida de esa mañana incluían a un West.

Tampoco constaba su nombre en la lista de reservas para las horas siguientes.

—Muy bien —respondió Aggie, pensando en realidad que no estaba bien en absoluto—. ¿Y si, supongamos, hubiese viajado en autocar a Ankara y tomado un vuelo desde allí?

Pero ante esta nueva petición el empleado contestó, con cierta severidad, que lo lamentaba mucho pero las listas de pasajeros de Ankara no estaban al alcance de su romanticismo. Así que Aggie abandonó el aeropuerto y se refugió en aquel restaurante nocturno, donde, con la participación de *Apolo*, realizó la prometida llamada a Brock por el teléfono móvil. Tras lo cual no podía hacer nada salvo esperar, y seguir esperando a tener noticias de su madre o de él, que era precisamente lo que hacía en ese momento.

¿Y qué diría ante esto mi verdadera madre, ella que nunca está contenta a menos que sus propios intereses se vean desatendidos? Haz con él lo que quieras, Mary Agnes, siempre y cuando no le causes ningún daño...

¿Y mi padre, el modélico maestro escocés? Eres una chica fuerte, Mary Agnes. No debes ser tan exigente con los hombres...

Sonaba el teléfono. No era su madre ni su padre, sino una grabación de la central de mensajes:

—Mensaje para Arcángel.

Ésa soy yo.

—Tiene reservado un pasaje en el vuelo a Toytown.

Ése era el nombre en clave de Tiflis.

—La estarán esperando a su llegada. Opción alternativa, su tío en la zona.

¡Aleluya! ¡Me han indultado!

Levantándose de un salto, Aggie dejó unos billetes en la mesa, dio a *Apolo* un afectuoso abrazo, y llena de júbilo se dirigió hacia la terminal de salidas. En el camino se acordó del cerrojo de la Kalashnikov y del cargador de munición y logró reunir el sentido común suficiente para tirarlos a un cubo de basura antes de pasar el bolso por el control de equipaje.

En el aeropuerto de Northolt, Brock subió al avión camuflado de transporte militar con la sensación de haber hecho bien todas las cosas intrascendentes de su vida, y mal todas las importantes. Había detenido a Massingham, pero Massingham nunca había sido su objetivo prioritario. Había identificado a Porlock como la manzana más podrida del cesto, pero carecía de pruebas válidas ante un tribunal. Para conseguir una sentencia contra él, necesitaba a Tiger, y calculaba que sus probabilidades de encontrarlo eran casi nulas. Esa mañana, en la negociación con el enlace ruso y georgiano, habían acordado que Brock tendría a Tiger si los rusos podían atrapar a Hoban y Yevgueni. Sin embargo las probabilidades de que Tiger siguiese con vida cuando Brock llegase hasta él eran, a su juicio, inexistentes, y lo que le corroía realmente las entrañas era que, en su determinación de coger al padre, había enviado a una muerte segura también al hijo. Nunca debería haberle dado rienda suelta, se dijo. Debería haber estado a su lado, *in situ*, las veinticuatro horas del día.

Como de costumbre no culpó a nadie salvo a sí mismo. Al igual que Aggie, tenía la impresión de haber tenido ante sus ojos los indicios obvios y no haber sido capaz de extraer las conclusiones obvias. Yo lo empujaba, pero Tiger tiraba de él, y el tirón de Tiger era más fuerte que mi presión. Sólo la inminencia de la batalla le servía de consuelo, la perspectiva de que después de tantas tentativas y amagos y cálculos de despacho, se había fijado una fecha y un lugar, los padrinos habían sido elegidos y las armas acordadas. En cuanto al riesgo que el propio Brock asumía, él y Lily habían ya hablado a su indirecta manera, coincidiendo en que no quedaba elección:

—Se trata de ese joven —había dicho Brock a Lily por teléfono hacía una hora—. Y le he creado muchas complicaciones, ¿comprendes? Y no sé si hice bien.

—¿Ah, sí? ¿Y qué le ha pasado, Nat?

—Bueno, ha ido a dar un largo paseo y, por mi culpa, en el camino ha caído en malas compañías.

—En ese caso debes ir a buscarlo, ¿no, Nat? No estaría bien abandonarlo a su suerte, y menos tratándose de un joven.

—Sí, claro, imaginaba que lo verías de ese modo, Lily, y te lo agradezco —respondió Brock—. Porque no va a ser coser y cantar, ¿entiendes?

—Claro que no. Nada que merezca la pena resulta fácil. Desde que te conozco siempre has hecho lo que debías, Nat. No vas a cambiar ahora, no si quieres seguir siendo quien eres. Así que ve y hazlo.

Pero Lily tenía asuntos más acuciantes que tratar con él, lo cual avivó más aún el afecto que Brock sentía por ella. La veleidosa hija de la jefa de correos se había fugado con Palmer, el contratista, que había abandonado a su pobre esposa, dejándola a cargo de un montón de hijos. Lily se proponía cantarle las cuarenta al joven Palmer la próxima vez que lo viese. Consideraba seriamente la idea de presentarse en su patio y decirle qué pensaba de él. Y en cuanto a la jefa de correos, echar a su hija a los brazos del hombre más rico del pueblo y luego sentarse detrás de ese cristal blindado creyéndose inmune a todo…

—Tú verás, Lily, pero lleva mucho cuidado —advirtió Brock—. Los jóvenes ya no son tan respetuosos como antes.

El grupo de asalto se componía de ocho hombres. Según Aiden Bell, uno más sería ya una multitud, dados los problemas de coordinación existentes en el punto de destino.

—No me extrañaría que los rusos apareciesen con un obús —pronosticó lúgubremente.

Iban sentados en dos filas de a tres y cuatro en el fuselaje, vestidos con uniforme ligero de combate, zapatillas negras y pasamontañas negros, y llevaban el rostro embadurnado de pintura de guerra.

—Recogeremos al último hombre cuando cambiemos de transporte en Tiflis —había anunciado Bell, omitiendo que el último hombre era una mujer.

Brock y Bell se sentaron aparte, un alto mando formado por dos jefes. Brock vestía unos vaqueros negros y una chaqueta a prueba de bala con el emblema de aduanas sobre el corazón como una medalla. Se había negado a llevar arma. Mejor muerto que sometido a una investigación interna para esclarecer por qué había disparado contra uno de sus propios hombres. Unas marcas fosforescentes en la guerrera distinguían a Bell como comandante del grupo, pero sólo era posible verlas con las adecuadas gafas de visión nocturna. El avión se sacudió y gruñó, pero pareció no avanzar hasta que se hallaron sobre las nubes en tierra de nadie.

—Nosotros nos ocuparemos del trabajo sucio —dijo Bell a Brock—. Tú encárgate de las relaciones públicas.

20

Lo primero que llamó la atención de Oliver al ocupar su lugar entre los dos jóvenes de mirada hosca que lo esperaban junto al helipuerto fueron los tractores. Tractores amarillos de labranza. Si algún día necesito uno o dos tractores amarillos, vendré a pedirlos prestados a Belén, y ni siquiera los echarán en falta, pensó despreocupadamente. Se obligaba a centrar el pensamiento en el mundo exterior. Se había jurado hacerlo. Al aproximarse por el aire, había admirado la majestuosidad de las montañas. Al tomar tierra, había admirado las cuatro aldeas, el valle cruciforme, el halo dorado de las cumbres nevadas. Ya abajo, le tocó el turno a los tractores. Cualquier cosa, se decía, con tal de que mires hacia afuera, y no hacia adentro.

Tractores abandonados. Tractores destinados a construir nuevas carreteras que de pronto habían dejado de ser carreteras y se habían convertido otra vez en campos. Tractores para nivelar el terreno con vistas a edificar, tender los canales de irrigación y el alcantarillado, roturar campos, arrastrar troncos cortados, salvo que no había casas nuevas, los tramos de tubería no estaban tendidos sino amontonados, y los troncos se hallaban allí donde habían caído. Tractores adheridos como babosas a sus viscosos rastros. Tractores mirando con nostalgia hacia los resplandecientes picos. Pero inactivos. No se movía ni uno solo, en ninguna parte. Doblegados de pronto ante los viñedos a medio plantar, ante las conducciones inacabadas. Estrellados contra barreras invisibles, y sin un solo conductor a la vista.

Cruzaron una vía de ferrocarril. La maleza asomaba entre las ruedas de vagones vacíos y desechados. Las cabras se paseaban entre las traviesas. «Su situación allí es precaria —oía decir a Zoya—. Si manda grandes cantidades de dinero, lo toleran. Últimamente no ha podido mandar mucho dinero, así que su situación es precaria.» Los ocupantes de las casas de piedra lo observaban con expresión malévola desde las puertas. Sus acompañantes no eran mucho más cordiales. El muchacho de su izquierda tenía cicatrices en la cara y actitud de anciano. El muchacho de su derecha renqueaba y gruñía al ritmo de su cojera. Los dos portaban fusiles automáticos. Los dos presentaban el aspecto de miembros de una orden secreta. Lo llevaban hacia la granja, pero por una ruta distinta de la acostumbrada. Zanjas, cimientos anegados y una pasarela hundida obstruían el antiguo camino. Vacas y asnos pacían entre una colonia de silenciosas hormigoneras. En cambio la granja continuaba poco más o menos como la recordaba: los peldaños labrados, la terraza de roble, las puertas abiertas de par en par, y dentro la misma oscuridad. El muchacho cojo le indicó que subiese por los peldaños. Oliver trepó a la terraza, oyendo resonar sus pisadas en el aire vespertino. Llamó con los nudillos a la puerta abierta, pero nadie contestó. Dio un paso hacia la oscuridad y se detuvo. Ni un solo sonido, ni el olor de los guisos de Tinatin. Sólo un hedor dulzón, dando fe de la presencia reciente de cadáveres. Distinguió la mecedora de Tinatin, las cuernas, la estufa metálica. Luego la chimenea de ladrillo y el retrato de la anciana triste en su maltrecho marco de yeso. Se dio media vuelta. Un gato joven había saltado de la mecedora y enarcó la espalda ante él, recordándole a *Jacko*, el siamés de Nadia.

—¿Tinatin? —llamó. Esperó—. ¿Yevgueni?

Al fondo se abrió lentamente una puerta y un haz de luz vespertina se dibujó en el suelo. En el centro del haz, vio la sombra de un duendecillo, seguida momentos después de Yevgueni, mucho más frágil de lo que Oliver preveía, con unas pantuflas y una chaqueta de punto afelpada, caminando con ayuda de un bastón. Una especie de vello ralo y blanco crecía donde antes había estado su mata de pelo castaño, y se extendía por las mejillas y la mandíbula como sedoso polvo de plata. Los astutos ojos que cuatro años atrás chispeaban entre las largas pestañas eran ahora oscuras cavidades oblicuas. Y detrás de Yevgueni se cernía la anodina e impecable figura de Alix Hoban, en parte criado, en parte demonio, con una veraniega chaqueta blanca y un pantalón azul oscuro y, colgando de la muñeca como un bolso, la caja mágica negra de su teléfono móvil. Y quizá, como sostenía Zoya, era realmente el diablo, ya que, al igual que el diablo, no proyectaba sombra, hasta que por fin ésta apareció y se colocó junto al duendecillo de Yevgueni.

Yevgueni habló primero, y su voz era tan firme y feroz como siempre había sido.

—¿Qué haces aquí, Cartero? No vengas aquí. Es un error. Vete —dijo, y se volvió para repetir la orden furiosamente a Hoban, pero Oliver se le adelantó.

—He venido a buscar a mi padre, Yevgueni. Mi otro padre. ¿Está aquí?

—Está aquí.

—¿Vivo?

—Está vivo. Nadie lo ha matado. Todavía.

—¿Puedo, pues, saludarte como es debido?

Avanzó resueltamente hacia él con los brazos extendidos. Y Yevgueni estuvo a punto de corresponderle, ya que susurró «Bienvenido» y levantó las manos, pero se contuvo al percibir la mirada de Hoban. Bajó la cabeza y se hizo a un lado para dejar paso a Oliver. Circunstancia que Oliver aprovechó, negándose a aceptar el desaire, y movido por el alivio de saber que Tiger aún vivía, echó un alegre y nostálgico vistazo a la habitación hasta que, mucho después de lo que habría sido normal, su mirada se posó en Tinatin treinta años más vieja, sentada en una silla alta de mimbre, con las manos entrelazadas sobre el regazo, una cruz colgada del cuello, y detrás un icono del Niño Dios mamando del pecho cubierto de su madre. Oliver se arrodilló ante ella y le cogió la mano. Su rostro, advirtió cuando se levantó para besarla, había cambiado. Nuevas arrugas surcaban en trazos verticales y oblicuos su frente y sus mejillas.

—¿Dónde has estado, Oliver?

—Escondido.

—¿De quién?

—De mí mismo.

—Nosotros no podemos hacer lo mismo —dijo Tinatin.

Oyó un ligero ruido y se volvió a mirar. Acercándose a una puerta trasera, Hoban la había abierto empujándola con las yemas de los dedos. Ladeó la cabeza, invitando a Oliver a seguirlo.

—Ve con él —ordenó Yevgueni.

Pegado a los talones de Hoban, Oliver cruzó un patio hasta un bajo establo de piedra, custodiado por dos hombres armados de aspecto igual de encantador que los que lo habían acompañado hasta la granja. La puerta estaba cerrada mediante travesaños de madera encajados en soportes de hierro.

—Es una lástima que te hayas perdido el funeral —comentó Hoban—. ¿Cómo se te ha ocurrido venir aquí? ¿Te envía Zoya?

—No me envía nadie.

—Esa mujer es incapaz de quedarse callada ni cinco minutos. ¿Has invitado a alguien más a venir?

—No.

—Si lo has hecho, mataremos a tu padre y luego también a ti. Yo participaré personalmente en la operación.

—No lo dudo.

—¿Te la has tirado?

—No.

—Esta vez no, ¿eh? —Aporreó la puerta—. ¿Hay alguien en casa? Señor Tiger, tiene una visita.

Pero para entonces Oliver ya se había abierto paso entre Hoban y los vigilantes y retiraba los travesaños de sus alojamientos. Empujó la puerta y se le resistió. Lanzó entonces varias patadas hasta que cedió.

—Padre —dijo, y entró rápidamente, notando el olor a heno y caballos que flotaba en el aire.

Oyó una voz quejumbrosa, como la de un inválido al despertar, seguida del susurro de la paja. El establo se hallaba dividido en tres compartimientos. Todos contenían paja. En el tercero, pendía de un clavo el raglán marrón de Tiger, y sobre la paja yacía su padre medio desnudo, de costado —tal como yacía Oliver en los momentos de tristeza—, con finos calcetines negros, calzoncillos blancos y una mugrienta camisa azul de Turnbull & Asser, el cuello blanco hecho jirones. Tenía las piernas encogidas contra el pecho y los brazos alrededor de las rodillas, el rostro cubierto de magulladuras negras, y los ojos hinchados y enrojecidos a causa del miedo al mundo en el que había renacido. Estaba encadenado. La cadena, sujeta de un extremo a un poste de madera por medio de una argolla de hierro, lo inmovilizaba de pies y manos. Trató de levantarse cuando Oliver se acercó, pero a medio camino se desplomó y de inmediato lo intentó de nuevo. Oliver, en lugar de

mantener una respetuosa distancia por temor a humi-
llarlo con su estatura, lo cogió por debajo de los brazos
y lo ayudó, reparando, al igual que Zoya, en su pequeño tamaño y en la extrema delgadez de su cuerpo bajo
la camisa de Turnbull & Asser. Observó la cara maltre-
cha de su padre y pensó en Jack, el marido ahogado de
la señora Watmore, pese a que lo conocía sólo por fotografías y de oídas: «En el agua durante diez días —le
había contado ella una vez—, y yo tuve que ir a Ply-
mouth a identificarlo.» Pensó en la necesidad de hacer
la respiración artificial a personas que uno no desea be-
sar. Pensó en Jeffrey, su hermano muerto, y se preguntó qué debía sentir un hombre que poseía Nightingales,
un ático en Londres y un Rolls-Royce al verse encadenado de pies y manos sin vistas ni secretarias.

—Vi a Nadia —dijo Oliver, creyéndose en la obligación de transmitir alguna noticia de cualquier clase—.
Te manda recuerdos.

Ignoraba por qué había elegido esa noticia en particular, pero Tiger lo abrazaba con un fervor sin precedentes y plantaba una especie de torpe beso oblicuo en
su mejilla, prudencialmente separada, si bien en cuanto
sus labios lo rozaron, Tiger lo apartó de un empujón y,
con un apresurado tono práctico pensado para que
Hoban lo oyese, le reprochó:

—Ya veo que no han tenido problemas para locali-
zarte, dondequiera que estuvieses, ¿eh? En Hong Kong
o donde sea.

—Sí. Me han localizado. En Hong Kong. Com-
prendido.

—Yo no estaba muy seguro de por dónde andarías,
¿entiendes? Vas siempre de un lado a otro. Nunca sé si
te dedicas a estudiar o a sondear clientes. Supongo que
ésa es la prerrogativa de los jóvenes: ser escurridizos.
¿Qué?

—Debería haberme puesto en contacto con más frecuencia —admitió Oliver. Y para Hoban añadió—: Quitadle esta cadena. Mi padre viene con nosotros a la casa. —Viendo que Hoban sonreía con desdén, Oliver lo agarró del codo y, observado por los vigilantes, lo llevó a donde no los oyesen—. Estás perdido, Alix —afirmó en virtud de muy poco salvo suposiciones—. Conrad va a contarlo todo a la policía suiza; Mirsky está a punto de cerrar un trato con los turcos; Massingham se ha retirado a su refugio, y tu cara aparece en todas las listas de criminales más buscados como autor del asesinato de Alfred Winser. No creo que en estos momentos te convenga volver a mancharte las manos de sangre. Es posible que mi padre y yo seamos tus únicas bazas para negociar.

—¿Qué papel representas tú en esa comedia, Cartero?

—Soy un miserable informador. Te delaté a las autoridades británicas hace cuatro años. Traicioné a mi padre, a Yevgueni y a todo el mundo. Mis superiores son un poco lentos a la hora de afilar el cuchillo. Pero darán contigo muy pronto, te lo aseguro.

Hoban fue a consultar con Yevgueni. Regresó y dio una orden a los vigilantes, que libraron a Tiger de la cadena y observaron mientras Oliver lavaba a su padre con una esponja y agua de un cubo, intentando recordar la última vez que Tiger había hecho eso por él en su infancia, y llegando finalmente a la conclusión de que nunca lo había hecho. Recogió el traje de Tiger del pesebre donde lo habían tirado y trató de recomponerlo lo mejor posible antes de ayudarlo a ponérselo, pierna por pierna, brazo por brazo, y por último le calzó los zapatos.

En la granja tenía lugar una especie de despertar, o quizá era una vuelta al letargo, un restablecimiento de las reconfortantes rutinas cotidianas en el período posterior a la muerte. Bajo la mirada escéptica de Hoban,

Oliver acomodó a su padre en una silla junto al fuego y frente a Yevgueni y sirvió una copa de vino de Belén a cada uno de una jarra colocada en la mesa. Y si bien Yevgueni se negó a advertir la presencia de Tiger, prefiriendo recrear la mirada en las llamas, una tácita complicidad los indujo a tomar el primer sorbo al unísono, concediéndose mutuo reconocimiento por el hecho mismo de esforzarse tanto en ignorarse mutuamente. Y Oliver, contemplándolos, puso todo su empeño en mantener ese cordial ambiente, por artificial que hubiese sido el método para crearlo. Representando el papel que con mayor naturalidad le salía —el hijo adoptivo pródigo recién regresado—, ayudó a Tinatin a mondar y cortar las verduras, mover las sartenes sobre el fuego, buscar velas y cerillas, y poner los platos y cubiertos en la mesa, comportándose en general, si no con frivolidad, sí con un continuo ajetreo que era como un ensalmo. «Yevgueni, ¿te lleno la copa?», y se la llenaba, ganándose un «Gracias, Cartero» entre dientes por su diligencia. «Ya no tardará, padre; ¿te apetece un poco de embutido para aguantar hasta la cena?», y Tiger, aunque avergonzado de sus uñas sucias, despertaba de su aturdimiento y aceptaba un trozo, y lo masticaba con su boca magullada, y declaraba que era el mejor que había comido, a la vez que forzaba espasmódicas sonrisas de satisfacción y, por efecto del alivio de su parcial liberación, empezaba a recobrar el ánimo y seguía a Oliver con la mirada por el salón a través de sus párpados hinchados.

—Esta casa es obviamente el Nightingales de Yevgueni —afirmó Tiger, levantando la voz por encima del ruido de la cocina. Le faltaba un incisivo y ceceaba.

—Sin duda —convino Oliver, colocando los cuchillos.

—Podrías habérmelo dicho. No estaba enterado. Deberías haberme avisado previamente.

—Creía que ya te lo había dicho.

—Me gusta estar bien informado. Un par de urbanizaciones de veraneo no quedarían nada mal aquí. O cuatro, pensándolo mejor. Una en cada valle.

—Sería un éxito seguro. Cuatro es una buena idea.

—Con un hotel en medio, discoteca, club nocturno, piscina olímpica.

—Es el sitio ideal.

—¿Has probado el vino, supongo? —preguntó Tiger con total seriedad pese a la mella.

—He bebido litros.

—Bien hecho. ¿Y qué impresión te causa?

—Me gusta. Me he aficionado a él.

—No me extraña. Tienes muy buen paladar. Veo aquí una excelente oportunidad para nosotros, Oliver. Me sorprende que no te hayas dado cuenta antes. De sobra sabes que siempre me han interesado los productos alimenticios y las bebidas. Es un complemento natural de la industria del ocio. ¿Te has fijado en todos esos tractores desaprovechados que hay afuera?

—Por supuesto —respondió Oliver, cortando finas rebanadas de pan con una antigua guillotina.

—¿Qué ha sido lo primero que te ha venido a la mente al verlos?

—La verdad es que estaba un poco cansado.

—Pues deberías haber pensado en tu padre. Es la clase de situación a la que saco mejor partido. Bienes en desuso por bancarrota, una empresa extinta. Todo a punto para el toque creativo. Se compran las instalaciones a precio de saldo, se aplican métodos modernos, se racionaliza la infraestructura, se reduce la mano de obra, y todo está en marcha en tres años.

—Genial —dijo Oliver.

—A los bancos les encantará.

—Por fuerza.

—Buena comida, buen vino, buenos servicios. Los

sencillos placeres de la vida. Ésa es la clave del próximo milenio. ¿No es así, Yevgueni? —No hubo respuesta, y entretanto Tiger, elogiosamente, tomó otro sorbo de su *cuvée* de Belén—. Pienso proponerle a la buena de Kat que añada este vino a su carta —anunció, dirigiéndose nuevamente a Oliver—. Un Cabernet más que aceptable. Un poco saturado de tanino. —Otro sorbo—. Unos cuantos años más en la botella lo mejorarían notablemente. Pero sin duda tiene un lugar entre los grandes. —Traga. Paladea—. Un sabor difícil de identificar, ése es el secreto. Kat lo hará correr como el agua. Apuesto algo a que más de uno se sonrojará ante este vino. A bote pronto me vienen a la cabeza un par de individuos que se las dan de entendidos. Siempre es un placer ver tambalearse al poderoso. —Otro largo sorbo. Se enjuaga los dientes con el vino. Traga. Se relame—. Necesitaremos un diseñador. Hablaré con Randy. Debemos conseguir una etiqueta acertada, estilizar la botella. Esos cuellos largos quedan siempre bien. Château Argonaut, ¿qué tal suena eso? A los españoles no les convencerá, eso os lo aviso de antemano. —Una risita—. No, no, eso seguro.

—Por mí, los españoles pueden cultivar otros placeres —dijo Oliver por encima del hombro mientras ponía la mesa.

Tiger aplaudió con delirante júbilo.

—¡Sí, señor! ¡Así habla un verdadero inglés! El otro día precisamente se lo comentaba a Gupta. No hay sujeto más arrogante en el mundo que un español por encima de sus posibilidades. Alemanes, franceses, italianos… son tolerables, ¿no, Yevgueni? —No hubo respuesta—. Nos han causado muchos agravios, esos españoles, y desde hace siglos. —Volvió a beber, aprestando valerosamente para el combate su pequeña mandíbula mientras buscaba otra vez a Yevgueni con mirada vacilante, sin éxito. Impertérrito, se dio una palmada en el muslo en señal de súbita inspiración—. ¡Dios mío, Yevgueni, casi se me olvida! ¡Tinatin, buena mujer, esto te encantará! A veces con tantas malas noticias, se olvida uno de las buenas. Oliver es padre. De una preciosa damisela llamada Carmen. Levanta tu copa con nosotros, Yevgueni. Alix, te veo apagado esta noche. Tinatin, querida amiga. Por Carmen Single. Larga vida, salud y felicidad para ella… y también prosperidad. Oliver, mi enhorabuena. La paternidad te sienta bien. Ahora eres más gran hombre que antes.

Y tú has menguado, pensó Oliver en un breve arrebato de furia al ver a su hija exhibida de aquel modo. Has revelado en toda su magnitud tu inmensa e infinita vacuidad. A las puertas de la muerte, no tienes nada a lo que apelar, aparte de tus inconcebibles trivialidades.

Pero esa ira no se traslució en el comportamiento de Oliver. Dando la razón, animando, alzando su copa hacia Tinatin —pero no hacia Hoban—, yendo y viniendo desenfadadamente entre la cocina y la mesa y los dos ancianos sentados junto al fuego, su único objetivo era crear un ambiente de sobria armonía. Sólo Hoban, atendiendo a su teléfono mágico, sentado en un banco entre dos hoscos compinches, permanecía totalmente ajeno al espíritu de la fiesta. Pero esa amarga y perturbadora presencia no podía desalentar a Oliver. Ni eso ni nada. El mago cobraba vida. El ilusionista, el eterno pacificador y deflector del ridículo, el creador de un karma imposible respondía a la llamada de las candilejas. El Oliver de las paradas de autobús azotadas por la lluvia, los hospitales infantiles y los albergues del Ejército de Salvación interpretaba su papel para salvar su propia vida y la de Tiger, mientras Tinatin guisaba, Yevgueni medio escuchaba y contaba sus desgracias en las llamas, y Hoban y sus compañeros del infierno tramaban sus agrias diabluras y calculaban sus menguantes opciones. Y Oliver conocía a su público. Comprendía su caos, su estupefacción, sus confusas lealtades. Sabía cuántas veces en su propia vida, en las horas más bajas, habría dado cualquier cosa por un mal prestidigitador con un mapache de peluche.

Incluso Yevgueni, poco a poco, dejó de resistirse a su magia. «¿Por qué no nos escribiste, Cartero?», reprochó junto al fuego cuando Oliver le rellenó una vez más la copa. Y en otra ocasión: «¿Por qué dejaste de aprender nuestra querida lengua georgiana?» Y a ambas preguntas respondió encantadoramente que al fin y al cabo era un hombre de carne y hueso, había sido desleal, pero ya había aprendido de sus errores. Y a partir de estos diálogos en apariencia inocentes, fue creciendo una especie de locura, una ilusión de normalidad compartida. Una vez preparada la cena, Oliver llamó a todos a la mesa e hizo sentarse a Yevgueni a la cabecera. Por un rato el anciano permaneció allí, con la cabeza gacha, mirando al plato. De pronto, como si la visión le hubiese devuelto el ánimo, se irguió, cerró los puños, se golpeó el amplio pecho y pidió más vino. Y fue a Hoban, no a Oliver, a quien Tinatin envió a la bodega.

—¿Qué tengo que hacer con vosotros, Cartero? —preguntó Yevgueni con lágrimas en las comisuras de los ojos—. Tu padre mató a mi hermano. ¡Dime!

Sin embargo Oliver, con peligrosa sinceridad, lo contradijo:

—Yevgueni, lamento mucho la muerte de Mijaíl. Pero mi padre no lo mató. Mi padre no es un traidor, y yo no soy hijo de un traidor. No entiendo por qué lo tratas como a un animal. —Oliver miró disimuladamente a Hoban, sentado con expresión impasible entre sus inquietos protectores. Y advirtió que su teléfono no se hallaba a la vista, lo que lo indujo a pensar con satisfacción que Hoban se había quedado sin amigos—. Yevgueni, creo que debemos disfrutar de tu hospitalidad y marcharnos con tu bendición en cuanto amanezca.

Y Yevgueni parecía dispuesto a aceptar la sugerencia, hasta que Tiger, deseoso siempre de protagonismo, echó a perder el momento:

—Permíteme que me ocupe de esto, Oliver, si no te importa. Nuestros anfitriones, incitados en gran medida, sospecho, por nuestro amigo Alix Hoban, tienen una visión muy distinta del asunto… No, no me interrumpas, por favor. Su posición es que, considerando que me he entregado a ellos por propia voluntad, se hallan en una doble posición de ventaja. Por un lado… no mientras yo hablo, Oliver, gracias… Por un lado, quieren convencerme de que renuncie a todo en su favor, que es lo que exigen desde hace meses. Por otro lado, desean vengarse por la muerte de Mijaíl, partiendo de la errónea suposición de que yo, en connivencia nada menos que con Randy Massingham, soy responsable de esa muerte. Nadie, ningún miembro de mi empresa o mi familia, es culpable ni remotamente de tal hecho. Sin embargo, como vosotros mismos podéis ver, mis desmentidos han caído en saco roto.

Lo cual indujo a Hoban a reafirmar la acusación, por más que su desagradable voz hubiese perdido parte de su habitual arrogancia.

—Tu padre nos jodió por todas partes —declaró—. Llegó a un acuerdo con Massingham a escondidas. Llegó a un acuerdo con la policía secreta británica. La muerte de Mijaíl era parte del trato. Yevgueni Ivánovich quiere venganza y quiere su dinero.

Tiger volvió a la carga temerariamente, utilizando a Oliver como jurado.

—Eso es un absoluto disparate, Oliver. Tú sabes tan bien como yo que considero a Randy Massingham una manzana podrida desde hace mucho tiempo, y si algo se me puede achacar en este asunto, cosa que niego, es que he sido demasiado blando con Randy durante demasiado tiempo. El eje de la conspiración no lo formamos Massingham y yo, sino Massingham y Hoban. Yevgueni, te ruego que ejerzas tu autoridad...

Pero Oliver el adulto lo había atajado ya:

—Dinos, Alix —propuso sin mayor énfasis que si pidiese una aclaración sobre un detalle semántico—. ¿Cuándo asististe por última vez a un partido de fútbol?

A pesar de todo, Oliver no sentía animadversión hacia Hoban al formular esa pregunta. No se veía como un resplandeciente caballero andante o como un gran detective desenmascarando al malhechor. Era un artista, y para el artista no hay más enemigo que el espectador que no aplaude. Su objetivo básico era hacer desaparecer de allí a su padre por arte de magia y pedirle luego perdón si le apetecía, aunque tenía sus dudas al respecto. Necesitaba curar las magulladuras de su padre y llevarlo a un dentista y ponerle un traje planchado y afeitarlo y entregárselo a Brock, y después de Brock, sentarlo en su kilométrico escritorio de Curzon Street y decirle: «Ahí te quedas, tú solo; ya estamos en paz.» Aparte de esos intereses, Hoban no era más que una molestia accesoria, la consecuencia y no la causa de la locura de su padre. Así pues, lo contó sin histrionismo, con serenidad, aproximadamente como Zoya se lo había contado a él, con todos los detalles, hasta el embutido y el vodka del descanso del partido, el orgullo del pequeño Paul por tener juntos a su padre y su madre, y la desconfianza de Mijaíl hacia Alix, que la presencia de Zoya agudizaba aún más. Habló con sensatez, sin levantar la voz ni señalar con el dedo, pero preservando con todos los trucos vocales que conocía la ilusión, frágil como el cristal. Y mientras hablaba, notó que la verdad se imponía gradualmente y todos empezaban a aceptarla: Hoban, pálido, inmóvil y calculador, y sus inquietos compinches; Yevgueni, fortalecido de nuevo por las atenciones de Oliver; Tinatin, cuando se puso en pie y se ocultó en la penumbra, rozando con los dedos los hombros del marido al pasar para darle apoyo; y Tiger, que lo escuchaba desde un capullo de falsa superioridad mientras se exploraba los contornos del rostro maltrecho con las yemas de los dedos, reafirmándose en su recobrada identidad. Y cuando Oliver hubo concluido el relato acerca del partido de fútbol y dejado pasar un tiempo para que su significación resonase en la memoria de Yevgueni, se sentía tan conmovido por su propio llamamiento a la sinceridad que estuvo a punto de abandonar toda la estrategia y confesar sus propias traiciones, a todos los reunidos y no sólo a Hoban. Pero afortunadamente ocurrirían en breve una serie de extraños sucesos que se lo impedirían.

Primero se oyó el inesperado zumbido de un helicóptero encima de ellos, el inconfundible sonido de unos rotores gemelos. Se desvaneció, y no se oyó nada más hasta que un segundo helicóptero sobrevoló la granja. Y si bien ya no quedan en el mundo lugares silenciosos, y los helicópteros y otros aparatos aéreos son asiduos visitantes nocturnos en el misterioso Cáucaso, Oliver sintió nacer en él una esperanza tan viva que permaneció inmune a la decepción cuando el sonido se alejó. Hoban protestaba, naturalmente —o mejor dicho, maldecía—, pero protestaba en georgiano, y Yevgueni le ganaba la partida. También Tinatin había regresado del rincón de la casa al que se hubiese retirado, y llevaba una pistola del mismo diseño, notó Oliver, que la que Mirsky le había ofrecido en Estambul. Pero este suceso dio paso rápidamente a la precipitada huida de los dos compañeros de Hoban, uno hacia la puerta principal de la terraza y el otro hacia una ventana situada entre la chimenea y la cocina. Los dos resbalaron y cayeron al suelo antes de alcanzar sus objetivos. Inmediatamente después de estos hechos, se puso de manifiesto su causa, a saber, que unas siluetas oscuras habían entrado en el salón al mismo tiempo que aquellos dos hombres intentaban abandonarlo, siendo el resultado que las siluetas oscuras, con sus oscuros instrumentos, salieron victoriosas.

Sin embargo nadie había hablado ni descerrajado un solo disparo audible, hasta que el salón se iluminó y estalló en una finita e incontrovertible detonación, no de un explosivo o una granada, sino de la pistola de Tinatin, que mantenía apuntada hacia Hoban con gran pericia, utilizando las dos manos con la firmeza propia de un golfista profesional. Y como efecto de este truco de magia casera, Hoban lucía de pronto un rubí grande y brillante en el centro de la frente y tenía los ojos desmesuradamente abiertos, con expresión de sorpresa. Y mientras esto sucedía, Brock hablaba con Tiger en un rincón y le anunciaba, con las frases más llanas y enérgicas de Merseyside, el desdichado rumbo que tomaría su vida si no se comprometía a cooperar generosamente. Y Tiger lo oía, como diría él. Lo oía con una atención respetuosa, si no servil, en actitud de prisionero: los pies juntos, las manos a los costados, los hombros caídos, y las cejas enarcadas para mayor receptividad.

¿Qué estoy viendo?, se preguntó Oliver. ¿Qué comprendo ahora que no comprendía antes? Para él, la respuesta era tan clara como la pregunta. Que lo había encontrado y no existía. Había llegado al último y más recóndito espacio de su búsqueda, había abierto por la fuerza la caja más secreta, y estaba vacía. El secreto de Tiger era que no había secreto.

Por las ventanas entraban más hombres, y obviamente no pertenecían al grupo de Brock porque eran rusos y vociferaban en ruso y recibían órdenes de un ruso barbudo, y fue este ruso barbudo quien, para consternación de Oliver, golpeó a Yevgueni en un lado de la cabeza con algún tipo de porra, provocándole una copiosa hemorragia. Sin embargo el anciano no pareció apenas notarlo ni concederle importancia. Estaba de pie, con las manos atadas a la espalda mediante una especie de torniquete instantáneo, y era Tinatin quien exigía a gritos que soltasen a su marido, si bien tampoco ella podía hacer gran cosa para ayudarlo, porque la habían desarmado, derribado y obligado a tenderse boca abajo, y lo veía todo de soslayo, a ras de suelo, donde segundos después Oliver, para asombro suyo, iba a reunirse con ella. Al avanzar un paso para expresar sus quejas al barbudo agresor de Yevgueni, alguien le barrió los pies de una patada, privándolo de apoyo. Voló por el aire, y al instante se encontró tumbado de espaldas en el suelo, con un tacón duro como el acero hincándosele en el estómago con tal ferocidad que se le nubló la vista y pensó que había muerto. Pero no era así, porque cuando volvió a ver con claridad, el hombre que le había golpeado yacía en el suelo, aferrándose la entrepierna y gimiendo, y quien lo había dejado en esa situación, dedujo Oliver rápidamente, era Aggie, que blandía una metralleta, vestía un traje de pantera, y llevaba la cara pintarrajeada como un guerrero apache.

De hecho, no la habría reconocido a no ser por el marcado acento de Glasgow pronunciado con el tono enfático de una maestra:

—¡Arriba, Oliver, por favor, levántate, Oliver, *ahora*!

Y cuando vio que las palabras no surtían efecto, le tendió el arma para medio ayudarlo, medio obligarlo a levantarse, y una vez en pie Oliver se balanceó, preocupado por Carmen y preguntándose si la habrían despertado con aquel alboroto.